«LES AVENTURES DE L'ESPRIT»

DU MÊME AUTEUR

Chez le même éditeur

LE CHEMIN LE MOINS FRÉQUENTÉ, 1987
UN LIT PRÈS DE LA FENÊTRE, 1991
AINSI POURRAIT ÊTRE LE MONDE, 1994
PLUS LOIN SUR LE CHEMIN LE MOINS FRÉQUENTÉ, 1995
LA QUÊTE DES PIERRES, 1998
AU CIEL COMME SUR TERRE, 1999
AU-DELÀ DU CHEMIN LE MOINS FRÉQUENTÉ, 2002

Dr M. SCOTT PECK

LE CHEMIN DE L'ÂME

Réflexions sur l'euthanasie

traduit de l'américain par Daniel Roche

ROBERT LAFFONT

Titre original : DENIAL OF THE SOUL

ISBN 2-221-09139-6
(édition originale : ISBN 0-609-80134-1 Harmony Books, New York)

Introduction

Les multiples débats qui fleurissent actuellement sur des sujets autrefois tabous me paraissent utiles. Au nombre de ceux-ci figure l'euthanasie. Loin de moi l'idée de vouloir l'étouffer ; seule la façon dont on l'aborde me semble étrangement biaisée, incomplète et souvent dénuée de passion. Cet ouvrage voudrait tenter de corriger cette situation sans escamoter le débat : j'estime au contraire qu'il faut l'élargir et le stimuler.

J'ai décidé de me lancer dans cette tâche en découvrant, avec une inquiétude croissante, que l'on n'attachait pas au problème de l'euthanasie l'importance qu'il mérite, comme s'il n'était qu'un thème parmi tant d'autres qui accaparent l'attention de l'opinion publique. Le problème de l'euthanasie est sans doute le plus grave. Et je crois qu'avant de pouvoir apporter une solution satisfaisante aux autres, il faudra que nous soyons parvenus à un consensus sur celui-ci.

La question de l'euthanasie s'est toujours posée. Qu'elle ait été passée sous silence ne signifie nullement qu'elle était absente de nos pensées, mais simplement qu'on l'esquivait.

En 1950, à l'âge de quatorze ans, j'ai commencé à réfléchir sérieusement au sujet de la mort. Le fait que mon existence soit limitée dans le temps m'est apparu comme sa caractéristique sans doute la plus importante. Comme tout le monde, j'allais mourir un jour. Et il me semblait (pour moi comme pour les autres) que si une personne condamnée à mourir souhaitait s'épargner les multiples tourments de l'agonie, elle avait parfaitement le droit d'accélérer le processus. Je connaissais très bien le sens du mot « euthanasie » et j'avais fait mienne cette idée. J'étais un adolescent très « rationnel ».

Un quart de siècle plus tard, en 1975, j'ai appris les suicides du Dr Henry Van Dusen, théologien américain très en vue, et de sa femme. Ils ont mis fin à leurs jours dans leur appartement de New York, d'un commun accord, laissant derrière eux une lettre tout à fait sensée dans laquelle ils expliquaient les raisons de leur geste : ils voulaient se soustraire aux inconvénients de la vieillesse et d'une mort naturelle. Leur décision m'a choqué. De la part de n'importe quel autre couple âgé, une décision similaire ne m'aurait pas surpris le moins du monde. Mais qu'une personnalité religieuse aussi éminente que le Dr Van Dusen se suicide, cela me perturbait. J'ai senti alors que l'euthanasie soulevait des questions spirituelles et religieuses que je n'étais pas encore capable de formuler.

L'expérience accumulée dans ma vie professionnelle, en médecine, en psychiatrie et en théologie – et dans la vie tout court – me permet d'aborder aujourd'hui le problème de l'euthanasie dans toute sa complexité en espérant clarifier un peu le débat.

Les arguments qu'échangent partisans et adversaires de l'euthanasie sont souvent simplistes. Ce n'est guère surprenant dans la mesure où le public affectionne les joutes au terme desquelles un des deux « camps » est déclaré vaincu et l'autre vainqueur. D'un côté, ceux qui ont raison ; de l'autre, ceux qui ont tort. Ce simplisme gagne du terrain, même chez les intellectuels, et s'installe dans toutes sortes de débats, qu'il s'agisse de l'avortement, de l'homosexualité, de la guerre ou du « meilleur » régime amaigrissant. Mais nous ne vivons pas dans un monde noir et blanc ; et je m'efforce, depuis déjà un certain temps, de lutter contre ce manichéisme du débat d'idées.

Notre sujet est complexe. Nous ne disposons même pas d'une définition du terme communément admise. L'euthanasie se réduit-elle à un acte commis par un être, médecin ou parent, sur un autre être, malade ou mourant ? Ou bien englobe-t-elle l'acte d'un malade ou d'un agonisant qui se supprime lui-même sans l'assistance d'un tiers ? Suppose-t-elle le consentement du patient ? Celui de la famille ? Comment la distinguer d'autres formes de suicide ou d'homicide ? Comment différencier l'euthanasie « active » de l'euthanasie « passive », consistant à « débrancher » un malade ? Si l'on assimile le refus de l'acharnement thérapeutique à une forme d'euthanasie, comment distinguer celui-ci des dispositions thérapeutiques dites « normales » ? Quelle relation établir entre l'euthanasie et la douleur ? Entre douleur physique et souffrance morale ? Comment graduer la souffrance ?

Mais surtout : pourquoi cette question soulève-t-elle des problèmes éthiques, et quels sont-ils ?

La première partie de cet ouvrage s'intéresse aux aspects médicaux de la douleur et de la mort. Les problèmes que je soulève, si complexes soient-ils, sont accessibles à tout un chacun. Leur examen me permettra de livrer au public des informations nécessaires, condition préalable à l'élaboration d'une définition de l'euthanasie qui serve de base aux débats à venir. La première partie du livre s'achève sur cette définition.

La deuxième partie traite surtout des problèmes spirituels, l'athéisme, l'âme, le sens de la vie et de la mort. Il éclaire le choix du titre de ce livre, *Le Chemin de l'âme*. Un fossé sépare ceux qui croient à l'existence de l'âme et ceux qui la nient ; c'est à cause de ce fossé que l'euthanasie est au centre d'un débat éthique et philosophique passionné [1].

Dans la troisième partie de cet ouvrage, j'évoque les aspects légaux et sociaux de l'euthanasie. En conclusion, je montre que le débat sur l'euthanasie, s'il est bien conduit, peut être très profitable à notre civilisation.

---

1. C'est mon premier ouvrage sur le sujet de l'euthanasie. Les idées que j'y présente sont donc entièrement nouvelles. Cependant, à la fin de la première partie et au début de la seconde, consacrées à des questions psycho-spirituelles, je reviens sur des sujets que j'ai déjà traités en détail dans des ouvrages antérieurs. Pour ceux d'entre vous qui les ont lus, ces développements sembleront peut-être superflus. Que chacun se sente libre de sauter ces passages et accepte mes excuses pour n'avoir su comment procéder autrement.

Bien que ce soit contraire à tous les usages littéraires, je crois indiqué, ici, d'annoncer d'entrée de jeu la conclusion de mon propos. Je me prononce contre une attitude laxiste envers l'euthanasie. (« L'euthanasie à la demande. »)

Tout en défendant passionnément une position qui est le fruit d'une longue réflexion, je suis bien conscient de ne pas détenir le monopole de la vérité. J'ai déjà connu un certain nombre de vicissitudes liées à la vieillesse, mais il m'en reste encore beaucoup à découvrir. Je suis bien évidemment mortel – je le ressens chaque jour. Mais je ne sais absolument pas ce que signifie être atteint d'une maladie mortelle ou d'un handicap grave. J'ignore ce que ressentent ceux qui voient leur santé se détériorer rapidement. Et je peux, le cas échéant, changer d'avis. C'est avec cette réserve que je voudrais qu'on lise les pensées rassemblées dans ce livre.

Et même si, au bout du compte, mes conclusions semblent impliquer un désaveu de ceux qui, comme M. et Mme Van Dusen, ont fait le choix de l'euthanasie, je me refuse à les condamner. Au soir de ma vie, mon aspiration la plus profonde est de louer Dieu, ce Dieu qui échappe à toute définition. Louer le Seigneur et condamner autrui sont deux démarches radicalement différentes.

Première partie

DE LA CONFUSION À LA DÉFINITION
PERSPECTIVES MÉDICALES
ET PSYCHIATRIQUES

1

Débrancher les mourants ?

À l'âge de soixante-dix-neuf ans, Juliette, ma grand-mère paternelle, une petite femme qui n'avait pas sa langue dans sa poche, est devenue geignarde, timorée, égocentrique, capricieuse. Elle a perdu tout sens de l'humour.

— Bah, ce sera mon dernier Noël ! nous annonçait-elle chaque année.

Même son de cloche à Pâques et aux anniversaires.

— Mes enfants, vous ne verrez plus votre grand-mère très longtemps, nous répétait-elle souvent, à mon frère et à moi.

Elle n'était pas à proprement parler sénile, mais sa joie de vivre s'était évaporée.

Peu après avoir atteint quatre-vingt-quatre ans, elle fut hospitalisée d'urgence, un soir, par suite d'une occlusion intestinale. Une intervention chirurgicale relativement simple la débarrassa de ce problème, mais elle contracta une maladie bien pire à l'hôpital : une septicémie à staphylocoque. Elle fut l'une des premières victimes d'une nouvelle souche de bactéries devenue résistante à la pénicilline. Ce type d'affection commençait à infester les hôpitaux, à l'époque : c'était une maladie dévastatrice. Ma grand-mère, à qui on administrait des doses massives d'antibiotiques, a végété dans un état semi-comateux. Chaque jour, on répétait à mon grand-père que sa femme allait sans doute décéder dans la nuit.

J'étais alors étudiant et je n'ai rendu visite à ma grand-mère qu'une fois durant cette période. Comme elle était dans le coma, je ne suis resté que cinq minutes, assis à côté d'elle. Ou plutôt de son pauvre corps estropié. À l'époque, quand les médecins ne trouvaient pas de veines superficielles où piquer, ils effectuaient des incisions au niveau des chevilles et des aisselles qui leur permettaient d'atteindre les veines profondes et les utilisaient pour les perfusions[1]. Les deux chevilles et les deux aisselles étaient donc reliées à des cathéters. En essayant de prendre le raisonnement de l'interne (chargé de ce cas) à mon compte, je n'ai pu que m'étonner : pourquoi, au nom du ciel, devrais-je m'évertuer à poser des perfusions sur cette pauvre femme de quatre-vingt-quatre ans, apparemment sénile ? Elle ne survivra probablement pas, et si elle survit par miracle, elle sera réduite à l'état de légume. Le jour de ma visite, j'ai estimé qu'on aurait dû la débrancher.

Il se trouve que ma grand-mère a survécu... physiquement. Après deux semaines et demie, sa température a baissé, la bactérie a disparu de son sang et elle a recouvré assez de forces pour être nourrie par voie orale. Il ne restait qu'un problème : jour et nuit en proie à des hallucinations, incapable de tenir un discours cohérent, elle avait complètement perdu l'esprit.

Les médecins ont essayé de calmer l'inquiétude de mes parents et de mon grand-père :

— Il est très fréquent qu'un patient, victime d'une infection aussi brutale, présente les symptômes d'une défaillance neurocérébrale aiguë. Ce type de démence est en général temporaire : dans une semaine ou deux, elle ira mieux.

Mais le temps passait et son état ne s'améliorait pas. Trois semaines après l'opération, ma grand-mère délirait toujours vingt-quatre heures sur vingt-quatre. Les médecins nous expliquèrent alors que sa défaillance neurocérébrale était chronique et qu'elle ne guérirait sans doute pas. Mes parents se mirent en quête d'une maison de retraite, la meilleure possible.

Je suis retourné voir ma grand-mère à l'hôpital. Elle était sortie de son état végétatif. Mais elle semblait ne pas me reconnaître et ne m'adressait pas la parole. Elle a radoté pendant une demi-

1. Aujourd'hui, on sait placer des cathéters pour intraveineuses profondes, et ce type d'incisions ne se pratique plus.

heure à propos de prétendus tableaux, sur le mur, qui n'existaient que dans son esprit. De retour à la maison, moi qui n'avais pourtant aucune notion de médecine et encore moins de psychiatrie, j'ai dit à mes parents :

— Je ne suis pas sûr qu'elle soit aussi folle qu'elle en a l'air. J'ai l'impression qu'elle pouvait me parler mais qu'elle ne le voulait pas. On aurait dit qu'elle *refusait* de me reconnaître. En tout cas, elle m'a paru très en colère.

Ma grand-mère avait perdu la tête et on s'est activés pour lui trouver une institution spécialisée. Cinq semaines après avoir guéri de son infection, elle devait être transférée de l'hôpital dans la maison de retraite.

Le samedi matin, deux jours avant ce transfert, au milieu d'une visite de mes parents et de mon grand-père, ma grand-mère s'est soudain assise dans son lit et s'est exclamée :

— Je rentre à la maison aujourd'hui !

— Mais, ma chérie, tu as été très très malade...

— Je sais que j'ai été malade, mais je suis guérie.

— Tu as besoin d'un endroit où tu puisses te reposer et récupérer tranquillement avec une assistance médicale. On t'a trouvé une maison très confortable.

— Je sais parfaitement que vous voulez m'envoyer dans une maison de retraite, mais je n'irai pas. Je rentre à la maison.

— Tu sais que tu as été complètement dérangée pendant des semaines ?

— Évidemment que je le sais ! J'ai perdu les pédales. Mais maintenant je ne suis plus folle et je veux rentrer à la maison. *Aujourd'hui.*

Elle a regagné sa maison le jour même.

Pendant les cinq années qui ont suivi, ma grand-mère n'a jamais tremblé, elle ne s'est jamais plainte, elle avait retrouvé sa joie de vivre d'antan. Son sens de l'humour et de la répartie était plus aiguisé que jamais.

Puis, vers la fin de sa quatre-vingt-neuvième année elle est redevenue tremblante et irascible. Elle a décliné peu à peu et s'est éteinte chez elle, à l'âge de quatre-vingt-onze ans, en ayant connu quatre de ses six arrière-petits-enfants.

Rétrospectivement, je suis très heureux que les médecins l'aient intubée et qu'ils aient pris toutes les mesures, qui me semblaient à l'époque outrancières, pour la garder en vie.

Et cela pour une raison très concrète : durant ses cinq années de bonheur lucide, je me suis fiancé avec une jeune femme, Lily. Ce qui a rendu mes parents à moitié fous parce que ma future épouse était chinoise. Fin novembre 1959, un mois après notre mariage, Lily et moi sommes allés rendre visite à ma grand-mère. Lors de cette visite, ma grand-mère a déclaré à propos de ce mariage :

— Je ne peux pas dire que je l'approuve, parce que ce n'est pas le cas. Mais ça ne me regarde fichtrement pas, et c'est tout ce que vous m'entendrez dire à ce sujet !

Cette déclaration pouvait difficilement être interprétée comme une bénédiction. Mais comme c'était la seule réaction sensée d'un membre de ma famille, je l'ai presque reçue comme telle.

J'ai rencontré Tony au début de l'été 1965, à la fin de ma première année d'internat en psychiatrie au Letterman General Hospital, sur la base militaire de San Francisco. Tony, âgé de trente-deux ans, était sergent dans l'armée de l'air. D'origine italienne, cet engagé, naguère vif et compétent, avait récemment commis un certain nombre d'erreurs vénielles dans son travail et semblait un peu confus. Il m'avait été envoyé par la clinique de santé mentale de la base aérienne pour une évaluation psychiatrique.

De mon point de vue, le diagnostic était assez simple. Tony, un beau garçon robuste, avait l'air de jouir d'une bonne santé mais il n'avait plus toute sa tête. Il était même complètement désorienté. Il s'est endormi à plusieurs reprises durant notre unique entretien et, quand je l'ai secoué doucement pour le réveiller, il s'est montré incapable de répondre à la plupart de mes questions. Une brève auscultation neurologique n'a rien révélé d'anormal – ses bras, ses jambes, ses yeux et sa langue semblaient fonctionner parfaitement bien – et son état ne rappelait aucun trouble psychiatrique typique. Il présentait les symptômes d'une affection cérébrale très grave, aussi ai-je tout de suite songé à une tumeur au cerveau. J'ai demandé une série d'examens d'urgence au service de neurologie.

Le lendemain matin, Tony a subi différents examens : radio du cerveau, électroencéphalogramme, artériographie, etc. J'ai tenté de lui exposer ce qui lui arrivait, mais il ne me reconnaissait pas et semblait inaccessible à toute inquiétude. J'ai présumé que je ne le reverrais pas. Son cas n'était plus de mon ressort et j'ai fini par l'oublier. Dossier classé... du moins le croyais-je.

Environ dix semaines plus tard, j'ai été muté dans le service de neurologie. Là, j'ai retrouvé Tony qui est redevenu mon patient. Sa vie avait définitivement basculé : les examens avaient révélé la présence d'une énorme tumeur dans les lobes frontaux. Il avait été transféré en neurochirurgie mais la tumeur était inopérable. Les biopsies effectuées avaient mis en évidence un astrocytome très invasif. Juste après cette intervention, Tony avait été renvoyé en neurologie et traité par radiothérapie. Sans aucun résultat. Son état se détériorait rapidement. Une semaine avant mon arrivée dans le service, il avait sombré dans le coma. Quelques jours après, victime d'une grave insuffisance respiratoire, il avait subi une trachéotomie et été placé sous respirateur artificiel. Sa famille avait été avertie de la gravité de son état, et ses parents se relayaient en permanence auprès de lui.

C'est à ce moment que Tony est à nouveau entré dans ma vie. Mon rôle se réduisait d'abord à contrôler ses perfusions. Je n'avais apparemment aucune autre responsabilité vis-à-vis des membres de sa famille, auxquels je ne parlais qu'occasionnellement. Je sentais bien que c'était une période très difficile pour eux. Ils ne cessaient de s'enquérir du jour et de l'heure de sa mort – information que je ne pouvais évidemment pas leur fournir. Le cas de ma grand-mère m'avait fait changer d'avis sur l'acharnement thérapeutique ; malgré tout je me demandais qui avait pris la décision de placer Tony sous respirateur artificiel. Il était de toute façon trop tard pour revenir en arrière, et le jeune interne que j'étais n'avait pas à critiquer cette décision.

Quatre jours après mon arrivée dans le service, la tension de Tony s'est brutalement effondrée, mettant sa vie en péril. L'état de choc n'était apparemment pas lié à une infection mais à l'évolution de son cancer, qui avait dû toucher les centres cérébraux régulant son système cardio-vasculaire. J'ai demandé qu'on lui perfuse de l'adrénaline à petite doses. Sa tension est redevenue normale. J'ai téléphoné au chef du service pour l'informer de ce que j'avais fait. Il m'a félicité.

— Mais, colonel, ai-je ajouté, franchement, je ne suis pas sûr que ce soit le bon choix. Je suis intervenu sur-le-champ pour l'empêcher de mourir... Il n'a aucune chance de s'en tirer, et sa famille attend sa mort dans une angoisse terrible.

Mon patron m'a réaffirmé que j'avais fait strictement mon devoir.

Ensuite, j'ai dû doubler la prescription d'adrénaline, chaque matin, pour soutenir sa tension. Dès le cinquième jour, on atteignait une dose inégalée à ma connaissance. Ses pupilles dilatées ne réagissaient plus aux signaux lumineux. Les infirmiers retournaient souvent son corps, malgré cela il avait commencé à développer d'énormes escarres. Mais ce qui me troublait le plus, c'était l'écume brunâtre qui dégouttait sur les bords de sa trachéotomie. Aucun doute n'était permis : le corps de Tony commençait à se décomposer. J'ai rappelé mon chef pour lui faire part de mes impressions :

— Nous devrions arrêter l'adrénaline.

— Je passerai vous voir demain avec l'électroencéphalographe portatif et nous vérifierons l'activité cérébrale résiduelle. J'ai lu des articles dans certaines revues médicales, démontrant qu'on peut débrancher les systèmes d'assistance artificielle en cas de mort cérébrale avérée.

Quand je suis entré dans sa chambre le lendemain matin, j'ai découvert que la tension de Tony avait à nouveau chuté brutalement et j'ai encore doublé sa dose d'adrénaline : ce n'était plus un goutte-à-goutte mais un torrent d'adrénaline qui se déversait dans ses veines. J'ai attendu avec impatience l'arrivée de mon chef qui a effectué l'encéphalogramme de Tony.

— Il reste une activité électrique résiduelle, fit-il en me montrant les courbes déformées. Pas très importante, mais pas nulle.

Et il a commencé à démonter la machine.

Je lui ai montré les signes de gangrène sur le corps de Tony.

— C'est vrai. Mais il n'en demeure pas moins qu'il subsiste une activité cérébrale.

Après le départ de mon chef avec son électroencéphalographe, je suis resté environ un quart d'heure dans la chambre à observer Tony. Ensuite, je me suis levé et j'ai réduit de moitié le débit de la perfusion, avant de retourner dans la salle de garde où j'ai fumé une cigarette. Dix minutes plus tard, je suis revenu dans la chambre de Tony. Il était mort. J'ai informé les infirmières et je suis allé dans la salle d'attente prévenir sa famille. Ils ont éclaté en sanglots mais, dans leur échange de propos en italien, je n'arrivais pas à discerner s'ils pleuraient de tristesse ou de soulagement. Les deux, sans doute.

J'ai bien évidemment eu la présence d'esprit de ne parler à personne de mon geste. En y repensant, je suis étonné de ne jamais avoir songé au fait qu'en plus de la gravité de l'initiative elle-même, j'avais désobéi à mon chef de service et à un officier d'un rang bien supérieur au mien. Je ne me souviens que d'une chose : mon sentiment d'avoir stoppé une pure abomination.

La plupart des médecins ont sans doute vécu des expériences contradictoires de cet ordre. Récemment, le docteur Francis D. Moore faisait état de deux cas contraires dans un article du *Harvard Magazine* intitulé « *Prolonger la vie, la laisser s'achever*[1]. » Il cite l'exemple d'une femme de soixante-cinq ans, atteinte de dysfonctionnements organiques gravissimes après une fracture de la hanche. Elle est branchée à un arsenal d'appareils médicaux ultramodernes. La famille de cette femme demande au Dr Moore de mettre fin à cet acharnement thérapeutique. Il lui répond, en substance, qu'il ignore *pourquoi* sa parente se trouve dans un état aussi critique et, qu'en conséquence, il ne peut être *sûr* qu'elle ne s'en remettra pas. Il lui demande de tenir bon quelques jours. Sa patiente retrouve la santé au bout d'une dizaine de jours ; et six mois plus tard la famille revient voir le Dr Moore pour le remercier en pleurant d'avoir si délicatement refusé de la débrancher.

Il cite aussi le cas d'une femme de quatre-vingt-cinq ans grièvement brûlée au nez, à la bouche et à la trachée. Une région par-

1. *Prolonging Life, Permitting Life to End*, juillet-août 1995, pp. 46 à 51.

ticulièrement vulnérable à ce genre de blessures. Impossible de retrouver les membres de sa famille. Le Dr Moore sait d'expérience que de telles brûlures sont toujours fatales chez des personnes âgées.

« Quand elle se plaignait de la douleur, rapporte-t-il, on lui administrait de la morphine, à hautes, très hautes doses. Vingt-quatre heures sur vingt-quatre. Elle est décédée rapidement et sans souffrir. »

Les deux cas du Dr Moore et les miens, certes très différents, présentent pourtant un point commun essentiel : dans le cas de ma grand-mère et de la patiente plus jeune du Dr Moore, personne n'était capable de prédire le résultat du soutien thérapeutique intensif qui avait été décidé. Dans le cas de mon jeune sergent atteint d'une tumeur au cerveau et de la patiente âgée du Dr Moore, nous ne doutions pas de l'issue fatale et rapide qui les attendait, quelle que soit l'efficacité des soins prodigués.

Morale de l'histoire : on a, non seulement le droit, mais le devoir de stopper les mesures d'assistance artificielle de la vie quand on n'a plus aucun doute sur l'issue fatale de la maladie. Il est aberrant d'essayer de prolonger l'existence d'une personne qui entame une agonie irréversible, et on a en revanche toutes les raisons du monde de vouloir abréger ces affres ultimes.

Plus aucun doute ?

Comment puis-je affirmer que Tony serait décédé rapidement, même si je n'avais pas réduit le débit de sa perfusion d'adrénaline ? Sans parler des remèdes miracles ou des guérisons inexpliquées de toutes sortes de maladies, on cite un certain nombre de cas de rémissions spontanées du cancer.

Cela est vrai. Mais ces exemples concernent en général les premiers stades de la maladie. Je n'ai jamais entendu parler d'un cas de guérison pour un cancer aussi avancé que celui de Tony.

Pourtant, j'ai appris à me méfier de l'aptitude humaine à prédire, presque tout, *à coup sûr*. Je crois qu'il subsiste toujours un doute. C'est pourquoi, ce matin-là, il y a plus de trente ans, quand j'ai laissé une vie s'achever, je l'ai fait dans la crainte et le tremblement. J'aurais tant voulu pouvoir discuter de cette décision avec quelqu'un ! Je ne crois pas qu'un médecin seul puisse la prendre, s'il peut l'éviter.

Je dois d'ailleurs constater que le milieu qui entoure ce genre de choix a spectaculairement évolué au cours de ces trente dernières années. Il est devenu très banal de s'interroger sur le maintien de mesures d'assistance intensives dans des cas désespérés et d'associer la famille à cette décision ultime. En 1965, ce n'était pas encore le cas. Les médecins déployaient tout l'arsenal technologique et thérapeutique existant pour lutter contre la mort jusqu'au bout, sans se demander si les proches avaient leur mot à dire. Aujourd'hui, il va de soi que je discuterais de ce type de problèmes avec la plupart des familles. À l'époque, si j'avais évoqué l'existence d'une alternative aux parents de Tony, j'aurais été passible de la cour martiale pour manquement à la déontologie médicale.

De plus, la plupart des hôpitaux disposent aujourd'hui de comités d'éthique qui partagent avec les médecins la responsabilité des décisions médicales difficiles. La partie est donc beaucoup plus facile à jouer. Un jeune médecin, aujourd'hui confronté à la même situation que moi, se trouve devant un chef de service beaucoup plus enclin à débrancher quelqu'un comme Tony. On attend de lui qu'il implique la famille dans cette décision. Si la solution du problème reste indécise, il peut consulter d'autres professionnels qui l'aideront à y voir plus clair. Bref, il n'est pas seul face à son dilemme.

Pas de critère absolu

Pour mon chef, seule la mort cérébrale de Tony aurait justifié la suppression de l'assistance artificielle. Cette définition de la mort, qui commençait à s'imposer à l'époque, a constitué un progrès dans le débat sur les limites de l'acharnement thérapeutique. Elle demeure en vigueur dans un cas au moins, celui des donneurs d'organe qui souffrent de traumatismes crâniens très graves et sont encore vivants : l'autorisation de prélèvement d'organes est liée au constat de cessation de l'activité électrique dans le cerveau du donneur.

Cela dit, j'ai débranché Tony alors que son cerveau présentait des signes d'activité ; je l'ai fait parce qu'il me semblait que si la mort cérébrale n'était pas avérée, la « mort corporelle » était indubitable. En d'autres termes, l'équation mort cérébrale = mort du patient ne me semblait pas, en l'occurrence, pertinente. Je pense que la plupart de mes confrères d'aujourd'hui seraient d'accord avec moi.

Quel critère faut-il donc retenir ? Dans la plupart des cas, aucun n'est, à lui seul, pertinent.

Cette réponse n'est certes pas facile à accepter. On me demande très souvent des recettes qui ressemblent un peu à des solutions miracles.

— Dites-moi, Dr Peck, comment distinguer entre dévouement normal et exploitation de l'autre, dans un rapport amoureux ? Quand dois-je intervenir dans la vie de mon enfant et quand dois-je le laisser tranquille ? Donnez-moi une recette qui me garantisse le bon choix !

Rien de plus naturel, en un sens, que de demander des recettes qui nous délivrent totalement de l'incertitude et du tourment qu'entraînent les grandes décisions.

Mais de telles recettes sont rares et il est presque toujours très ardu de distinguer entre traitement lourd, mais nécessaire, et acharnement thérapeutique absurde. De nombreux facteurs entrent en jeu : la nature de la maladie et le pronostic, bien sûr, mais aussi les sentiments de la famille et le désir du patient lui-même, quand on le connaît. Aucune équation mathématique ne peut dispenser un médecin d'exercer sa responsabilité et de se prononcer en conscience. C'est pourquoi je n'ai pas suivi l'ordre de mon chef dans le cas de Tony. J'estime que mon supérieur essayait de substituer une recette à un jugement. Je considère une telle abdication comme contraire à l'éthique médicale. On peut aussi laisser l'ordinateur décider du moment auquel débrancher un patient. Faut-il souligner le caractère inhumain d'une telle démarche ?

Une vie qui ne mérite plus d'être vécue ?

À vingt-quatre ans, avec la sagesse d'un garçon de cet âge, j'estimais démesuré le dispositif d'assistance artificielle déployé pour sauver la vie de ma grand-mère. Ce jugement ne se fondait pas seulement sur son âge ; elle était visiblement malheureuse et présentait tous les symptômes de la sénilité. En d'autres termes, j'avais fait une croix sur elle parce que sa qualité de vie me paraissait très médiocre.

Je parle plus loin très en détail de la difficulté de porter un jugement sur la qualité de sa propre vie. Tout jugement portant sur la qualité de la vie d'autres êtres pour régler leur destin me paraît encore plus risqué.

Les êtres humains, et au premier chef les médecins et les psychiatres, ont dans le passé montré une grande propension à disqualifier leurs semblables de toutes sortes de façons et pour toutes sortes de raisons : sexe, âge, couleur de peau, religion, troubles mentaux, etc. Je souhaiterais évoquer une seule de ces raisons : la sénilité.

Quand ma grand-mère a commencé à se plaindre constamment et à ne plus parler que de soi, mes parents et moi avons jugé qu'elle devenait sénile parce qu'elle était âgée. Personne n'a envisagé qu'elle pouvait être déprimée. Quand elle a été victime d'hallucinations, après avoir guéri de sa septicémie, les médecins ont supposé que son cerveau était endommagé. Aujourd'hui, avec l'expérience acquise en tant que psychiatre, il m'apparaît clairement que ma grand-mère n'a jamais été sénile et qu'elle n'avait pas de lésions neurologiques. Elle n'est pas la seule dans ce cas : nombre de vieillards sont décrétés gâteux et incurables alors qu'ils souffrent simplement de dépression, et qu'ils pourraient souvent se remettre avec un traitement approprié.

Ce diagnostic erroné de sénilité ne masque pas seulement des dépressions, loin de là. J'ai ainsi soigné une femme âgée qui mimait la sénilité parce qu'elle voulait être admise dans une maison de retraite. Elle y a réussi. Tous ceux qui ont travaillé dans de tels établissements ont vu des patients, apparemment déments, retrouver leurs esprits « quand ils avaient de bonnes raisons pour », c'est-à-dire une sérieuse motivation. D'ailleurs nous ne disposons pas, à l'heure actuelle, de définition scientifique satisfaisante de la sénilité [1].

Ce qui ne nous empêche pas de décréter que la vie des personnes séniles est nécessairement misérable. Une des raisons, parmi d'autres, de cette présomption : nous estimons que la vie spirituelle de ceux dont l'intellect semble se détériorer doit pâtir de cette dégradation. Mais cette assimilation de l'intellect à l'âme est erronée.

Ma belle-mère a passé les sept dernières années de sa vie dans une maison de retraite en raison d'une sénilité diagnostiquée par moi-même et confirmée par d'autres psychiatres. Elle semblait au moins aussi heureuse à cette époque qu'auparavant. Dans sa maison de retraite, elle s'était réfugiée dans un silence quasi permanent. Mon épouse Lily parle de cette époque comme des « années de silence » de sa mère : il lui semble que celle-ci aurait pu parler mais qu'elle avait choisi de se taire. Et comme elle n'évoquait pas non plus les raisons de son silence, nous étions dans l'incertitude la plus totale. Nous savons cependant que certains groupes de gens ont opté, au cours des siècles, pour le silence : moines et nonnes se sont volontairement retirés du monde pour favoriser leur épanouissement spirituel.

Tout cela pour dire que nous ne devrions jamais juger de la qualité de vie de nos semblables. Les médecins disposent d'informations sur la santé physique d'un patient qui leur permettent souvent de prévoir comment, pourquoi et quand un corps va probablement mourir. Ils sont donc souvent à même d'émettre des jugements précis sur la nécessité de prendre des mesures d'assistance thérapeutique artificielle. Mais s'ils fondent de tels jugements sur des estimations concernant la qualité de vie de leur patient, ils s'avancent sur un terrain très mouvant.

À cet égard il est peut-être utile de rappeler que l'holocauste n'a pas commencé en 1941. Il a débuté en 1939, quand les nazis

---

1. Les lecteurs intéressés par les ambiguïtés de la sénilité peuvent se reporter à mon livre *Un lit près de la fenêtre*, Robert Laffont, 1991.

ont commencé à supprimer massivement les arriérés mentaux internés. Après quoi ils ont exterminé les schizophrènes. Puis les personnes atteintes de sénilité. Ce n'est qu'après avoir pris toutes ces mesures qu'ils ont retourné leur technologie de la mort contre les Juifs et les Tziganes.

En exterminant les personnes atteintes de schizophrénie, de débilité ou de sénilité, les nazis trahissaient leur obnubilation de l'efficience économique. Mais ils ont justifié leur cynisme abject en expliquant que la qualité de vie de leurs victimes était si indigente que les tuer représentait un acte de charité.

Ils ont d'ailleurs baptisé leurs mesures : *programme d'euthanasie.*

Je suis en général opposé à l'acharnement thérapeutique pour prolonger la vie d'une personne au stade terminal d'une maladie incurable. Quand des mesures d'assistance artificielle sont proposées pour ce type de patients, je m'y oppose. Quand je me trouve face à un patient qui est déjà artificiellement assisté, je me prononce pour un allégement progressif de son appareillage. En d'autres termes, je suis incontestablement libéral quand il s'agit de débrancher un patient pour des raisons médicales. Mais seulement pour des raisons médicales. Des hypothèses sur la qualité de vie d'un patient ne constituent pas des raisons médicales. Débrancher un malade sur la seule foi d'estimations aussi incertaines ne diffère guère d'un homicide, fût-ce par imprudence, et ériger une telle pratique en politique hospitalière serait non seulement dangereux pour le corps médical, mais très risqué pour l'ensemble de la société.

En quoi consiste l'acharnement thérapeutique ?

Certains traitements médicaux relèvent d'évidence de l'acharnement thérapeutique. S'agissant de patients comme Tony, qui sont manifestement en stade terminal, ils sont absurdes, aberrants et inhumains. Placer Tony sous assistance respiratoire relevait de l'acharnement thérapeutique. Soutenir sa tension sanguine aussi. On aurait pu envisager d'autres mesures du même ordre comme la pose d'une sonde pour l'alimenter ou une dialyse en cas de problèmes rénaux : ces abominations lui ont été épargnées. Je pourrais continuer, mais je n'ai pas l'intention de passer en revue toute la panoplie des thérapeutiques d'assistance.

D'autres traitements confinent à l'acharnement thérapeutique. Dans le traitement des cancers, chimiothérapie et radiothérapie en sont des exemples. Celles-ci ont presque toujours des effets secondaires très pénibles et invalidants. Si elles peuvent guérir le patient, ou lui assurer une rémission de longue durée, on ne les assimile pas à de l'acharnement thérapeutique ; mais quand elles n'apportent qu'une brève rémission, comment les en distinguer ?

Les patients soumis à ces soins sont souvent non seulement conscients mais lucides, assez pour prendre des décisions pour leur propre compte. Quand on lui a prescrit une radiothérapie pour sa tumeur foudroyante au cerveau, Tony était encore conscient, mais plus assez lucide, à mon sens, pour décider de lui-même. J'estime d'ailleurs que, dans son cas, une radiothérapie ne relevait pas de l'acharnement thérapeutique proprement dit. Elle s'est révélée complètement inefficace mais les médecins ne pouvaient pas le prévoir ; ce type de traitement n'avait pas encore été tenté et on pouvait espérer d'excellents résultats.

Quand un patient cancéreux refuse radio et chimiothérapies, ne peut-il se débrancher lui-même ? Si les chances de réussite de telles thérapies sont infimes, je soutiendrai sans réserve la décision d'un tel patient. En revanche, dans le cas d'un traitement qui a de bonnes chances de réussir, j'inciterai résolument le malade à reconsidérer sa décision. Mais en fin de compte, je soutiendrai son choix malgré mes réserves. Le cancer est une maladie gravissime et les soins dont nous parlons sont très lourds. Quand le cancer, ou son traitement – ou les deux – sont trop pénibles, les patients ont *le droit de mourir*.

Il existe d'autres traitements relativement inoffensifs destinés soit à sauver soit à prolonger la vie. Les antibiotiques, par exemple. Un patient a-t-il le droit de refuser les antibiotiques ? Dans certains cas, il me semble que oui. Parfois, non. Prenons l'exemple fictif de deux jeunes hommes, Jean et Pierre, pour illustrer cette ambiguïté.

Jean, âgé de trente ans, se meurt du sida. Le syndrome est déclaré depuis presque cinq ans. Il est hospitalisé pour sa cinquième pneumonie en deux ans et demi. Son corps est en piteux état. Le médecin responsable de Jean me demande une consultation psychiatrique parce que son patient refuse les antibiotiques. Jean m'explique qu'il est très fatigué et se sent prêt à mourir. Après avoir posé quelques questions, je m'aperçois qu'il s'est réconcilié avec sa famille. Nous évoquons la vie après la mort. Il accepte de rencontrer l'aumônier de l'hôpital pour se confesser et recevoir les derniers sacrements, mais persiste à refuser les antibiotiques. Je téléphone à l'aumônier et promets de rendre visite à Jean tous les jours. J'écris un mot à l'interne qui le suit, en insistant pour qu'il respecte à la lettre le refus de Jean de prendre des antibiotiques.

Pierre, lui, est admis aux urgences dans un état comateux après une overdose de somnifères qu'il a volés dans l'armoire à pharmacie de sa mère. Quand il revient à lui, il est transféré dans le service psychiatrique. Il ne souffre d'aucune maladie physique chronique. Je le trouve très déprimé et encore suicidaire. Le lendemain de son transfert dans mon service, il commence à tousser et sa température monte en flèche. L'interne, appelé en consultation, diagnostique une pneumonie, sans doute consécutive au lavage d'estomac, et préconise des doses massives d'antibiotiques. Pierre les refuse. Je donne l'ordre de l'attacher et de lui administrer des antibiotiques contre sa volonté. Un aide soignant le surveille en permanence. Au bureau des infirmières, je remplis son dossier en expliquant que Pierre représente un grave danger pour lui-même : je détaille les mesures d'urgence que nous avons décidées et je préconise un internement psychiatrique d'office. J'appelle l'hôpital psychiatrique du secteur et il est transféré, revêtu d'une camisole de force, vers un service fermé, réservé aux patients « récalcitrants ». De tels cas – tout blancs ou tout noirs – sont très rares.

Mon intention n'est pas de discuter en détail de l'acharnement thérapeutique, mais de faire saisir deux points essentiels :

1. Comme pour tous les problèmes graves, il existe sur cette question une zone « grise » pour laquelle il est bien difficile de qualifier *a priori* une thérapeutique d'appropriée ou d'excessive.

2. Dans cette zone médiane, j'estime en général qu'il faut respecter les souhaits du patient, quand on les connaît. D'accord sur ce point, mon épouse Lily et moi avons pris des dispositions testamentaires afin de guider nos proches et la médecine, en cas de besoin. Certes la volonté d'une personne gravement malade, inconsciente ou privée de l'usage de la parole peut toujours être contournée ou bafouée. Nous avons pourtant décidé de rédiger un document dans lequel nous exprimons notre espoir que la technologie médicale moderne, qui a prolongé notre vie jusqu'à maintenant, ne serait pas convoquée pour nous maintenir – alors que nous serions réduits à l'état de « légumes » – aux dépens de notre dignité.

Aider les patients à décider de mourir

Le cas de Malcolm Morrison n'a, lui, rien de fictif.

J'ai reçu Malcolm au début des années quatre-vingt, peu de temps avant de fermer mon cabinet de psychiatre. Le cancérologue de l'hôpital où était soigné Malcolm me l'avait envoyé, à la demande de Betty, l'épouse de Malcolm.

Deux ans auparavant, on avait diagnostiqué sur celui-ci un cancer du poumon inopérable. Malcolm était alors âgé de soixante-cinq ans. Au moment de ma consultation, il entamait sa troisième radiothérapie ; le radiologue signalait que sa tumeur, importante, avait apparemment commencé à décroître. Mais Malcolm avait presque complètement cessé de s'alimenter. Le cancérologue avait expliqué à Betty que malgré cette évolution favorable, Malcolm allait mourir s'il ne se nourrissait pas mieux. Elle avait alors demandé qu'on fasse appel à un psychiatre pour comprendre la raison pour laquelle son mari refusait de se nourrir.

À un stade avancé du cancer, les malades présentent souvent des symptômes de cachexie (en grec, littéralement, « mauvais état »). La maladie, soudain d'une virulence décuplée, dévore les tissus sains du malade et épuise ses forces vives. On distingue des formes plus ou moins graves de cachexie. On reconnaît un patient atteint de cachexie légère à ses traits légèrement émaciés et à son apparence très frêle. Dans les formes graves de cachexie, le patient n'est plus que l'ombre de lui-même, un squelette vivant. Quand j'ai aperçu Malcolm étendu sur son lit, depuis le seuil de sa chambre, j'ai frémi. Je n'avais jamais vu de patients présentant les symptômes d'une cachexie aussi grave. Je n'avais d'ailleurs jamais vu de patients survivre dans un tel état de consomption.

Je suis allé parler à Betty dans la salle d'attente. J'ai évoqué avec elle les raisons purement physiologiques, sans rapport avec la psychiatrie, pour lesquelles Malcolm aurait pu refuser de se nourrir. Betty était une femme robuste, très dévouée, d'environ soixante-cinq ans, avec qui j'ai tout de suite sympathisé. Après m'avoir retracé la maladie de Malcolm, elle m'a confié :

— La bataille a été longue mais nous allons la gagner. Je sais, Malcolm a l'air mal en point, mais c'est un battant. Son cancer, nous en viendrons à bout. Ni lui ni moi ne capitulerons.

Elle multipliait les métaphores militaires.

Je finis par lui répondre, avec une certaine fermeté :

— Betty ! Il est clair que c'est votre combativité, alliée à celle de Malcolm, qui lui a permis de tenir bon si longtemps. Vous avez un fait un boulot magnifique, héroïque même. Mais je ne suis pas convaincu que la lutte soit encore d'actualité. Je me demande si le geste le plus aimant que vous puissiez faire pour Malcolm ne consisterait pas à lui donner la permission de lâcher prise, si c'est ce qu'il veut. Êtes-vous d'accord pour réfléchir à cela ?

Betty, manifestement choquée, me répondit pourtant que, oui, elle y réfléchirait. Nous étions lundi midi. Je lui ai donné rendez-vous le mercredi matin suivant à l'hôpital.

Ensuite, je suis allé parler à Malcolm. Ce n'était pas facile de soutenir le regard de ces yeux profondément enfoncés dans leurs orbites. La voix était à peine audible. Il ne savait pas très bien pourquoi il ne mangeait plus. Il avait perdu l'appétit, m'a-t-il confié. Non, c'était pire que ça. Quand il se forçait à avaler une bouchée de nourriture, il éprouvait une répugnance absolue à la pensée d'en avaler une seconde.

— Vous devez être fatigué.

Il acquiesça.

— Souhaitez-vous mourir ? Est-ce que vous en avez assez ?

Je vis un tressaillement de peur, de panique presque, crisper son visage.

— Non ! s'exclama-t-il. Je ne veux pas mourir. Je vais manger. Je vais me forcer à manger. Je ne suis pas un déserteur.

— On dirait que vous avez honte de vouloir mourir, ai-je commenté.

Ses yeux las me regardèrent avec une telle surprise qu'on aurait dit une lumière nouvelle.

— Estimez-vous honteux de renoncer à lutter? lui demandai-je.

— Oui. Pas vous ?

— Non, ce n'est pas toujours le cas. Quand j'avais quinze ans j'ai quitté une école où j'avais été très malheureux pendant plus de deux ans. À l'époque je m'en suis beaucoup voulu de ne pas avoir tenu bon, mais rétrospectivement, j'estime que c'est la meilleure décision que j'ai prise de ma vie. Il y a dix ans, j'ai démissionné d'un emploi dans l'administration fédérale, à Washington. C'est comme ça que je suis devenu médecin de ville. Malgré une lassitude très grande, je me suis à nouveau senti coupable, cette fois d'avoir laissé tomber l'administration. Mais elle pouvait très bien s'en sortir sans moi et je suis content d'être parti travailler à l'hôpital. Ça m'a donné l'occasion de vous rencontrer aujourd'hui...

Je poursuivis :

— Je ne vous dis pas qu'il faut renoncer, Malcolm. Dans certaines situations, c'est évidemment une erreur. Et je ne suis pas là pour vous dicter ce que vous devez faire. Il n'y a pas de décision plus difficile, et vous êtes seul à pouvoir la prendre. Tout ce que je puis vous dire, c'est qu'il n'est pas toujours honteux de renoncer.

Sur ce, je suis parti.

Quand je suis retourné la voir, le mercredi matin, Betty m'a dit :

— Malcolm et moi avons beaucoup pleuré et beaucoup prié ensemble depuis avant-hier. Nous avons décidé de rentrer à la maison aujourd'hui... En fait, ils sont en train de « préparer » Malcolm en ce moment.

Je lui ai dit que je trouvais sa décision courageuse.

Le vendredi en début de soirée, Betty m'a téléphoné pour

m'annoncer que Malcolm était mort paisiblement ce matin-là. Je lui ai envoyé un mot de condoléances. Deux semaines plus tard, elle m'a répondu pour me remercier d'être intervenu.

Même si ma mission de médecin et de psychiatre consiste plutôt à inciter les êtres à vivre, je suis fier d'avoir aidé cet homme à mourir.

Clarifier le débat

« Débrancher » un malade au stade terminal, c'est lui permettre de mourir d'une mort *naturelle* sans prolongation artificielle par la technologie médicale. Ce sujet est pétri d'ambiguïtés, comme je l'ai clairement montré. Ainsi, la simple définition du stade terminal d'une maladie suppose une réflexion approfondie. Je n'ai d'ailleurs pas encore explicité la différence entre mort naturelle et mort non naturelle. Je réserve ce sujet délicat à un chapitre ultérieur.

Mais j'espère que les pages qui précèdent ont déjà permis de mieux distinguer une saine pratique médicale d'un acharnement thérapeutique. La décision de « débrancher un patient » doit se conformer à quelques règles :

1. Elle doit être limitée aux cas de maladies manifestement incurables et aux patients en stade terminal.
2. Cette décision doit rester strictement médicale, c'est-à-dire se fonder sur un diagnostic rigoureux de l'état de santé du patient et non sur une estimation subjective de sa « qualité de vie ».
3. Une telle décision assigne donc au médecin traitant un rôle crucial. Mais l'avis du patient lui-même et celui de sa famille doit être pris en compte, tout comme celui du comité d'éthique hospitalier dans des cas particulièrement délicats, ou en cas de conflit entre les parties concernées.
4. Cette décision exclut le recours à un critère unique, « recette » qui primerait sur le jugement *humain* (Souvenons-nous qu'humain est synonyme de bon.)

L'euthanasie signifie étymologiquement la « bonne mort ». En ce sens, débrancher un patient constitue bien un acte d'euthanasie et, dans le cadre des orientations définies plus haut, j'en suis un adepte convaincu. Je crois que Malcolm, décédé paisiblement chez lui, est mort d'une bonne mort, tout comme je crois que Tony, avec son cancer du cerveau, placé sous assistance respiratoire et sous perfusion d'adrénaline à très fortes doses, n'a pas été autorisé à mourir dignement d'une « bonne mort ».

Une étude récente, conduite dans cinq hôpitaux différents sur une période de dix ans et portant sur plus de 9 000 personnes atteintes de maladies graves ou chroniques, révèle qu'un nombre très élevé de patients a dû endurer une agonie longue et souvent douloureuse à cause de mesures d'acharnement thérapeutique. L'étude démontre clairement que nombre de services hospitaliers ont des progrès à faire dans ce domaine, malgré l'évolution positive constatée ces dernières années.

Quand j'affirme que la décision de recourir à la panoplie des mesures d'assistance artificielle soulève la question de l'euthanasie, j'entends qu'il s'agit de réserver la meilleure mort possible au patient. À mon sens, cependant, il importe de distinguer nettement le débat sur l'euthanasie de celui qui concerne l'acharnement thérapeutique. Il y a trente ans, quand le fait de débrancher un patient constituait un acte tabou et clandestin, les deux problèmes coïncidaient. Ce n'est plus le cas aujourd'hui. Comme l'indique l'étude mentionnée plus haut, dans certaines structures, les professionnels de la médecine ne saisissent pas encore la complexité du problème. C'est avant tout une question de formation et d'expérience. Mais je crois que nous sommes arrivés à un consensus général sur ce sujet. L'arrêt ou le refus de mesures extrêmes d'assistance artificielle a cessé d'être un tabou. Les acteurs concernés parviennent à résoudre les équivoques de ce type de problèmes au cas par cas, sans croire aux recettes miracles. Chaque situation concrète motive une décision spécifique, sous réserve que soient remplies les conditions que j'ai énumérées plus haut. Le droit de débrancher un patient ne constitue plus depuis longtemps un sujet de controverse brûlant. Cette décision ultime, désormais acceptée et même recommandée par les plus hautes autorités, est simplement devenue une question de bonne pratique médicale.

C'est dans un souci de clarification que j'ai décidé de poser le problème de l'acharnement thérapeutique dès le début de ce livre. Pour beaucoup de gens et bien que le climat qui l'entoure ait complètement changé, ce débat recoupe celui de l'euthanasie. Cet amalgame me semble à tous égards nuisible. Ce point clairement établi, nous pouvons maintenant aborder le thème essentiel de cet ouvrage.

2

La douleur physique

La grande peur de la plupart des gens n'est pas de mourir appareillé à toute une série de machines, mais de devoir endurer une longue agonie, artificiellement prolongée par ce type d'appareils ou par un traitement médical abusif, quel qu'il soit. Cette crainte d'une douleur physique insupportable est le meilleur garant de la vitalité du débat sur l'euthanasie.

À notre époque, cette peur peut être réaliste ou irréaliste. Pour mieux comprendre l'alternative, je me propose d'approfondir la nature de la douleur physique et des problèmes associés à son traitement.

Bénédiction ou malédiction ?

Autrefois, la lèpre était un fléau redoutable. Aujourd'hui, cette affection est curable. La lèpre n'est pas une maladie mortelle foudroyante, elle n'est d'ailleurs pas toujours mortelle, mais elle entraîne des difformités effrayantes et irrémédiables ; voilà ce qui la rendait si redoutable.

L'agent de la lèpre, le bacille de Hansen, est une sorte de bactérie qui se loge souvent dans les tissus nerveux et finit par détruire les fibres microscopiques qui véhiculent la douleur. Un lépreux peut se casser la cheville et continuer à marcher comme si de rien n'était, parce qu'il n'est pas conscient de l'accident. Le signal qui devrait l'avertir que quelque chose cloche ne parvient pas jusqu'à son cerveau. Le fait de continuer à marcher sur sa cheville cassée va rapidement déformer son articulation et entraîner une grave arthrite dégénérative. De la même façon, un lépreux pourra poser sa main sur un poêle brûlant sans rien ressentir. Ce n'est qu'au bout de quelques minutes, à cause de l'odeur de brûlé, qu'il finira par s'apercevoir que sa main est en train de cuire et qu'elle est déjà à moitié détruite.

Pendant très longtemps, on a cru que les terribles difformités provoquées par la lèpre résultaient directement de l'infection. Quand l'œil d'un lépreux exsudait du pus et finissait par devenir aveugle, nul ne soupçonnait qu'une cendre dans l'œil, passée inaperçue, pouvait en être la cause. Ce n'est que depuis quelques décennies qu'un grand missionnaire américain, le chirurgien Paul Brand, lors d'un séjour en Inde, a découvert que les ravages de la lèpre étaient causés par une diminution de la sensibilité cutanée.

Remercions Dieu de sentir la douleur.

L'expérience m'a appris que la plupart des bénédictions de la vie sont aussi des malédictions potentielles. Et vice versa. Il en va ainsi de la douleur physique.

Une douleur aiguë et brève est presque toujours bienfaisante : c'est le signal que quelque chose ne va pas dans le corps et que ce quelque chose requiert notre attention. Sans ce signal, notre santé risque de péricliter très rapidement.

Mais la douleur n'est utile *que* comme signal d'un dysfonctionnement, qu'il s'agisse d'une cheville cassée, d'une brûlure, d'une cendre dans l'œil. Une fois le problème diagnostiqué et traité adéquatement, le signal n'a pas de raison de continuer. La douleur a perdu son utilité. Si elle persiste, la bénédiction se transforme en malédiction.

Il existe par bonheur une plante, le pavot, d'où nous pouvons extraire des principes actifs qui soulagent la douleur. Les antalgiques les plus puissants, comme la morphine, sont soit des dérivés de l'opium, soit des molécules de synthèse inspirées de celui-ci.

Par commodité, je distingue quatre degrés de douleur physique : superficielle, modérée, intense et intolérable.

Les douleurs superficielles sont en général soulagées par des sédatifs anodins comme l'aspirine ou le paracétamol. La douleur modérée peut être supportée pendant quelques heures ou quelques jours – en général à tort : elle mine le corps et l'esprit. Des opiacés légers, comme la codéine, qui ne provoquent pas de dépendance avérée, la soulagent efficacement. Plus forte est la douleur, plus elle requiert des opiacés puissants et des dosages élevés. En général, seule la morphine parvient à apaiser une souffrance vraiment intense ou intolérable.

La douleur peut être soit aiguë, soit chronique. Il importe de se rappeler qu'une douleur aiguë et brève ne doit en général pas être traitée au moyen d'antalgiques jusqu'à ce que sa cause ait été diagnostiquée et qu'un traitement approprié ait commencé. Un patient qui souffre d'une grave douleur abdominale n'a pas besoin d'une piqûre de morphine. Il doit voir un médecin. La morphine qui masque, par exemple, une crise d'appendicite, expose à un risque mortel un patient qu'une opération adéquate tirerait d'affaire.

Tout autre est la douleur chronique ou aiguë dont on connaît la cause. Refuser de soigner ce type de douleur – modérée, intense ou intolérable – par des médicaments appropriés, constitue pour un médecin une faute professionnelle.

Comme je l'ai indiqué, on peut vivre avec une douleur chronique superficielle. Comme beaucoup de personnes, je souffre d'arthrite depuis des années. Je me suis habitué à la douleur. Cela ne signifie pas que les douleurs occasionnées par l'arthrite sont toujours insignifiantes. Elles peuvent être intenses, intolérables, parfois. Plus une douleur dure, plus elle devient insupportable. Impossible alors de s'y habituer. Penser qu'on le doive confine au sadisme.

Une douleur intense ou intolérable relève de l'urgence médicale. Un patient souffrant d'une telle douleur doit être soigné sans délai. Les procédures de diagnostic doivent être effectuées aussi vite qu'il est humainement possible. Dès que le diagnostic est posé et qu'on peut recourir à des antalgiques sans risque, ceux-ci doivent être administrés aussitôt à des doses adéquates et aussi souvent que nécessaire. Quand le personnel soignant expose sans raison un patient à une douleur intense ou intolérable qu'il pourrait soulager, il se rend coupable de torture.

Le crime le plus courant de la médecine

Torture ? Faute professionnelle ? Sadisme ? Ce sont des termes graves, et je veux en ajouter un autre : celui de crime.

Nous avons tous été horrifiés par des récits d'hommes battus ou de femmes violées dans la rue pendant que d'autres observaient la scène, les bras croisés. À ma connaissance, rares sont les témoins de ce genre de scène à avoir été poursuivis pour non-assistance à personne en danger. Commettre un crime, c'est *faire* quelque chose. Des personnes ont été poursuivies pour avoir aidé à commettre un crime, mais elles y avaient plus ou moins participé, tout en restant sur la touche. Un témoin passif n'est pas un participant. Néanmoins, notre instinct nous crie que ces témoins sont coupables et que, dans certains cas au moins, ils devraient être punis.

Quand on leur pose la question, ces témoins passifs donnent deux explications à leur inaction.

L'une est leur peur d'être tué ou blessé s'ils tentent d'intervenir. Parfois, cette peur est sensée. Leur vie aurait pu effectivement être mise en danger. Mais ce risque est souvent si faible que l'alibi de la peur semble bien mince.

L'autre raison, qu'ils brandissent, est plus péremptoire encore : ils ne sont tout simplement pas concernés.

Les professionnels de la médecine qui laissent des patients se tordre de douleur sur leur lit sans lever le petit doigt n'ont pas cette excuse. Peut-être ne se sentent-ils pas concernés, mais le fait est qu'ils le sont. C'est leur *responsabilité* qui est en jeu. En administrant les médicaments adéquats contre la douleur à leurs patients, ils ne courent eux-mêmes aucun risque. Et pourtant, aujourd'hui encore, combien de médecins et d'infirmières tournent le dos à des patients qui souffrent le martyre, alors que ce martyre pourrait être soulagé rapidement, aisément et sans risque pour qui que ce soit ?

L'absence de traitement approprié de la douleur reste, encore aujourd'hui, le crime le plus courant de la médecine.

En le qualifiant de crime, je ne cherche pas à convier policiers ou avocats avides de dossiers juteux à venir rôder dans les couloirs de nos hôpitaux. Mon seul désir est de faire cesser ce crime. Je souhaite sur ce point un revirement des mentalités, semblable à celui qui a changé notre vision de l'acharnement thérapeutique. Je n'ai pas connaissance qu'un médecin ou une infirmière ait été poursuivi pour avoir négligé de soulager un malade qui souffrait. Je suis tout le contraire d'un esprit procédurier, mais j'estime que si le climat actuel ne change pas, des poursuites judiciaires destinées à accélérer ce bouleversement des mentalités seraient justifiées. J'espère que cet ouvrage, parmi d'autres, contribuera à amener le même résultat sans avoir à traîner médecins et infirmières devant les tribunaux.

Au moment où j'écris ce livre, au début d'une belle journée d'automne, je sais que des centaines de chambres d'hôpitaux – pourtant très réputés – demeurent à certains égards des chambres de torture et que le traitement de la douleur n'y change guère.

Pourquoi ? Comment une telle aberration est-elle possible ? Ce phénomène comme beaucoup de maux de notre société est « multifactoriel » ; cela signifie qu'il a de multiples causes. Je vais maintenant analyser, chacune à leur tour, les cinq causes majeures de ce crime – le plus courant de la médecine.

La dépendance est méconnue

Les opiacés les plus puissants engendrent une dépendance, comme la plupart des sédatifs qu'on utilise pour renforcer leur efficacité. La pharmacologie moderne n'a pas encore réussi à développer, malgré des recherches intensives, un antalgique puissant qui ne crée pas de dépendance.

Qu'entend-on par dépendance ?

L'administration prolongée d'une substance addictive comme la morphine oblige à augmenter continuellement les doses pour obtenir un soulagement constant. Quand on arrête de l'administrer, même si la cause de la douleur a été supprimée, le patient dépendant présente (pour un laps de temps assez bref) un syndrome de sevrage, lui-même assez douloureux.

Tous les médicaments addictifs, ainsi que bien d'autres, engendrent un besoin. C'est particulièrement vrai des opiacés, dont le plus fort est l'héroïne. Ces derniers ne soulagent pas seulement la douleur physique ; ils suppriment aussi toute douleur morale en plongeant leurs consommateurs dans un état d'euphorie factice. Mais tout ce qui procure un plaisir intense engendre une forme de dépendance, que ce soit la morphine, la culture des rosiers ou le golf.

Un petit pourcentage de gens en bonne santé sont *accros* à ces antalgiques puissants. Certains sont de véritables toxicomanes, d'autres les consomment occasionnellement. Les toxicomanes mentent, volent, miment la souffrance pour obtenir qu'on leur prescrive de tels médicaments. Certains sont capables de tuer pour obtenir leur « dose ». C'est la raison pour laquelle la fabrication et la vente de ces substances sont strictement contrôlées. Leur prescription obéit aussi à des règles draconiennes. Tout ceci est parfaitement légitime et je ne m'aviserais pas de vouloir changer les lois qui réglementent la consommation de drogues potentiellement si dangereuses.

Le problème est que ces dangers ont été grossièrement exagérés non seulement auprès du grand public, mais aussi des professionnels de la médecine qui devraient être mieux informés.

La première exagération grossière concerne le potentiel addictif du plus puissant des antalgiques, l'héroïne. Comme je l'ai écrit dans un chapitre de *La Quête des pierres* :

> Les dépendances sont multifactorielles. En 1970-1971, environ la moitié des soldats américains présents au Vietnam ont tâté de l'héroïne au moins une fois. Cette statistique est devenue un problème politique brûlant. Inexpérimentés en la matière, des membres du Congrès et du gouvernement en ont déduit que la plupart des soldats américains allaient devenir héroïnomanes. Mon patron et moi, qui travaillions dans les services psychiatriques de l'armée, en doutions. Nous estimions qu'une simple exposition à la drogue ne suffit pas à faire un drogué. Le temps nous a donné raison. Une petite

minorité de soldats a développé une réelle dépendance à l'héroïne. Mais la grande majorité d'entre eux, de retour aux États-Unis, n'y a plus jamais touché. Outre la drogue elle-même, des facteurs sociologiques, psychologiques, spirituels et biologiques entrent en jeu.

Pour montrer à quel point les médecins eux-mêmes peuvent être mal informés, je vais parler des procédures de diagnostic. Certaines d'entre elles peuvent être très stressantes et douloureuses pour le patient. On ne peut absolument pas les effectuer sans utiliser une combinaison de sédatifs comme le Valium et d'antalgiques comme le Démérol. Sans eux, le patient souffrirait atrocement et serait sujet à de tels spasmes organiques que l'examen deviendrait impossible. La question qui se pose n'est donc pas de savoir quel usage faire de ces produits, mais à quelles doses les administrer. Je vais prendre l'exemple de l'endoscopie, un examen qui consiste à introduire un tube flexible dans le système digestif par la bouche, l'œsophage, l'estomac et le duodénum (et éventuellement le canal pancréatique), ou par l'anus quand il s'agit d'explorer le côlon. Ce tube est relié à un écran auquel il transmet des images ; il permet également au praticien d'effectuer des biopsies dans les zones suspectes.

Pour minimiser la gêne du patient, le médecin peut lui administrer un mélange de sédatifs et d'antalgiques par intraveineuse, avant et pendant l'examen. Le patient ne sombre jamais dans l'inconscience. Il est capable de répondre à des questions élémentaires durant l'examen, sans quoi il somnolerait d'un bout à l'autre. Après l'examen, il mémorise quelques consignes simples, puis un ami ou un parent le ramène chez lui. Le reste de la journée, il pourra dormir et se sentir agréablement relaxé. Il n'éprouvera aucun autre effet secondaire. S'il doit subir à nouveau cet examen, ce qui est probable, il ne l'assimilera pas à une épreuve pénible, voire redoutable.

Le même examen conduit par un autre médecin, le docteur X, peut se dérouler de façon très différente. Lui, va administrer les mêmes produits à son patient, mais en réduisant la dose de moitié. Ce dosage, tout juste suffisant pour pratiquer l'examen, entraîne une gêne importante pour le patient, une douleur – superficielle ou modérée – pendant une heure, et des spasmes occasionnels aigus et douloureux.

Si l'on demande au docteur X la raison pour laquelle il inflige une telle épreuve à son patient, il répondra qu'il se contente de faire de la bonne médecine. D'abord, affirme-t-il, il ne veut masquer aucun des symptômes de son patient au cas où l'examen se passerait mal (j'aborde plus loin ce problème particulier). Ensuite, il s'abritera derrière un principe général : « Moins on a recours aux médicaments, mieux cela vaut. » Surtout quand il s'agit de puissants euphorisants. Il ne manquerait plus que l'examen soit agréable ! D'ailleurs, il ne saurait prendre la responsabilité de déclencher une toxicomanie chez son patient.

Le docteur X ne mesure pas que ce patient va sans doute passer le reste de la journée à ressasser un profond traumatisme. Et quand il s'agira de subir à nouveau cet examen, il le différera le plus possible, courant alors le risque de prendre un retard tel que son mal sera devenu incurable. Même s'il était averti, le médecin serait enclin à penser que c'est la responsabilité du patient et non la sienne.

S'il est rare qu'un patient qui a consommé de l'héroïne et connu une expérience extatique sombre dans la toxicomanie, la probabilité qu'un patient devienne « accro », après avoir été exposé à des antalgiques beaucoup plus bénins, est infinitésimale. Je ne dis pas nulle. Mais si un patient devient toxicomane après une expérience de cet ordre, c'est qu'il a une telle prédisposition à la dépendance qu'il y serait venu tôt ou tard, avec ou sans examens médicaux.

À l'hôpital, les patients ne souffrent pas seulement le martyre dans les salles d'examen mais aussi, trop souvent, dans leur chambre. Les médecins leur prescrivent les doses d'opiacés les plus faibles en espaçant les prises au maximum. Leurs prescriptions sont exécutées par des infirmières qui administrent l'antalgique toutes les trois, quatre ou six heures, par exemple. Au moment où j'écris ces lignes, je sais que des patients hospitalisés, au supplice, réclament leurs médicaments et qu'une infirmière leur répond, sans doute : « Vous devrez attendre encore une heure, je ne peux pas vous les donner avant. »

J'ai expliqué plus haut que cet état de choses commençait, heureusement, à changer. La raison décisive de ce changement est à mon sens l'invention, il y a une dizaine d'années, de la pompe à morphine ou pompe à PCA [1]. Grâce à cet appareil auquel il est relié par une perfusion, le patient n'a qu'à presser un bouton poussoir pour s'administrer lui-même, à la fréquence qu'il choisit, une dose de morphine préprogrammée. Permettre au patient de choisir lui-même le moment où il va soulager sa douleur ? Une telle liberté était impensable autrefois. Je salue les inventeurs de ce dispositif et ceux qui ont osé l'utiliser pour la première fois.

De nombreuses études confirment un résultat inattendu : les patients reliés à cette pompe, en général cancéreux ou en soins postopératoires, utilisent à de rares exceptions près, *moins* de morphine que si on leur administrait la dose prescrite à heures fixes. Souvent beaucoup moins. Pourquoi ?

Parce qu'ils n'ont plus peur. La peur entraîne un double effet : les patients, terrifiés par la douleur, ont les yeux rivés sur leur montre. S'ils savent que la prochaine dose de morphine est programmée pour 14 heures, ils la demanderont à 13 h 50, même s'ils ne souffrent absolument pas. Ils doivent anticiper parce qu'ils savent que s'ils attendent que la douleur survienne, mettons à 14 h 20, ils risquent d'attendre leur piqûre encore vingt minutes, ou plus, avant que l'infirmière ne vienne les soulager. Dans l'intervalle, ils auront enduré un calvaire. La pompe à morphine délivre totalement les patients de cette anticipation paniquante. Elle facilite aussi beaucoup le travail des infirmières.

La peur, surtout la terreur d'une douleur physique intense, a un autre effet pervers : elle accroît la douleur. Je connais des médecins qui refusent d'accepter ce fait et qui considèrent leurs patients comme des poules mouillées. Qu'ils aient seulement la même expérience de la douleur et ils découvriront qu'ils ne valent guère mieux ! La synergie de la douleur et de la peur est simplement un fait de la nature humaine. Un patient qui est maître de sa douleur

1. *Patient analgesic control* : analgésie contrôlée par le patient.

n'a plus peur. Il souffre moins. Donc il consomme moins de morphine.

Ces pompes à morphine sont assez répandues aujourd'hui. Pourtant les médecins, en soins postopératoires, ont tendance à supprimer leur usage trop tôt, pour leur substituer des antalgiques moins puissants. Pourquoi ? À cause du spectre de la dépendance, la plupart du temps. La toxicomanie est pourtant un phénomène progressif. Elle ne s'installe pas rapidement – phénomène souvent méconnu des médecins. Ceux-ci vont donc débrancher la pompe contre la volonté du patient, même si la machine les informe que le patient a consommé deux fois moins de morphine que la veille, ce qui tend à prouver qu'il n'est pas en train de devenir dépendant.

Une telle attitude est sans doute compréhensible. Elle renvoie à une règle d'or de la déontologie médicale : ne pas nuire à son malade. Les médecins craignent généralement de déclencher un syndrome de manque. Des souvenirs romanesques sont souvent responsables de cette forte réticence. La littérature abonde en opiomanes qui décrivent l'état de manque comme une expérience absolument atroce. Des héroïnomanes dignes de foi m'ont pourtant maintes fois expliqué qu'il était plus facile de décrocher de l'héroïne que d'arrêter de fumer. Pour un malade, le sevrage reste cependant une expérience pénible, voire dangereuse. On a recours à toute une gamme de médicaments en doses décroissantes pour le faciliter, mais ces substituts sont souvent délaissés. Les médecins pensent couramment que si le sevrage est vraiment désagréable, le toxicomane aura d'autant moins envie de retoucher à la drogue. Cette hypothèse n'a jamais été étayée par le moindre fait ; au contraire, de nombreuses études psychiatriques tendent à prouver que l'inverse est vrai.

Jusqu'à maintenant, nous avons surtout discuté de l'attitude à adopter devant une douleur aiguë mais limitée dans le temps, comme celle qui résulte d'un examen médical ou d'une opération chirurgicale. Mais qu'en est-il des maladies incurables qui provoquent des douleurs physiques intenses, permanentes ? Je songe essentiellement à des malades atteints de cancers mortels et inopérables – même si tous les patients atteints de cancer ne souffrent pas forcément. J'ai connu des médecins qui administraient délibérément à leurs patients en stade terminal des doses d'antalgiques trop faibles afin de prévenir toute dépendance. Une telle attitude prêterait à rire si elle n'était pas au fond atroce et atrocement triste.

Autres effets secondaires

Même des sédatifs assez légers entraînent des effets secondaires. La codéine, par exemple, provoque souvent de la constipation mais, chez un patient dont le système digestif fonctionne normalement, cet effet se dissipe en général au bout de vingt-quatre ou quarante-huit heures, alors même que l'effet sédatif de la codéine persiste. La codéine inhibe aussi le réflexe de la toux. Cette action peut induire une légère prédisposition à la pneumonie. Ce même effet peut en revanche se révéler très utile dans des cas de pneumonies déclarées ou d'autres maladies qui occasionnent des toux récidivantes et inutiles.

Ces effets secondaires sont en général sans gravité quand ils surviennent au cours d'examens brefs – comme l'endoscopie. Ils peuvent être plus gênants dans le cas d'une convalescence postopératoire. Une intervention de chirurgie abdominale, par exemple, entraîne presque toujours une paralysie temporaire du système intestinal, l'*ileus*.

Plus longue et traumatisante est l'opération, plus l'ileus risque de se prolonger. Il peut devenir inquiétant. L'expérience montre que les antalgiques peuvent contribuer à le prolonger. Le médecin se trouve alors placé devant un dilemme, qu'il tranche généralement en décidant de combattre l'ileus et en renonçant à soulager suffisamment la douleur. Sans vouloir minimiser la difficulté d'une telle décision, je crois que ce choix est erroné. Des patients qui éprouvent une souffrance modérée récupéreront probablement plus vite, quels que soient les effets secondaires des sédatifs, que ceux qui éprouvent une souffrance intense.

De plus, nombre de ces effets secondaires sont évitables. Les effets néfastes de l'ileus peuvent être considérablement minorés en limitant strictement l'absorption d'aliments solides ou liquides par voie orale. J'ai connu des patients qui avaient subi une opération des intestins et qu'on incitait à boire de l'eau, alors que leur système digestif ne fonctionnait pas encore normalement. Il existe par ailleurs des médicaments qui contribuent à stimuler les fonctions intestinales. Certains patients ont enduré de grandes souffrances parce qu'on leur administrait des antalgiques totalement insuffisants, censés « traiter » leur ileus, leur médecin n'ayant aucunement pensé à leur associer un stimulant intestinal. Le principe « moins on administre de médicaments, mieux cela vaut », est excellent, à condition de ne pas l'ériger en règle absolue. Les médecins qui ne le comprennent pas, me font l'effet d'inquisiteurs accrochés à leurs dogmes.

L'un des effets secondaires des antalgiques qui les inquiète peut-être le plus n'est pas à proprement parler un effet secondaire : c'est le problème du masquage. Supposons par exemple qu'un patient sous morphine après une intervention orthopédique à la cheville développe un abcès dentaire. Le problème est qu'il ne le sait pas, ni ses médecins, parce qu'il ne ressent aucune douleur, ni à la cheville ni à la bouche. Il ressemble au lépreux que nous évoquions plus haut. Les sédatifs lui cachent le début d'une nouvelle maladie.

Le problème du masquage est très réel, mais ses conséquences sont en général limitées. Dès qu'on réduira ses antalgiques, le patient dira sans doute : « ma cheville me fait un peu souffrir, mais j'ai très mal à ma mâchoire supérieure gauche », et son médecin le fera examiner par un dentiste. Je ne veux pas évacuer totalement le problème. Il peut arriver que l'abcès tue le nerf avant que le patient ressente une quelconque douleur ; il restera alors inconscient du problème jusqu'au moment où le pus commencera à s'écouler par un petit trou dans la mâchoire. Ce problème de masquage est rare mais il existe indéniablement.

Dans les cas de douleurs aiguës comme les douleurs postopératoires, les médecins font en général le bon choix ; ils préfèrent soulager une violente douleur et s'exposer au risque relatif et temporaire du masquage. C'est dans le traitement de la douleur chronique qu'ils sont plus souvent pris en défaut. Notamment, en n'informant pas assez leur patient. Un médecin prescrira par exemple de la codéine ou même du Percodan (analgésique opioïde) à un malade qui souffre d'une arthrite très douloureuse, mais négligera de le prévenir qu'il doit se soumettre à des contrôles dentaires réguliers. Le patient doit connaître le problème du masquage et assumer ses responsabilités à cet égard.

La pire des fautes reste cependant de traiter insuffisamment la douleur et de laisser un patient endurer d'interminables souffrances de crainte qu'il ne développe une nouvelle pathologie qui passe inaperçue. Une fois encore, les patients qui ont besoin d'un traitement prolongé à base d'antalgiques puissants sont en général en stade terminal. J'ai pourtant souvent entendu des médecins expliquer à leurs proches : « Je ne puis augmenter les doses de morphine de votre mère. Si je le fais, cela masquera les autres problèmes. » Ou, encore plus fréquemment : « Cela augmente les risques de pneumonie. »

Les patients, au stade terminal d'une maladie incurable, décèdent en général d'une affection opportuniste comme la pneumonie plutôt que de leur maladie principale, quelle que soit la qualité de leur médication antalgique. On dit souvent qu'un antalgique approprié raccourcit l'agonie ; c'est ce qu'on appelle le « double effet ». J'en reparlerai plus tard. Pour l'instant, je veux seulement indiquer que le refus de soulager un patient qui endure de grandes souffrances, au simple motif d'éviter le double effet, peut prolonger sa vie d'une semaine ou deux. Le prix à payer pour ces quelques jours de sursis est tel que je conseille en général de « laisser partir » ces patients.

Recettes et prévisions

Qu'ils en soient conscients ou non, les médecins ont la tête farcie de recettes, dont un bon nombre se rapporte à la douleur et à la façon de la traiter. Elles sont souvent fausses. Ainsi : « L'arthrite peut entraîner des douleurs superficielles ou modérées, mais pas intenses. » « Un os brisé peut engendrer une douleur intense mais, si la fracture est convenablement réduite, elle ne dure pas plus de quarante huit heures. » « Le passage d'un calcul rénal dans l'uretère provoque les douleurs les plus violentes qui existent. »

«Le Demerol est un antalgique narcotique plus puissant que la codéine.» «L'effet du Demerol dure trois heures.»

De telles recettes se transforment en prescriptions et en consignes aux infirmières, du style : «Demerol, 50 mg en intramusculaire toutes les trois heures, en cas de besoin.» Consigne que l'infirmière traduira mentalement ainsi : «Pas d'injection de Demerol avant que trois heures au moins soient écoulées depuis sa dernière piqûre, et seulement si le patient la réclame.»

Le problème, c'est que les patients se conforment rarement aux recettes préétablies. Ils sont tous différents, ne serait-ce que dans leur réaction au traitement; la durée du soulagement induit par un antalgique varie selon les cas. Voici quelques exemples, dont l'un est personnel :

Un matin, il y a quelques années, j'écrivais dans mon bureau, quand soudain je ressens une douleur modérée à l'abdomen. Je songe tout d'abord à de l'aérophagie. Non, c'est une autre sorte de douleur, persistante. Je pense à un calcul rénal. Mais ça ne colle pas : la douleur reste supportable. Un quart d'heure plus tard, j'en reviens à cette hypothèse, faute de mieux. Je me dis : «Peut-être que c'est bien un calcul rénal. Si ça dure encore un quart d'heure, je ferai bien de sauter dans la voiture et de filer aux urgences de l'hôpital le plus proche pour me faire examiner.»

Cinq minutes après, ma douleur cesse. Je me remets à mon travail et j'oublie l'incident.

Deux semaines plus tard, j'éprouve une sensation de brûlure en urinant. Le surlendemain, je fais analyser mon urine par un laboratoire. On y découvre des traces microscopiques de sang. La lecture des résultats me terrifie, je songe à un cancer. Une radio m'apprend la vérité, beaucoup moins inquiétante : un calcul assez petit est resté coincé entre ma vessie et la partie gauche de mon uretère. En buvant beaucoup d'eau pendant quelques jours, j'ai de bonnes chances de l'éliminer.

Si l'évacuation d'un gros calcul laisse, lui, un souvenir en général cauchemardesque, un petit calcul peut être totalement indolore ou causer un léger malaise, vite oublié.

Deuxième exemple, plus commun : l'abcès dentaire. Un abcès peut tuer le nerf d'une dent, si progressivement que le processus est indolore. Ou bien il peut causer des douleurs quotidiennes atroces, qui ne durent qu'une seconde mais reviennent pendant des mois – d'où de grandes difficultés de diagnostic, jusqu'à ce que le nerf meure. Il peut aussi occasionner une douleur qui dure toute la nuit et représente une urgence dentaire, même s'il n'est pas toujours facile de trouver un dentiste au milieu de la nuit.

Les psychiatres savent bien que l'efficacité des substances psychotropes est aléatoire : ici l'empirique l'emporte sur l'arithmétique. Prenons deux patients, A et B, tous deux atteints de dépressions qui semblent *exactement* semblables. Le patient A ne réagira peut-être pas du tout au Prozac, mais fera d'extraordinaires progrès avec une autre molécule. Sur le patient B, au contraire, le Prozac aura des effets spectaculaires, quand une autre molécule restera sans effet.

Les antalgiques ont des effets psychotropes et le Demerol est en général plus efficace que la codéine. J'obtiens souvent de meilleurs résultats sur moi-même avec une dose orale de codéine qu'avec un comprimé de Demerol.

Le cerveau, mais aussi le métabolisme diffère selon les patients. Un comprimé de Demerol est actif pendant trois heures *en moyenne*. Sur un patient à métabolisme lent, ses effets peuvent durer trois heures et demie : c'est le « bon patient » – aux yeux des infirmières. Le malheureux que la même dose ne soulage que deux heures et demie sera lui considéré comme un « mauvais patient ».

De plus, la durée du soulagement qu'éprouve le patient varie selon l'intensité de la douleur. En ce qui me concerne, une dose de codéine me soulagera au moins quatre heures d'une douleur modérée. Si la douleur est plus intense, la même dose ne m'apaisera que deux heures durant.

La plupart des médecins sont conscients de ces facteurs, mais ils ont tendance à les négliger, à cause de la pression qui s'exerce sur eux. Ils ne peuvent rester au chevet de leurs patients toute la journée. Ils doivent rédiger des prescriptions précises, explicites. Même quand ils ont conscience des limites de leurs recettes, ils hésitent généralement à s'en écarter : « Demerol, 50 mg en intramusculaire toutes les trois heures, si besoin est. » Ils savent évidemment que l'infirmière peut les appeler si c'est insuffisant. Mais le fera-t-elle ? Elle différera sans doute un certain temps. Pendant ce temps, le patient aura peut-être beaucoup souffert. Et qui sait si elle arrivera à joindre le médecin ?

D'ailleurs, l'infirmière elle-même peut commencer par ne pas répondre à l'appel. Comme je l'ai indiqué, *si besoin est* signifie que le patient doit demander son médicament. S'il n'a pas encore appris à anticiper, il attendra le début de la douleur avant de presser le bouton de sa sonnette. L'aide soignante vient en moyenne dix minutes après. Le patient la prévient qu'il souffre et qu'il a besoin d'une piqûre. L'aide soignante va prévenir l'infirmière qui, à son tour, se présente dans la chambre du patient. Dix minutes se sont encore écoulées. Elle vérifie que le patient a besoin de sa piqûre et revient, dix minutes plus tard, pour la lui faire. Celui-ci souffre le martyre à présent. Il obtient sa piqûre une demi-heure, en moyenne, après l'avoir demandée. Si tout se passe bien.

Il n'a pas toujours cette chance. Parfois, l'infirmière ne revient pas. À la torture, le patient presse encore sa sonnette. L'aide soignante apparaît dix minutes plus tard.

— Oui ?

— Je souffre tellement ! implore le patient. L'infirmière m'avait promis de revenir me faire ma piqûre.

— Elle a été retenue par une urgence, lui explique l'aide soignante. Je lui ai signalé que vous attendiez. Je suis sûre qu'elle viendra dès qu'elle pourra.

Ce récit peut vous paraître outré. Cette petite scène est pourtant loin d'être rare. À qui la faute ? Il est bien possible que l'infirmière soit retenue par une urgence. Le fait est que les aides soignants et les médecins sont souvent surchargés de travail. Résultat ? Le patient n'a pas reçu le médicament dont il avait besoin et enduré une heure de torture inutile parce que son besoin, même s'il coïncidait avec les prévisions du médecin, se heurte à une pénurie d'infirmières. Il n'est pas rare que des patients hospitalisés qui souffrent soient réduits à l'état de mendiants impuissants.

Ce scénario n'est pas le pire. Les retards ne sont pas toujours imputables à des urgences, ils traduisent parfois une négligence pure et simple. Il y a environ dix ans, après une opération du dos, j'ouvre les yeux dans une salle de réveil. Je me sens assez bien, je bavarde et je commence à sentir les effets de l'anesthésie se dissiper. Sachant ce qui m'attend, j'appelle l'infirmière et je la préviens que j'aurai bientôt besoin d'une piqûre.

— Nous allons vous emmener dans votre chambre dans quelques instants et on vous fera la piqûre dès que vous arriverez.

Cela me paraît raisonnable. J'attends. Environ une demi-heure plus tard, ma douleur est devenue insupportable. Je sonne l'infirmière pour lui rappeler sa promesse.

— Quand est-ce qu'on va s'occuper de moi ?

— L'aide soignant qui ramène les patients dans leur chambre vient de partir déjeuner, m'explique-t-elle calmement.

Je ne suis pas aussi serein qu'elle. Je rugis :

— Soit vous me faites ma piqûre tout de suite, soit vous allez chercher un aide soignant pour me ramener dans ma chambre, soit je vous intente un procès !

Elle se débrouille pour me faire aussitôt transférer dans ma chambre, où l'on m'administre enfin ma piqûre. Si je me suis permis une réaction aussi cinglante, c'est que je suis un médecin très expérimenté. Quand je pense à tous ceux qui n'ont pas mon autorité et sont victimes d'ordres rigides ou d'horaires de repas qui empêchent d'accomplir ces ordres, je suis affolé. Les horaires sont flexibles, la souffrance ne l'est pas. Ignorer la douleur d'autrui au nom d'une routine organisationnelle sacro-sainte confine au sadisme.

Je n'affirme pas que l'infirmière en question faisait preuve de sadisme. Elle s'est seulement montrée négligente. La réalité me contraint maintenant à parler du véritable sadisme dans la pratique médicale.

Le sadisme est un trouble psychique très complexe dont l'origine reste obscure. Il diffère beaucoup suivant les êtres. Le sadisme de certains est si feutré, si subtil et intermittent qu'il est à peine perceptible. Il concerne peut-être dix pour cent de la population. Le sadisme des autres, en revanche – moins de un pour cent – prend souvent des formes franchement criminelles. On trouve à peu près autant de sadiques dans le corps médical que dans les autres professions. J'affirme donc qu'environ un à dix pour cent des médecins, des infirmières et des aides soignants sont plus ou moins sadiques. Ils sont très difficiles à débusquer parce qu'il leur est très facile de dissimuler leur sadisme sous les dehors de la « bonne médecine ».

Pour la plupart des gens, le sadisme consiste à jouir de la souffrance d'autrui. Ils ne mesurent pas que cette jouissance est souvent inconsciente. Ils ne comprennent pas non plus que cette caractéristique ne constitue que la moitié du problème. Les sadiques adorent exercer leur contrôle, leur domination, sur les autres. Quel meilleur signe d'une domination totale, d'un contrôle absolu que le pouvoir de faire souffrir, ou d'épargner la souffrance ! Avec la modernisation de la médecine, les infirmières se sentent, à tort ou à raison, dépossédées de leur pouvoir. Leur contrôle sur la médication de la douleur est peut-être le dernier qui leur reste. Je ne cherche pas à insinuer que l'infirmière moyenne est le moins du monde sadique. Je constate seulement un triste fait : en ce qui concerne le soulagement de la douleur, le respect rigide de l'horaire et le refus d'appeler le médecin reflètent une certaine cruauté. Parfois une évidente mauvaise volonté dénote un sadisme avéré.

En résumé, la douleur n'obéit ni aux recettes ni aux horaires. L'une des raisons essentielles pour lesquelles la douleur est mal soignée à l'hôpital est que la recette et l'horaire y sont rois. Et qui plus est, les horaires n'y sont pas toujours respectés, au détriment du patient, parce que le personnel soignant est souvent surchargé de travail, parfois négligent et dans quelques cas, carrément sadique.

Simuler la maladie

Je n'étais pas heureux à l'école primaire que je fréquentais à dix ans. Je n'ai pas tardé à faire une découverte intéressante : il suffisait de m'enfoncer un petit morceau de coton dans chaque narine au réveil pour avoir l'air très enrhumé. Quand je descendais prendre mon petit déjeuner, je contrefaisais une voix nasillarde qui provoquait toujours la même réaction chez ma mère :

— J'ai l'impression que tu as attrapé froid.

— Peut-être – je proteste mollement –, mais ce n'est pas terrible...

— Tu devrais rester à la maison aujourd'hui.

— Naaan, j'me sens vraiment bien !

— Allons, tu restes à la maison.

Maman n'a pas mis très longtemps à éventer mon stratagème. À l'automne de cette même année, alors que je réussissais beaucoup mieux à l'école, il s'est produit un incident. Un samedi en fin d'après-midi, je jouais à la balle devant notre immeuble, quand je me suis soudain senti très fatigué. Quand je suis remonté à l'appartement, j'avais des courbatures partout. Je me suis fait couler un bain chaud. En cinq minutes, j'ai eu l'impression que la douleur quittait mes muscles pour se concentrer dans mon ventre. J'ai annoncé à ma mère que j'avais mal au ventre et que j'allais m'allonger. Dix minutes après, je lui ai dit que la douleur empirait. Ma mère a pris ma température. Je n'avais pas de fièvre. Dix minutes plus tard, j'ai commencé à pleurer. Ma mère m'a dit que ma douleur ne pouvait pas être si grave. Je l'ai implorée de prévenir le docteur. « Je n'arrive pas à croire que tu aies si mal au ventre. On n'a jamais si mal au ventre. »

J'ai pleuré sans arrêt pendant l'heure qui a suivi en lui demandant d'appeler le médecin, ce qu'elle a fini par faire. Il est venu assez vite. Après m'avoir rapidement ausculté, il a téléphoné au chirurgien. Peu de temps après, la douleur a subitement cessé. La température avait commencé à grimper, mais la cessation de la douleur était un sentiment presque extatique. Je ne concevais évidemment pas que mon appendice venait de se rompre. Le chirurgien le savait, lui, et moins d'une heure plus tard j'étais sur la table d'opération. Heureusement, l'ère des antibiotiques avait commencé et, quelques jours plus tard, j'étais rétabli.

Leçon 1 : lequel d'entre nous n'a pas simulé une maladie ?

Leçon 2 : même une mère peut croire que son enfant joue la comédie, alors que ce n'est pas le cas.

Les gens peuvent avoir de multiples raisons de simuler une maladie et, en consultation externe, il est difficile d'estimer la proportion de patients qui simulent quand ils se plaignent d'une douleur superficielle ou modérée. Ne serait-ce que pour éviter les inconvénients et les frais d'une hospitalisation, ils ont en général tendance à adopter l'attitude inverse. La plupart des gens tardent à se soigner aussi longtemps que possible et souvent sans raison.

Il est très rare qu'on simule une douleur intense ou insupportable. Naturellement, quand cela arrive, c'est souvent dans le cadre d'un hôpital, dans un service d'urgence ou dans une chambre. Les causes d'un tel comportement sont multiples, mais j'estime que les simulateurs représentent moins de un pour cent des cas. L'exagération et *a fortiori* la simulation de la douleur en milieu hospitalier sont donc exceptionnelles. Pourtant, médecins et infirmières soupçonnent environ un patient sur quatre de simuler à un moment ou à un autre.

Pourquoi ?

J'ai déjà souligné à quel point le personnel soignant exagère le risque de dépendance. Pour lui, les patients sont comme autant de toxicomanes en puissance qui essaient de lui soutirer une dose. La seconde raison concerne le « seuil de sensibilité ».

Nous ne sommes pas tous aussi sensibles à la douleur. D'où le concept de seuil de sensibilité. Chez certains, le seuil est élevé, c'est-à-dire qu'ils sont peu sensibles à la douleur, chez d'autres, le seuil est bas : ils « surréagissent ». Les personnes émotives ou anxieuses appartiennent généralement à cette catégorie.

Les médecins ou les infirmières qui soupçonnent leur patient de simuler ne le disent pas ouvertement ; ils s'expriment par euphémisme : « Son seuil de sensibilité à la douleur est apparemment très bas. » Cette phrase indique aussi qu'on a affaire à un « mauvais patient ». Le bon patient est celui qui montre plus de docilité et s'accommode des antalgiques qu'on lui administre, et des horaires, sans protester.

Bien que cette hypothèse ne soit encore étayée par aucune étude, je pense que le seuil de sensibilité à la douleur est lié à un autre facteur. Plus un patient est conscient, plus il est intelligent, vif et mieux il se connaît, plus il se montre sensible à la douleur. Ce sont donc, paradoxalement, les patients les moins conscients de leurs problèmes qui sont considérés comme les meilleurs. Que le seuil soit élevé ou non, de toute façon le patient souffre ; à moins qu'il simule, mais c'est rare. Pourtant, quand une personne se plaint d'une douleur physique elle est souvent « présumée coupable », jusqu'à ce qu'elle ait prouvé son innocence.

J'ai un conseil à donner aux médecins et aux infirmières : oubliez cette notion de seuil de sensibilité et faites preuve d'humanité. Accordez le bénéfice du doute au patient que vous traitez. Si vous nourrissez des doutes vraiment sérieux, si vous avez de vraies raisons de penser que votre patient simule, alors appelez un psychiatre sans tarder. Rappelez-vous qu'une douleur intense est un cas d'urgence. Ne refusez pas les antalgiques à moins d'être sûrs que votre supposition est confirmée par le diagnostic du psychiatre.

Un défaut d'empathie

Je crois que la cause déterminante de l'incapacité du personnel hospitalier à soulager la douleur réside le plus souvent dans un déficit d'empathie. Voici un exemple qui illustre ma thèse :

Warren a trente-deux ans. Marié, bel homme, c'est un sergent dans l'armée de l'air. Un soldat très apprécié. Il se plaint depuis quelque temps de douleurs légères mais chroniques dans la région lombaire. Il vient consulter à la clinique orthopédique. L'aspirine et les anti-inflammatoires qu'on lui prescrit s'avèrent inefficaces, on ne décèle aucune anomalie sur la radio. Les médecins en concluent qu'il simule ou qu'il est légèrement déséquilibré. Ils l'adressent donc à Georges, mon prédécesseur, chef du service psychiatrique de l'hôpital d'Okinawa.

Georges ne détecte pas le moindre déséquilibre psychique chez Warren. Il se creuse la cervelle pour retrouver toutes les pathologies apprises en faculté de médecine et se souvient d'une maladie rare, la brucellose, qui provoque des douleurs dorsales indéfinissables. Georges renvoie Warren à la clinique orthopédique et lui prescrit un examen de la peau à la recherche d'une brucellose. L'examen se révèle positif et Warren commence aussitôt son traitement.

Un an plus tard – il aurait dû être guéri à l'époque – le dos de Warren le fait toujours souffrir. Ses douleurs ont même empiré. Mais les radios ne révèlent toujours rien d'anormal. Les orthopédistes soupçonnent encore Warren de mensonge et lui prescrivent un nouvel examen psychiatrique, dont je suis chargé.

Moi non plus, je ne décèle aucun trouble psychique chez

Warren. En revanche, je possède une compétence particulière, outre mes connaissances psychiatriques, pour aider Warren : je souffre moi-même d'une maladie dégénérative des vertèbres et j'ai quelques notions sur ce sujet. Je sais par exemple que la maladie peut se déclarer des années avant d'être décelable sur les radios. Je sais que Warren s'assied et se lève de sa chaise le dos raide, comme je le faisais dans mes pires jours, une posture difficile à contrefaire. Enfin je me rappelle qu'un anti-inflammatoire m'a apporté un soulagement considérable.

Je prescris ce médicament à Warren et je lui donne rendez-vous cinq semaines plus tard. « Prenez vos comprimés chaque jour, lui ai-je dit. Il se peut qu'ils ne vous soulagent pas, mais il faut de toute façon compter trois semaines pour que le traitement agisse. Dans cinq semaines nous serons fixés. »

Trois semaines plus tard, le téléphone sonne. C'est la réceptionniste. Warren est assis dans la salle d'attente. « M. Warren sait qu'il n'a pas de rendez-vous avant deux semaines, mais il veut juste vous voir une minute. »

Warren entre dans mon bureau, le visage fendu d'un sourire triomphant.

— Doc, vous êtes un magicien ! s'exclame-t-il. Ma douleur s'est envolée il y a cinq jours. Au début, je n'y ai pas cru. Déjà cinq jours ! Vous réalisez que ce sont les seuls jours où je n'ai pas souffert depuis deux ans ? Dieu vous bénisse.

L'école de médecine idéale serait celle qui donnerait à chaque étudiant un rapide avant-goût de chacune des maladies décrites dans les livres.

J'ai évoqué quatre niveaux de douleurs : superficielle, modérée, intense et insupportable. Ces quatre catégories sont bien sûr arbitraires et difficiles à distinguer nettement. Je voudrais maintenant parler des deux extrêmes de cette échelle.

Pour certains, une douleur superficielle n'est « rien ». La douleur superficielle qu'éprouvait Warren ne l'empêchait pas de continuer à travailler. La douleur n'est presque « rien » quand elle est fugace, comme c'est le cas quand on attrape froid. Quand elle devient chronique, quand elle est là jour après jour, mois après mois, année après année, c'est une autre affaire. Elle sape l'énergie d'un être, d'une manière inimaginable pour qui n'a jamais souffert d'une maladie chronique. Warren était encore capable de travailler, c'est vrai, mais son énergie était plus celle d'un sexagénaire que d'un quadragénaire et il n'était plus guère disponible pour sa famille. Plus tard, sa femme est venue me remercier, elle aussi. La joie exubérante que j'ai lue sur son visage cet après-midi-là était un merci assez éloquent.

Quand nous ressentons une douleur superficielle, nous gémissons. Une douleur intense nous arrache des cris perçants, comme ce fut mon cas pendant quelques heures, quand mon appendice s'est rompu. En quoi consiste alors une douleur intolérable ?

Je n'en ai fait l'expérience que deux fois, grâce à Dieu. Une fois au bras et une autre fois à la jambe, chaque fois causée par le même phénomène : le bord aigu d'une vertèbre fissurée...

Je peux décrire cette sensation précisément. C'est comme si mon membre, à un endroit très précis, avait été plongé et maintenu immergé dans une cuve de plomb chauffé à blanc.

Pour un observateur extérieur, la différence entre une douleur intense et une douleur intolérable est difficile à définir. Il dispose tout de même d'un indice. Ce ne sont pas les cris de son patient ; les cris d'une douleur intense ressemblent beaucoup à ceux d'une douleur intolérable. Le seul moyen de distinguer ces deux stades c'est de mesurer la quantité de morphine à administrer avant que le patient puisse glisser dans un sommeil paisible, au moins une minute ou deux.

Pourquoi cette distinction est-elle importante ?

Deux ans avant de cesser mes tournées de conférences, j'ai commencé à réfléchir sérieusement au problème de l'euthanasie. Et j'ai évoqué la question de la douleur physique avec les gens qui venaient m'écouter. Des auditoires très représentatifs de la population : soixante pour cent de femmes, quarante pour cent d'hommes, issus des classes moyennes plutôt aisées, âgés de quinze à quatre-vingt-dix ans, avec une dominante de quadragénaires. J'ai fait une découverte en discutant avec ces citoyens ordinaires : soixante-dix pour cent d'entre eux n'avaient jamais éprouvé personnellement de douleur intense ou insupportable.

Parmi ces personnes, se trouvaient des femmes qui avaient mis des enfants au monde. Plusieurs facteurs expliquent ce paradoxe apparent. Peut-être leur avait-on prescrit des sédatifs efficaces ? Peut-être avaient-elles oublié l'intensité de la douleur, vu la brièveté et l'intermittence des contractions (qui s'achèvent par un événement généralement heureux). C'est très humain. Tout comme l'opposé : un être ayant éprouvé une douleur intense qui n'a pas été soulagée assez rapidement s'en souviendra le restant de ses jours et vivra dans la terreur qu'elle revienne.

Je déduis de mes statistiques qu'environ soixante-dix pour cent des médecins et des infirmières n'ont jamais éprouvé de douleur de ce niveau-là, ou qu'ils ne s'en souviennent pas. Ils n'ont aucune idée de ce que c'est. Soignant des patients qui souffrent, ils ignorent complètement en quoi consiste ce genre d'épreuve.

L'empathie, à de rares exceptions près, est le fruit de l'expérience personnelle. C'est un sentiment généralement forgé par l'expérience et la souffrance de chacun. Il n'est donc pas surprenant que la majorité des professionnels de la médecine, quand ils s'occupent de patients aux prises avec une violente douleur, manquent d'empathie. C'est inévitable.

Laissons de côté le sadisme, l'obnubilation de la dépendance, les recettes et les horaires. C'est le plus souvent par simple manque d'empathie que les professionnels de la médecine ne soignent pas correctement une douleur intense ou intolérable : cette expérience leur est étrangère. On comprend mieux pourquoi des patients au supplice entendent si souvent les médecins et les infirmières leur dire : « Vous ne pouvez souffrir autant », ou mieux ! « Vous ne devriez pas souffrir autant. » Ceux qui se prononcent de manière si péremptoire n'ont en général pas la moindre idée de ce dont ils parlent.

L'« allergie » à la morphine

J'ai évoqué en détail, et avec véhémence, l'échec fréquent des professionnels de la médecine à soigner correctement la douleur. Et ce, pour deux raisons. L'une est la peur très répandue d'une agonie douloureuse. Cette peur joue un rôle important dans l'engouement récent pour l'euthanasie. Quoi de plus raisonnable que d'avancer un peu le moment de sa mort, si la perspective des derniers instants est celle d'une souffrance redoutable, interminable, absurde ?

D'autant que cette peur n'est nullement irréaliste. Il y a des agonies inutilement douloureuses. Et des témoins : les parents et amis des mourants. En racontant une expérience de souffrance inutile à l'hôpital, qu'on l'ait vécue ou qu'on l'ait vue, on instille toujours à son entourage une peur profonde d'en être à son tour victime.

Si je me suis penché sur l'échec du traitement hospitalier de la douleur, c'est pour montrer qu'il est remédiable. La souffrance n'est pas une fatalité. On a les moyens de la prévenir.

Mon but n'est d'ailleurs nullement de jeter la pierre au personnel soignant en général. Comme je l'ai indiqué, l'attitude à l'égard du soulagement de la douleur a considérablement évolué dans la communauté médicale au cours des deux dernières décennies. Le sadisme avéré est rare. La négligence, bien que plus fréquente, n'est pas la norme, loin de là. Dans leur grande majorité, médecins et infirmières sont des êtres très dévoués qui, compte tenu de la pression à laquelle ils sont soumis, font preuve d'une grande sollicitude. Je les admire beaucoup [1].

Il n'en est pas moins vrai que, de l'avis général, l'hôpital moderne type n'est pas l'endroit le plus approprié pour l'accompagnement des mourants. Un sociologue canadien a montré avec éloquence la différence entre traitement et soin, et pointé le fait que le but premier de l'hôpital moderne est de traiter. Le traitement relègue le soin au second plan. D'où l'importance du mouvement des soins palliatifs où la notion de soin et de service au mourant l'emporte sur la volonté de le sauver à tout prix. Un soulagement adéquat de la douleur est considéré comme une partie essentielle du traitement. Le but de ces unités n'est pas de prolonger la vie mais d'aider les patients à mourir dignement en leur prodiguant les

---

1. La capacité des professionnels de la médecine à soulager efficacement la douleur est limitée par des lois ou des règlements administratifs qui, dans certains cas, sont absurdes.

soins dont ils ont besoin. Ceux-ci ne sont pas seulement physiques mais aussi émotionnels, psychologiques et spirituels. La politique des unités de soins palliatifs est d'offrir au patient la quantité de morphine dont il a besoin. Le problème du « double effet » est considéré comme mineur. Je reviendrai sur ces questions et sur les soins palliatifs en général dans les derniers chapitres de cet ouvrage.

Mais pour en revenir au difficile problème du traitement de la douleur physique, je dois maintenant examiner une ultime complication : une petite minorité de patients est « allergique » à la morphine, ce don de Dieu.

Pourquoi ces guillemets ? Parce que j'estime que, dans plus de la moitié des cas, l'allergie en question n'est pas vraiment physique mais relève plutôt d'un blocage psychologique. Les patients qui se plaignent d'une allergie à la morphine ou à un autre opiacé me parlent à peu près en ces termes : « J'ai l'impression de perdre le contrôle, je ne sens plus mon corps. Je n'arrête pas de m'endormir alors que je ne le veux pas. Mes pensées sont confuses. Je voudrais, il faut que je sois plus éveillé. Pouvez-vous me prescrire quelque chose pour la douleur qui ne m'assomme pas comme ça ? »

En général, avec un peu de patience, je réussis à débarrasser ces patients de leur « allergie ». Je leur explique que le mot « morphine » vient de Morphée, le dieu grec des rêves, fils du sommeil. Leur somnolence est un effet tout à fait ordinaire du médicament. Mais ce n'est que de la somnolence ; ils peuvent parfaitement la dissiper s'ils le veulent. Les principaux antalgiques ont tous des effets similaires. Je m'efforce d'expliquer à mes patients qu'ils ne perdent pas le contrôle. « Vous avez surtout peur de le perdre. Je peux vous apprendre à vous relaxer et à apprécier ce demi-sommeil. »

Parfois, je dois aller plus loin avec eux ; leur expliquer, par exemple, que toute leur vie ils ont été hantés par cette volonté de contrôle. Je leur parle de la peur d'aller au lit, de mourir en dormant. Ce type de conseil psychologique débouche inévitablement sur un entretien spirituel. En évoquant leur peur de la mort, je suis amené à parler à mes patients de la vie après la mort. Je leur explique qu'il est nécessaire d'apprendre à renoncer au contrôle, non seulement pour guérir mais aussi pour accomplir sa quête spirituelle et apprendre la sagesse (sujet que j'aborde en détail plus loin).

Cette assistance psycho-spirituelle ne doit pas être réservée aux psychiatres ni aux professionnels de la santé mentale, si compétents soient-ils. Elle peut être pratiquée par des infirmières, des aides soignants et des intervenants bénévoles en unités de soins palliatifs.

Un ami qui travaille dans une équipe de bénévoles me faisait observer que la soi-disant allergie à la morphine reflète souvent plus l'angoisse de la famille du mourant que la sienne propre. Les familles se sont plaintes de l'état d'apathie où la morphine plonge leur parent. « Bien sûr nous ne voulons pas qu'il souffre, disent-ils. Et nous savons évidemment qu'il est en train de mourir. Mais ne pouvez-vous lui prescrire quelque chose pour sa douleur qui ne l'assomme pas ? Nous voulons être avec lui quand il mourra et nous voulons qu'il soit présent avec nous. »

La véritable allergie à la morphine, très rare, existe aussi. Le patient allergique n'a pas peur de perdre le contrôle, il le perd effectivement sous l'emprise de la morphine. Au lieu de le faire somnoler, la morphine a l'effet inverse : celui d'un excitant. Ses pensées ne sont pas confuses, il est en proie à de spectaculaires hallucinations.

Dans un tel cas, la morphine est à prohiber. Mais l'expérience montre qu'avec un rien de patience, d'imagination et de dévouement, on trouve toujours une réponse adaptée, même à la pire des douleurs physiques.

Tout d'abord, une véritable allergie à la morphine n'entraîne pas nécessairement d'allergie à tous les opiacés. Quelques-uns d'entre eux, comme l'héroïne, sont dans certains cas des antalgiques encore plus puissants. Il arrive souvent que les patients supportent mal l'un ou l'autre des dérivés de l'opium. Je suis bien placé pour le savoir. Pour ma part, je réagis bien à la morphine ainsi qu'à la codéine, considérée comme un sédatif assez léger. Je réagis bien à d'autres dérivés opiacés, mais il en est un, d'usage courant, qui me fait complètement perdre les pédales. Il suffit d'un seul comprimé pour que je devienne très confus et que je perde le sommeil. La substitution d'un autre opiacé au médicament défaillant résout en général le problème.

De telles allergies sont liées à la dose prescrite. Comme je l'ai déjà indiqué, l'effet de doses relativement faibles d'opiacés peut être potentialisé par toute une série de sédatifs ou de tranquillisants, qu'il s'agisse de benzodiazépines (comme le Valium), de phénothiazines ou de barbituriques.

Mais le problème de l'allergie à la morphine ne peut être résolu par une recette toute prête, qui conviendrait à tous les patients. Cependant, avec un tant soit peu d'attention, de patience et de tâtonnements, on parvient presque toujours à composer le cocktail approprié à chaque personne, en mélangeant opiacés et sédatifs.

La plupart des douleurs sont liées à l'inflammation ou à l'irritation d'un nerf. Il existe des anti-inflammatoires (aspirine, Nurofen, anti-inflammatoires non stéroïdiens) qu'on peut utiliser au long cours pour accroître l'effet de tels cocktails. À court terme, un stéroïde de synthèse comme la prednisone peut être aussi efficace que les opiacés quand on l'utilise seule, et deux ou trois fois plus puissante quand elle est combinée à d'autres sédatifs. Il existe aussi des traitements non chimiques de la douleur : hypnose, acupuncture ou encore neurochirurgie. Dans certains cas, celle-ci peut sectionner les nerfs qui convoient la sensation de la douleur d'un organe jusqu'au cerveau. Sans compter les traitements radiologiques qui, sans stopper la propagation d'un cancer, peuvent neutraliser ses effets dans une région particulièrement sensible.

J'ai connu quelques patients qui étaient morts dans de grandes souffrances physiques. Je n'ai jamais connu personne qui *n'aurait pu* mourir autrement.

Quel rapport avec l'euthanasie ?

Si j'ai examiné en détail le problème de la douleur physique, c'est pour deux raisons :

1. Dans le cas d'un patient atteint d'une maladie mortelle très douloureuse, et qu'on est incapable de soulager, je considère l'euthanasie (le suicide médicalement assisté) comme un choix valable. Ce patient me supplierait probablement de l'aider à mourir le plus

vite possible et je finirais par céder. À la différence de certaines douleurs émotionnelles chroniques que j'évoquerai bientôt, une douleur physique récalcitrante n'est absolument pas rédemptrice. Ce n'est qu'une torture. Et rares sont ceux qui résistent très longtemps sous la torture.

Mais cette justification de l'euthanasie est purement théorique puisque, comme je l'ai dit, je n'ai jamais rencontré un tel patient. Néanmoins, la nature de la douleur physique me contraint à envisager cette possibilité. Venons-en à présent au véritable problème.

2. Si j'ai examiné en détail la question de la douleur physique, c'est pour faire apparaître cette possibilité comme purement hypothétique. L'adhésion d'une fraction croissante de la population à l'euthanasie reflète sa terreur face aux souffrances physiques liées à une mort naturelle. Cette terreur n'est pas fondée. Étant donné l'arsenal des antalgiques existant, l'adhésion croissante du public à leur utilisation et la possibilité offerte aux patients en stade terminal de préférer la maison de repos à l'hôpital, aujourd'hui personne n'est plus condamné à mourir dans de terribles souffrances.

Pourtant cela arrive encore. Mais la solution au problème ne réside pas dans l'euthanasie. Elle se trouve plutôt dans un progrès continu du traitement de la douleur et des méthodes dont nous disposons déjà. Jusqu'à ce qu'un tel progrès survienne, le problème de la douleur physique restera un élément du débat sur l'euthanasie – là où il ne devrait jouer qu'un rôle secondaire. J'attends donc impatiemment le jour, très proche je l'espère, où il n'occupera plus le devant de la scène. Car le problème majeur n'est pas la douleur physique, mais celui de la souffrance morale.

3

La souffrance morale

La souffrance morale est un sujet beaucoup plus complexe que celui de la douleur physique.

Comme la douleur physique, la souffrance morale est un signal. Le signal que quelque chose ne tourne pas rond. En général, nous sommes tristes ou irritables parce que quelque chose nous donne une bonne raison de l'être.

Comme dans le cas de la douleur physique, si nous sommes sourds à de tels signaux, les effets peuvent être désastreux. Un maniaco-dépressif peut se sentir le maître du monde au moment où il dilapide les économies familiales dans une dizaine de projets insensés, en une semaine ou deux. Si heureux soit-il, il n'en est pas moins complètement malade. Ni sa famille ni son psychiatre n'en doutent le moins du monde. D'ailleurs, comme nous le verrons, si la maladie mentale s'accompagne souvent de grandes souffrances, elle est parfois bien vécue par les patients. Le malade mental qui ne souffre pas ressemble à ces lépreux dont nous parlions plus haut. Mais alors que la lèpre physique est une affection rare, la « lèpre psychique » est malheureusement endémique.

Quand nous recevons des signaux émotionnels douloureux – tristesse, chagrin, dépression, colère, anxiété ou terreur – nous ne sommes généralement pas assez instruits sur le meilleur moyen de les apaiser. Or, on ne se précipite pas chez le médecin comme on le ferait pour une douleur physique intense. Pourtant la souffrance morale est à sa façon tout aussi pénible. Elle fait partie des vicissitudes normales de l'existence. Elle se dissipe en général avec le temps et on a le pouvoir de contribuer à la chasser. Si je suis furieux à la suite d'une dispute avec mes voisins, je peux, par exemple, aller les voir pour en parler. Je peux aussi laisser les choses se décanter le temps qu'il faut. Je peux décider qu'ils sont fautifs, mais leur pardonner. Je peux enfin les traîner en justice.

C'est en général le caractère chronique de la souffrance morale qui nous incite à rechercher l'assistance d'un médecin. Le chagrin qui suit la mort d'un être que nous aimions profondément peut être accablant, mais il est sain. S'il perdure après trois mois, c'est le signe, sans doute, que quelque chose cloche. Passé six mois, après un deuil, l'accablement n'est plus sain ; et s'il persiste au-delà d'un ou deux ans, il faut consulter un psychiatre.

Sans oublier que celui-ci n'est pas un magicien. D'abord, le diagnostic psychiatrique de la souffrance morale est rarement aussi précis que celui qui concerne la douleur physique. Tests sanguins ou rayons X ne sont d'aucune utilité en psychiatrie, sinon pour écarter des causes physiologiques. Un diagnostic psychiatrique s'établit d'abord à partir de l'histoire du sujet, de son observation et de l'intuition du psychiatre. Dans quelques rares cas un diagnostic précis peut être établi en quelques secondes. La plupart du temps, il nécessitera des semaines ou des mois, parfois des années de travail avec le patient.

Pour compliquer ce processus, le diagnostic s'élabore au moins à deux niveaux. La question n'est pas seulement : « Quel est le nom de la maladie ? » Encore faut-il découvrir si cette maladie est biologique, psychique ou psychophysiologique. Des facteurs sociaux et spirituels entrent aussi en jeu. Un traitement adéquat de la douleur physique suppose en général une bonne compréhension du seul facteur physiologique. Un traitement approprié de la souffrance morale exige une bonne compréhension des quatre facteurs (psychique, physiologique, social et spirituel) évoqués ci-dessus.

Le diagnostic et le traitement de la souffrance morale sont donc très complexes. « Dois-je recourir aux seuls médicaments ? se demande le psychiatre. À la seule psychothérapie, à un mélange des deux ? Quels médicaments ? Quel genre de psychothérapie ?... » Autant de questions délicates pour tout psychiatre. En outre, les réponses à ces questions sont beaucoup moins prévisibles que dans le cas du traitement de la douleur physique, et on ne les formule parfois qu'après de longs tâtonnements.

Pour corser le tout, le psychiatre doit souvent se battre contre la volonté de son patient. Tous ceux qui sont malades, mais ne souffrent pas de leur pathologie, viennent chez le psychiatre parce qu'ils y sont amenés par la police ou des parents – si tant est qu'ils viennent. Les problèmes ne font alors que commencer. Quand on souffre physiquement, on attend avec impatience d'être soulagé. Ceux qui souffrent émotionnellement sont très contradictoires dans leur désir de soulagement. Certains sont étrangement attachés à leur souffrance comme à un vieil ami. D'autres, non. La plupart espèrent « guérir » tout en restant liés à la cause de leur déséquilibre. Ils veulent aller mieux, mais sans changer d'un iota, et beaucoup renoncent au traitement psychiatrique, préférant leur souffrance à un traitement nécessaire.

Un progrès dans la compréhension de la question de l'euthanasie suppose que nous répondions à de telles interrogations. Dans le cadre d'un ouvrage comme celui-ci, une telle exploration restera, inévitablement, sommaire : il n'est pas question de rédiger un manuel de psychiatrie en quelques pages. Néanmoins, le problème fondamental de l'euthanasie est celui de la souffrance morale, et il nous faut maintenant examiner quelques cas concrets et nous efforcer de mieux définir cette notion d'un point de vue psychiatrique.

Les troubles psychophysiologiques

La distinction entre anomalies psychiatriques et physiologiques est souvent arbitraire, comme le prouve l'exemple de Tony, le patient dont j'ai parlé dans le premier chapitre. Atteint d'une tumeur maligne foudroyante, il a d'abord été examiné par un psychiatre, et non par un généraliste à cause de ses troubles mentaux évidents. Un cancer du cerveau ne relève pourtant pas de la compétence d'un psychiatre.

Prenons maintenant l'exemple de la maladie d'Alzheimer. Ses premiers symptômes sont en général neurologiques et difficiles à cerner. Mais le médecin traitant finit par comprendre que les difficultés de son patient ne sont pas seulement d'ordre mental. Dans un grand nombre de cas, les personnes atteintes ont tendance à s'étouffer en expirant du fait qu'elles ne parviennent plus à avaler – problème qui ne relève à l'évidence pas de la psychiatrie. Or, si les psychiatres sont souvent les premiers à poser le diagnostic juste, cette maladie n'est plus considérée comme psychiatrique. Ce qui ne signifie pas que toutes les ambiguïtés sont levées pour autant. Les facteurs psychologiques jouent en fait un rôle déterminant dans la genèse d'un Alzheimer – et même dans le cas de tumeurs malignes – mais on considère maintenant ces affections comme principalement physiologiques.

On peut citer deux autres maladies graves qui relèvent de la compétence des psychiatres alors que leur genèse est pour une grande part physiologique. Il s'agit de la schizophrénie et des troubles maniaco-dépressifs (ou bipolaires, selon une appellation aujourd'hui en vogue). Pour faire court et simple, je vais évoquer quelques aspects de la schizophrénie – maladie extraordinairement complexe – et quelques cas de patients atteints de troubles schizophréniques.

Aux États-Unis, on dénombre environ cinq millions de personnes souffrant de schizophrénie, cinq millions d'êtres *différents*. Aucun « fou » n'est réductible à sa folie ; toute forme de schizophrénie (comme toute personnalité et toute âme) est unique. Il ne faut en général que quelques secondes pour émettre un diagnostic psychiatrique sur un cas de schizophrénie grave et chronique : on le reconnaît instantanément à certains symptômes spectaculaires. Mais dans la plupart des cas, la maladie n'est pas si grave et ces symptômes sont plus difficiles à détecter. Ils n'en sont pas moins dévastateurs, comme dans le cas de Roger.

J'ai rencontré Roger à l'époque où je dirigeais une clinique psychiatrique. Alors âgé de vingt-huit ans, celui-ci m'a confié qu'il se sentait horriblement mal. Menuisier de formation, professionnel compétent, il vivait dans un dénuement presque total : il habitait une cabane dans les bois et était incapable de garder un travail très longtemps. Il avait d'ailleurs toujours une bonne raison de démissionner : son patron était trop exigeant, le client trop difficile...

Mais le jour où je lui ai demandé si c'était à cause de cette instabilité qu'il se sentait si mal, il m'a répondu dans un sursaut de lucidité : « Non, c'est l'inverse ; c'est parce que je me sens très mal que je ne peux pas garder un travail. »

Impossible de convaincre mes collègues psychiatres que Roger souffrait, en fait, de schizophrénie. Les symptômes étaient trop superficiels. Roger, qui était beau et attirait les femmes, avait pourtant une sexualité très intermittente. Intelligent et plein d'humour, il n'en restait pas moins isolé socialement, ne s'en sortant pas mieux dans ses relations amicales et sentimentales que dans sa vie professionnelle. Les copains qu'il fréquentait fumaient volontiers de la marijuana entre eux ; Roger refusait les « joints » à cause des bouffées paranoïdes que la drogue provoquait parfois chez lui. L'alcool lui procurait un soulagement temporaire. « Ça me casse, disait-il, mais je ne supporte pas les gueules de bois ; et si je me laisse aller à devenir alcoolique, je suis foutu. » Il souffrait d'insomnies et faisait des cauchemars. Son sommeil, peu réparateur, le laissait frustré. Rien ne semblait pouvoir lui procurer du plaisir.

J'ai adressé Roger à un autre psychiatre de l'équipe pour qu'il lui prescrive un traitement et une psychothérapie de soutien. Mon collègue était d'accord avec mon diagnostic de trouble schizo-affectif subtil, une espèce de schizophrénie dont le symptôme principal est l'instabilité émotionnelle. Un grand nombre de psychiatres seraient prompts à mettre en doute ce diagnostic, mais peu en auraient un meilleur à proposer. Au cours des quatre années suivantes, le psychiatre qui suivait Roger lui a prescrit presque tous les médicaments qu'on utilisait à l'époque dans des cas similaires : antipsychotiques et antidépresseurs, dans toutes les combinaisons possibles. Rien n'y a fait. À propos de certains d'entre eux, Roger reconnaissait qu'ils l'aidaient à clarifier sa pensée, ajoutant aussitôt : « mais je me *sens* encore plus mal ».

La psychothérapie associée n'a pas donné de meilleurs résultats. Malgré tous les efforts de l'équipe soignante, Roger ne s'est jamais engagé dans sa thérapie. Il était tout aussi irrégulier dans le respect de ses rendez-vous que dans sa prise de médicaments. Il laissait souvent passer des mois avant de réapparaître à la clinique, et quand il revenait nous voir, il en était exactement au même point.

Nous avions tous l'impression que nous l'aurions mieux soigné s'il avait été plus constant dans sa thérapie, tout en étant bien conscients que cette inconstance était sans doute un symptôme de sa schizophrénie.

En tant que directeur de cet établissement psychiatrique, je n'ai eu que de brèves et rares rencontres avec Roger. Comme il ne semblait pas déprimé, extérieurement, j'essayais toujours de lui faire préciser ce qu'il entendait par « je me sens horriblement mal ». Ses explications se résumaient à cette réponse qu'il m'a faite un jour : « Vous connaissez l'expression : avoir une épine dans le pied, docteur Peck ? Eh bien, c'est l'impression que j'ai. Je suis irritable, évidemment, mais ça va plus loin. C'est comme si cette épine distillait un poison dans tout mon corps. Je ne parle pas d'une vraie épine. Mais j'ai l'impression que le poison est partout. Pas seulement dans mon cerveau. Dans mes cellules sanguines. Même mes globules sont détraqués. »

Un jour, après quatre ans de traitement, Roger a encore manqué un rendez-vous. Nous ne nous sommes pas inquiétés. On s'est dit qu'on le reverrait plus tard. Mais cette fois nous avions tort. Un mois et demi après son dernier rendez-vous manqué, un promeneur a retrouvé Roger pendu à un arbre à côté de sa cabane. Son corps était très boursouflé. Le médecin légiste a estimé que la mort devait remonter à environ deux semaines.

Le nom savant du trouble dont Roger se plaignait est « dysphorie ». La dysphorie est le contraire de l'euphorie, qui signifie étymologiquement « se sentir bien ». Dans la langue d'aujourd'hui, l'euphorie renvoie à une profonde sensation de bien-être et de plénitude qui traduit en général une joie consécutive à un événement, intérieur ou extérieur. On est euphorique quand on tombe amoureux, ou qu'on enregistre un succès professionnel marquant, par exemple. Des drogues comme la morphine, l'héroïne et la cocaïne peuvent aussi engendrer l'euphorie. Cet état d'euphorie semble être partiellement d'origine physiologique, comme chez les patients maniaco-dépressifs en phase maniaque.

Il en va de même pour la dysphorie, le mal-être : quand nous ressentons une émotion douloureuse, chagrin, tristesse, dépression, colère par exemple, on est dysphorique, mais la raison en est généralement évidente : la mort d'un être cher, la trahison d'un associé, la perte d'un emploi. La psychiatrie réserve cependant le terme de dysphorie aux cas où ce sentiment pénible ne s'explique ni par une réaction psychologique à un événement extérieur, ni par la perturbation d'une maladie physique qu'on pourrait diagnostiquer après auscultation.

J'ai affirmé que la schizophrénie est pour l'essentiel une affection biologique, même si des tests « matériels » ne permettent pas de la détecter. En attribuant la dysphorie de Roger à la schizophrénie, j'assigne une origine physique à son sentiment de mal-être accablant. La schizophrénie est, à mon sens, pour une large part héréditaire et donc génétique. En fait, je ne crois pas que Roger souffrait de troubles mentaux. En situant sa maladie dans ses cellules sanguines autant que dans son cerveau, je crois qu'il émettait un jugement tout à fait pertinent. Sa dysphorie peut se définir comme une souffrance chronique intense, que les médicaments dont nous disposons actuellement sont incapables de soulager.

À la fin de cet ouvrage, je défends l'idée que le suicide pour motifs psychologiques ou théologiques est en général injustifiable. Cela dit, comme je l'ai exposé au début du livre, il n'entre pas dans mes intentions de le condamner. De plus, comme j'aurai l'occasion de le montrer souvent, il existe des exceptions à ces principes généraux. Roger constituait l'une d'elles. Je pense qu'à sa place (en l'occurrence *dans son corps*), moi aussi je me serais suicidé. J'estime juste que son corps ait été enterré chrétiennement. Et je suis sûr qu'après tant de souffrances, son âme a trouvé le chemin du paradis [1].

L'un des problèmes liés au suicide (la question centrale de l'euthanasie) est la culpabilité en général injustifiée qu'il entraîne chez ceux qui restent. Mais le suicide d'un patient devrait toujours inciter les professionnels de la santé mentale à un réexamen de son cas, afin de découvrir d'éventuelles failles dans le traitement. À

1. J'ai eu une grande chance, en tant que psychiatre : seuls deux de mes patients ont mis fin à leurs jours. Roger est l'un d'eux. J'évoque plus loin le cas du second.

l'époque de la mort de Roger, ceux d'entre nous qui l'avaient suivi n'ont éprouvé qu'une légère culpabilité. Nous lui avions procuré toutes les formes de traitements psychiatriques possibles et le personnel de la clinique n'avait rien à se reprocher à son égard. Mais depuis, j'ai souvent repensé à Roger; et, paradoxalement, je me sens plus coupable envers lui aujourd'hui qu'il y a vingt ans, quand nous avons appris son suicide. Dans le premier chapitre, j'explique que nous avons tendance à capituler un peu vite devant certains cas de maladie mentale. Je parle d'expérience. Aujourd'hui, il ne fait pas le moindre doute dans mon esprit que j'avais déjà passé Roger par profits et pertes, alors que son sort dépendait en partie de moi.

Je me suis demandé pourquoi ce pauvre garçon avait continué à revenir à la clinique, même irrégulièrement, alors que nous semblions incapables de l'aider. Une seule réponse me vient à l'esprit : il était désespéré. J'ai accusé certains médecins de manquer d'empathie en prescrivant des doses d'antalgiques insuffisantes à des patients qui éprouvent de grandes souffrances physiques. Je me reproche aujourd'hui de ne pas avoir envisagé pour Roger des formes de traitements à l'époque considérés comme inacceptables.

À ce jour, nous considérons la phytothérapie et l'acupuncture comme des médecines «alternatives» (à savoir : à la médecine occidentale traditionnelle). On n'apprend pas aux futurs médecins ces thérapeutiques en faculté, et ils sont généralement très ignorants à leur sujet. Rares sont aujourd'hui ceux qui découragent expressément leurs patients d'explorer de telles pistes. À l'époque de Roger, je les tenais pour illusoires. Ce qui ne l'a sans doute pas empêché de les essayer, du moins certaines d'entre elles, le désespoir aidant. Elles ne l'auront pas plus soulagé que la médecine traditionnelle.

Deux autres types de traitement radicaux de la schizophrénie (et de la dépression) ont été très utilisés durant la première moitié du vingtième siècle : les électrochocs et la lobotomie. Avec la découverte des antipsychotiques et des antidépresseurs dans les années cinquante, ces traitements sont devenus obsolètes et on les a rapidement considérés comme inadmissibles. Depuis, on observe un léger retour de balancier. Pour certains cas bien particuliers, en général des dépressifs sur lesquels les autres traitements ont échoué, les électrochocs donnent des résultats satisfaisants. La lobotomie, me dit-on, est aussi employée, presque clandestinement, dans de très rares cas quasi désespérés.

J'avais d'ailleurs suggéré à Roger une thérapie par électrochocs. Il l'a rejetée avec véhémence : « Pas question que je les laisse me bousiller le cerveau à l'électricité. » Rétrospectivement, je pense que j'aurais dû insister. En revanche, je ne lui ai jamais parlé de lobotomie, à cause des importants risques de séquelles que comporte ce type d'intervention, en tout cas pas avant d'avoir essayé les électrochocs qui sont, eux, sans risque.

Je n'ai d'ailleurs soumis cette possibilité à un patient qu'une seule fois. Il s'agissait d'une patiente, une femme que je n'ai vue qu'une vingtaine de minutes, et qui me rappelait Roger. Je l'ai examinée alors que j'étais chef de service à l'hôpital psychiatrique d'Okinawa. Âgée de quarante-cinq ans, c'était une femme physiquement séduisante, haut fonctionnaire des Affaires étrangères, très brillante. Alors qu'elle rentrait d'une mission au Vietnam, elle demanda à me consulter en urgence. Rien dans son comportement ni dans son aspect extérieur ne suggérait un diagnostic de schizophrénie. Voici son histoire, telle qu'elle me l'a confiée, avec ses propres mots, d'une impitoyable intelligence :

— Depuis plus de vingt ans, m'expliqua-t-elle, je vis avec le sentiment que mes intestins sont entortillés et gangreneux. La douleur est insupportable. Presque aussi redoutable que la puanteur de la gangrène. Je ne supporte pas ma propre odeur. D'un point de vue rationnel, je sais bien que mes intestins ne sont pas entortillés. Sinon, je serais morte depuis longtemps – et la plupart du temps je préférerais être morte. Mais cette certitude reste abstraite. Ce n'est évidemment pas la première fois que je viens consulter un psychiatre. J'en ai même vu plus d'une centaine. Dans mon cas, ils parlent d'« hallucination somatique » et considèrent cette sensation comme un symptôme schizophrénique. J'ai pris tous les médicaments cités dans les manuels sur la schizophrénie, le temps qu'il fallait. Aucun ne m'a apporté le moindre soulagement. J'ai subi deux longues séries d'électrochocs. Ils m'ont soulagée sur le moment, mais dès que mes souvenirs revenaient, cette horrible sensation revenait, elle aussi. J'ai supplié qu'on me fasse d'autres électrochocs, mais on m'a dit qu'on ne pouvait pas m'enfermer dans un hôpital pour le restant de mes jours et faire subir de tels chocs électriques à mon cerveau tous les deux jours. Que puis-je envisager d'autre ?

— Vous avez été suivie en psychothérapie ? lui ai-je demandé.

— Désolée, j'aurais dû vous en parler. Cela me paraissait si évident... Bien sûr, je suis en psychothérapie depuis vingt ans. J'ai vu une dizaine de psy différents les dix premières années ; et depuis dix ans, je vois le même thérapeute, chaque semaine, quand je réside à Washington, c'est-à-dire la plupart du temps. Ça ne m'aide pas vraiment, mais lui, c'est un homme très patient et gentil.

— Dans ces conditions, je suis très surpris que vous ayez demandé à me voir alors que vous n'êtes ici que pour deux jours...

Elle sourit.

— Je comprends très bien que vous soyez surpris, répondit-elle. Je suis ridicule. Je n'ai plus aucune raison d'attendre une aide quelconque d'un psychiatre. Mais je suis désespérée et par conséquent prête à tout, même si ça peut sembler ridicule. Regardez, vous allez mieux comprendre.

Elle leva la main et ôta la perruque qu'elle portait. Toute sa séduction s'était envolée avec sa perruque. À part quelques touffes de cheveux noirs, elle était chauve.

— Vous voyez, fit-elle, je m'arrache les cheveux [1].

À mon grand soulagement, elle replaça sa perruque sur sa tête.

— Ce doit être terrible pour vous. Je voudrais pouvoir vous aider, mais je ne vois pas de solution. Ma seule suggestion est que, quand vous rentrerez aux États-Unis, vous demandiez à votre psychiatre s'il estime que la neurochirurgie peut améliorer la situation.

Elle répliqua aussitôt :

— Une lobotomie ? Je croyais qu'on avait complètement arrêté d'en faire.

— Je ne sais pas exactement, répondis-je. Je ne dis pas que

1. Aujourd'hui, les psychiatres seraient beaucoup plus réticents à poser un diagnostic de schizophrénie pour cette patiente, tout en reconnaissant sans doute le caractère principalement physiologique de son affection. On dispose à l'heure actuelle de certains médicaments pour soigner la « trichotilomanie », le trouble compulsif qui pousse certains patients à s'arracher les cheveux.

je la recommanderais dans votre cas. Même si elle réussissait, ce serait cher payer un mieux éventuel.

— Je comprends ce que vous voulez dire, répondit-elle. Avant d'ajouter, à ma grande surprise : Merci. Vous m'avez rendu service. Je ne crois pas que la lobotomie soit une solution pour moi, mais vous m'avez au moins donné un os à ronger. Merci.

Une lobotomie préfrontale est une intervention chirurgicale relativement simple qui consiste à sectionner la connexion entre les lobes préfrontaux et le reste du cerveau. En d'autres termes, elle neutralise la partie la plus évoluée, la plus humaine de l'esprit. Je n'aurais même pas songé à une solution aussi draconienne, si je n'avais vu, pendant mes années d'étude, deux patients ayant subi, des années auparavant, cette intervention à cause d'hallucinations somatiques. L'acuité intellectuelle de chacun d'eux avait indéniablement baissé après l'opération. Ils avaient perdu une part, difficile à définir mais essentielle, de leur humanité. Et pourtant, ces deux patients m'avaient confié que la lobotomie était la meilleure chose qui leur soit arrivée dans leur vie.

Quand j'ai rencontré cette femme, avec sa conviction délirante que ses intestins étaient obstrués et gangreneux, elle m'a fait penser à Roger, que j'avais vu pour la première fois cinq ans auparavant. Je me demande à présent dans quelle mesure la dysphorie de Roger, elle aussi, n'était pas simplement une forme d'hallucination somatique.

Quand nous parlons d'hallucination, nous voulons dire par là que la conviction du patient est délirante. Les intestins de cette femme, comme elle le savait pertinemment, n'étaient pas bouchés et gangreneux. Elle ne souffrait pas de cette maladie physique. Et pourtant, comme les dernières recherches l'ont montré, la schizophrénie est avant tout un trouble bio-physiologique. Pourquoi, dans ces conditions, ne pas considérer la dysphorie de Roger – la sensation d'avoir une épine dans le pied qui distille un poison imaginaire dans le corps et le cerveau – comme une douleur tout aussi réelle que la douleur physique, comme si les intestins de mon autre patiente étaient réellement bouchés ?

Bref, la question que je pose est celle-ci : puisque nous traitons habituellement la douleur physique avec de la morphine, pourquoi n'ai-je pas envisagé une seconde de soigner Roger au moyen de morphine ? Ou même d'héroïne ? Surtout dans la mesure où ces médicaments entraînent une certaine euphorie, et qu'il souffrait, lui, de dysphorie ? La réponse est claire : un tel traitement était considéré à l'époque – et aujourd'hui encore – comme inadmissible. Toujours l'obsession de la dépendance.

Roger était pourtant un garçon très volontaire, capable d'une grande autodiscipline. Malgré le soulagement que lui procurait l'alcool, il refusait de sombrer dans l'alcoolisme. Aurait-il été capable d'utiliser de la morphine pour contrer des bouffées occasionnelles de dysphorie, sans devenir dépendant pour autant ? Peut-être. Personne ne peut prouver le contraire, en tout cas. On n'en sait rien. À ma connaissance, le traitement de la souffrance morale, d'origine physique, par des antalgiques dérivés de l'opium n'a pas encore été étudié scientifiquement. Pourquoi ? Simplement parce que ces médicaments génèrent une dépendance ; ils sont proscrits dans le traitement de la souffrance morale, qui n'est pas une « véritable » douleur. Mais, *a posteriori*, la dépendance n'aurait-elle pas été préférable au suicide, dans le cas de Roger ?

En fait, si je suivais ce patient aujourd'hui, j'essaierais une autre molécule avant de suggérer la morphine : la dexédrine ou une variante plus puissante, la méthédrine. Ce sont des stimulants (amphétamines), non opiacés, qui génèrent une certaine euphorie. À ce titre, ils entraînent une dépendance, et leur prescription est donc étroitement contrôlée. Pour illustrer l'utilité potentielle de la dexédrine, je voudrais citer le cas d'un patient qui n'était pas schizophrène.

J'ai rencontré Fred peu avant de fermer définitivement mon cabinet. Il était, selon ses dires, dépressif. Ce diagnostic personnel s'est révélé juste. Il n'était nullement fou, ni psychotique, il était seulement gravement déprimé. Un cas urgent : âgé de quarante-cinq ans, Fred était directeur des ventes d'une grande entreprise. Il devait s'envoler le lendemain pour Chicago pour le séminaire annuel des commerciaux de la société, événement important qu'il présidait. « Dans mon état, je n'y arriverai pas, se plaignait-il. Il faut que vous m'aidiez à passer cette épreuve d'une façon ou d'une autre. »

Nous avons passé en revue toutes les possibilités. Les antidépresseurs traditionnels n'agissent en général qu'au bout de trois semaines et peuvent entraîner une certaine fatigue, au début. Cet homme n'était pas assez déprimé pour être hospitalisé. Il était hors de question d'annuler ce séminaire ou de demander un congé maladie. Tout en reconnaissant avec Fred qu'il était déprimé, j'ai continué à l'encourager en lui disant qu'il était assez en forme pour diriger sa réunion. « Je sais que vous vous sentez très mal, lui ai-je dit, mais vous ne présentez aucun des symptômes habituels d'une dépression grave : vous vous exprimez clairement et d'une façon tout à fait cohérente. »

Plus j'essayais de l'encourager, plus Fred devenait agité. « Je n'y arriverai pas. Ce n'est pas seulement que j'en ai peur, je ne pourrai vraiment pas y arriver. » Pour ma part, j'étais sûr qu'il aurait pu surmonter cette épreuve sans béquille chimique, mais il affichait une certitude inébranlable du contraire. Je lui ai donc prescrit de la dexédrine faiblement dosée pour six jours, en lui expliquant que ce médicament entraînait une dépendance et que certains confrères n'auraient pas été d'accord avec mon geste. Mais j'estimais que ces quelques comprimés allaient l'aider à franchir un cap et j'ai souligné qu'il s'agissait d'une prescription non renouvelable. Nous avons pris rendez-vous pour la semaine suivante, et je lui ai indiqué un psychiatre qui pourrait le suivre en psychothérapie et lui proposer un traitement approprié.

Fred était en effervescence quand il est revenu six jours plus tard.

— Vous êtes un magicien, docteur ! s'est-il exclamé. Ces comprimés m'ont regonflé à bloc ! Tout a marché comme sur des roulettes. Tous mes discours étaient brillants. Merci. J'ai pris le dernier ce matin, je me sens super bien !

— Vous risquez fort de ne pas vous sentir aussi bien demain... Même si vous n'en êtes pas conscient, vous semblez aussi déprimé que la semaine dernière. Les coins de votre bouche tombent et votre regard est terne. Votre comportement et votre manière de parler n'ont pas changé d'un iota.

— Mais je ne me suis jamais senti autant à mon affaire de toute ma vie !

— C'est bien ça : vous vous *sentez* à votre affaire, mais ce n'est que l'effet du médicament.

Comme je l'avais prévu, Fred a demandé à être suivi par moi, en même temps qu'il réclamait une autre prescription de dexédrine. J'ai fermement refusé. Un an plus tard, le psychiatre chez qui je l'avais envoyé m'a expliqué que Fred s'en était très bien sorti avec une combinaison d'antidépresseurs traditionnels associés à une psychothérapie.

Pour en revenir à Roger, je crois qu'aujourd'hui si j'exerçais encore, *j'essaierais* la dexédrine ou la morphine, même si je préfère éviter ce genre d'expérience et m'appuyer sur des tests scientifiques. En administrant ce type de produits à un échantillon de patients sélectionnés selon des critères rigoureux, on pourrait se prononcer formellement sur l'efficacité de tels traitements dans des cas de dysphorie ou d'hallucination somatique. D'autant que ces troubles mentaux conduisent souvent ceux qui en souffrent au suicide.

Comme je l'ai déjà dit, aucun essai de ce type n'a à ma connaissance été tenté jusqu'à maintenant. La raison de cette lacune tient à la sous-estimation de l'intensité de la souffrance morale, encore plus fréquente que la sous-estimation de la douleur physique. On considère la souffrance morale comme une pseudo-douleur parce qu'on est incapable de lui attribuer une cause extérieure ou organique. À cause de ce préjugé, un grand nombre de patients, qui pourraient l'être, ne sont pas soignés.

Toute la question consiste à savoir à partir de quel moment on « fait une croix » sur un être. Ceux qui aident un être humain à se suicider le biffent à leur façon. Et bien sûr, ceux qui choisissent de se faire euthanasier, comme nous le montrerons plus loin, se biffent eux-mêmes.

Nous autres psychiatres faisons une croix sur nombre de nos patients d'une manière plus banale, qui n'a rien à voir avec la douleur. J'y ai fait allusion en évoquant la suppression massive des schizophrènes par les nazis, qui annonçait l'holocauste. Aujourd'hui, dans notre culture, on procède de manière plus subtile ; on ne supprime plus de schizophrènes chroniques – sauf peut-être, indirectement, quand on les renvoie de l'hôpital. Mais quand les psychiatres n'obtiennent pas d'amélioration spectaculaire avec la pharmacopée dont ils disposent, ils cessent en général de s'intéresser à eux. Ils les relèguent dans un coin de leur esprit, aux oubliettes, comme des sortes de morts vivants. Ils ne les considèrent plus que comme des « fous ». Et prennent rarement le temps de scruter leur âme.

J'ai eu, quant à moi, la chance presque unique de voir une patiente schizophrène deux fois par an pendant vingt ans. Quand j'ai reçu Dolorès en consultation pour la première fois, elle était âgée de trente ans, et le diagnostic était évident. Dolorès était pathologiquement soupçonneuse ; elle avait constamment l'impression qu'on parlait d'elle et avait tendance à lire dans des événements insignifiants des messages qui lui étaient destinés. Elle était souvent déprimée et apathique. Elle souffrait de bouffées délirantes et éprouvait de grandes difficultés à soutenir des rapports sociaux et professionnels. Son incapacité chronique à exprimer ses émotions et la grande maladresse dont elle faisait preuve dans ses rapports sociaux constituaient un lourd handicap dans sa vie quotidienne. Peu de temps après notre premier entretien, elle était déclarée invalide et prise en charge par la Sécurité sociale. Ce qui reste le cas vingt ans plus tard.

Les rendez-vous suivants avec Dolorès n'ont jamais duré plus de quinze minutes. Elle ne supportait pas de rester plus longtemps. Âgée aujourd'hui de cinquante ans, elle présente tous les symptômes d'une schizophrénie chronique à la fois modérée et très installée. Les médicaments de pointe qu'elle prend n'y ont rien changé et son comportement est resté semblable à ce qu'il était quand je l'ai rencontrée : sa maladie est très stable et si elle n'a fait aucun progrès, son état ne s'est pas non plus détérioré. Rien de plus tentant, donc, que de la considérer comme une cause perdue.

Mais il s'est produit un événement important dans la vie de Dolorès, ces dernières années. Elle qui se disait agnostique s'est progressivement rapprochée de la religion. Elle est devenue très croyante. Elle assiste aujourd'hui à la messe au moins une fois par semaine. Ses idées religieuses n'ont d'ailleurs rien de bizarre. Autant que je puisse en juger, elles sont dans la ligne d'une saine théologie classique et, en outre, d'une grande subtilité. En échange de nos brèves consultations, elle prie pour moi.

Pour beaucoup, l'existence de Dolorès n'est qu'un triste gâchis. Je ne suis pas d'accord, ne serait-ce que pour une raison : si elle n'a pas fait de progrès tangible vers un meilleur équilibre mental, sur le plan spirituel elle s'est profondément épanouie [1].

Quand je songe à ce destin, à mon impuissance médicale dans le cas de Dolorès, je me demande si elle ne m'a pas été envoyée pour m'apprendre quelque chose.

Troubles psychophysiologiques

Dolorès est un cas de schizophrénie évidente ; il ne faut que quelques instants pour le diagnostiquer. La pathologie – gravissime – de Roger était plus difficile à cerner. Les psychiatres ont peu à peu admis l'idée que la schizophrénie était *essentiellement* d'origine biophysiologique, bien qu'on ne dispose pas à l'heure actuelle de tests permettant de diagnostiquer ou de localiser une déficience neuro-anatomique qui l'explique. « Essentiellement », signifie que dans certains cas exceptionnels, la schizophrénie relève plus d'une explication psychodynamique et socioculturelle que de la biochimie cellulaire. Mais c'est l'exception.

Dans la plupart des cas, la souffrance morale humaine est essentiellement psychologique. Cela ne signifie pas que la biologie n'y joue aucun rôle (comme nous le verrons sous peu), mais que les remous émotionnels peuvent s'expliquer intégralement par des tensions extérieures facilement identifiables ou des réactions psychiques récurrentes devant ces tensions.

Il subsiste néanmoins une large zone intermédiaire où la souffrance morale semble résulter d'un mauvais fonctionnement biologique *et* psychologique. Elle devient alors un phénomène

1. Je rapporte l'histoire de Dolorès dans une conférence intitulée : « *Le Malaise de la psychiatrie* », prononcée le 4 mai 1992 devant l'Association psychiatrique américaine. Une version revue et corrigée de cette conférence est présentée en annexe de *Plus loin sur le chemin le moins fréquenté*, Robert Laffont, 1995.

psychosomatique. Dans de tels cas, comme le montre l'exemple de Fred, le traitement idéal associe psychothérapie et médicaments. Mais l'idéal n'est pas toujours possible. Le patient peut se montrer réfractaire à une psychothérapie, incapable de persévérer, refuser de prendre ses médicaments... Ceux-ci peuvent aussi s'avérer inefficaces. Bref, le traitement d'un malade mental est souvent un redoutable défi pour le psychiatre.

Pour illustrer la complexité de la souffrance morale, je voudrais maintenant examiner la plus fréquente de toutes les souffrances dont se plaignent les patients qui consultent des « psy » : la dépression. Pour mieux cerner la problématique de l'euthanasie, il est essentiel de mieux la comprendre.

C'est sans doute dans la région centrale de notre cerveau que se trouvent les neurones qui sont responsables de la pénible sensation de la dépression – ainsi que d'autres émotions spécifiques, comme la colère ou l'euphorie. Le siège de ces émotions s'est beaucoup développé chez l'être humain, depuis des millénaires, parce qu'il sert un objectif bien précis. Lequel ?

Le déclencheur le plus courant de la dépression est la colère, l'exaspération impuissante. Quand un événement nous irrite et que nous pouvons réagir, en châtiant le coupable ou en écrivant une lettre indignée, par exemple, nous échappons en général à la dépression. Mais quand la colère persiste et que nous sommes incapables d'y remédier, la dépression nous guette. Vous aimez votre travail, vous en avez besoin pour vivre et vous êtes congédié du jour au lendemain : vous en éprouverez sans doute de la colère, mais vous êtes impuissant à modifier cette situation. Vous risquez fort de sombrer dans la dépression. Une dépression – modérée et limitée dans le temps – est d'ailleurs une réaction parfaitement saine et normale à un licenciement.

La dépression est une réaction normale dans une situation où l'être humain se sent piégé : on est déprimé quand on est enfermé dans une cage et qu'on n'aperçoit pas d'issue ; mais il n'est pas rare non plus que nous ayons nous-mêmes forgé certains barreaux de cette cage. Un attachement excessif à un rôle social, à une personne, à un rêve, reste le plus inflexible des barreaux. La dépression joue donc un rôle utile en ce sens qu'elle nous signale que nous devons renoncer à quelque chose, elle nous fournit une raison d'opérer le travail psychologique de renoncement à une personne ou à un rôle. C'est pour ces raisons que, dans *Le Chemin le moins fréquenté*[1], je parle de « dépression saine ». Celle-ci est souvent à l'origine d'un progrès psycho-spirituel et de changements positifs dans la vie des gens.

Si la dépression se prolonge, qu'elle s'aggrave, un traitement psychiatrique devient alors nécessaire. Le siège des émotions peut être hyperactif et il convient de le réguler par les médicaments *ad hoc*, avant même que le patient puisse entreprendre les changements nécessaires dans sa vie. Par ailleurs, des facteurs psychodynamiques profondément enfouis, comme une culpabilité pathologique ou une honte liée à un événement de l'enfance, peuvent empêcher le patient de changer. Tous ces facteurs relèvent d'un traitement psychothérapique. L'art du psychiatre consiste à choisir entre ces deux traitements, à les combiner si besoin est.

Il arrive enfin chez certains que le centre cérébral de la dépression, le système limbique, « s'emballe » sans raison apparente. Les patients concernés vont développer une grave dépression sans qu'on puisse l'attribuer à aucune circonstance extérieure. Nous considérons en général de telles dépressions comme des phénomènes non psychosomatiques ; mais liés à un déséquilibre purement biologique, souvent héréditaire, même si nous ne comprenons pas exactement la nature de ce déséquilibre.

Tout comme Fred, Howard, âgé de quarante-cinq ans, dirigeait une grande entreprise. Il est venu me consulter pour une dépression. Mais c'est là leur seul point commun.

À la différence de Fred, Howard n'avait pas rendez-vous à mon cabinet. Il s'est présenté au poste de police de son quartier à deux heures du matin par une froide nuit de janvier pour confesser un meurtre. Il se refusait à dire qui était la victime. Pas question d'avouer l'heure et le lieu du crime, ni ce qu'il avait fait du cadavre. Il ne cessait de répéter : « Je dois être emprisonné. Un type

1. Robert Laffont, 1987.

comme moi doit être placé derrière les barreaux. » Il a fini par donner son adresse et son numéro de téléphone à l'inspecteur de service qui a aussitôt appelé sa femme. Elle ne savait même pas que son mari avait quitté la maison. Quand elle s'est présentée au poste de police, elle a admis que Howard ne lui semblait pas dans son assiette et qu'il souffrait, depuis quelques jours, d'insomnie. Des policiers les ont accompagnés tous les deux aux urgences de l'hôpital le plus proche. C'est alors qu'on m'a appelé.

Avec son costume-cravate, Howard ressemblait au cadre supérieur qu'il était beaucoup plus qu'à un meurtrier... Un cadre très déprimé. Lors de notre entretien, il a changé de refrain. « Je n'ai peut-être tué personne, a-t-il reconnu. J'avais sans doute l'impression d'avoir tué quelqu'un. Je me suis senti très déprimé ces derniers jours. Je ne sais pas pourquoi. Je crois que je suis dingue. Il faut m'enfermer dans une maison de fous, pas dans une prison. »

J'allais au moins pouvoir lui épargner l'hôpital communal. Il était tout à fait d'accord, impatient, presque, pour que je le fasse admettre dans le service psychiatrique de l'hôpital où j'exerçais.

Le diagnostic était, de prime abord, évident : Howard souffrait d'une dépression psychotique. Par « psychotique », j'entends d'une nature si grave qu'elle entraîne chez le patient une déconnexion de la réalité. Mais elle a d'autres effets : les dépressions psychotiques sont en général très rebelles aux traitements – psychothérapie ou médicaments. Il est assez fréquent qu'elles se résorbent d'elles-mêmes au bout de six à douze mois, sans le moindre traitement... à condition que le patient ne se soit pas suicidé. Le risque de suicide est très élevé dans de tels cas.

La plupart des dépressions psychotiques traduisent à mon sens des troubles purement biologiques. D'ailleurs, ni Howard ni sa femme n'ont pu m'indiquer le moindre facteur – changement survenu dans leur existence, événement quelconque – susceptible d'avoir déclenché cette dépression. Je lui ai aussitôt prescrit des antidépresseurs.

Mais je me posais toutes sortes de questions. Je ne parvenais pas à découvrir de dépression antérieure ni de troubles cyclothymiques qui m'auraient aiguillé vers un diagnostic de maniaco-dépression. Pas d'antécédents dépressifs familiaux. Pourquoi cette confession d'un crime imaginaire ? Howard voulait apparemment être puni, il se sentait coupable de quelque chose. Peut-être une honte pathologique ? J'appris, peu après, qu'il venait d'une famille pauvre et qu'il avait un frère, de deux ans son cadet, qui travaillait comme ouvrier intérimaire dans le bâtiment. Howard avait-il éprouvé des désirs de mort à l'égard de celui-ci ? Il n'était pas devenu P.-D.G. sans une ambition et une compétitivité bien trempées. Sa réussite professionnelle, comparée à la situation médiocre de son frère, équivalait-elle, inconsciemment, à un fratricide ?

Mais tout cela n'était que spéculation pure : comme beaucoup de grands déprimés, Howard était « étanche ». Il ne laissait rien filtrer, toutes mes tentatives pour percer sa carapace étaient vaines. Il répondait à mes questions par monosyllabes. Je n'aurais pas eu de meilleurs résultats avec une pierre.

J'avais une autre raison de soupçonner un facteur psychologique dans la dépression de Howard. Comme je ne pouvais pratiquement rien en tirer, j'ai essayé de questionner sa femme. Absolument pas déprimée, celle-ci était pourtant encore plus réservée que lui. Leur mariage ? « Tout va bien », m'a-t-elle assuré. À l'écouter décrire son couple, on se représentait deux automates dépourvus d'émotions. La détresse d'Howard ne semblait d'ailleurs pas l'affecter beaucoup. C'est l'une des personnes les plus insipides que j'aie jamais rencontrées. Je suis convaincu qu'elle aurait obtenu de bons résultats à un test de Q.I., mais sur le plan émotionnel, elle semblait étrangement retardée. Ce n'était pas un sort très enviable d'être marié à une femme aussi bornée. Peut-être était-ce exactement le genre de femme dont Howard avait besoin, mais à sa place, je me serais senti pris au piège de façon assez effrayante. Avait-il éprouvé des désirs de meurtre envers son épouse ? Était-ce de cela qu'il s'agissait ? Je n'en savais rien. Si j'avais été enfermé dans un tel piège, je serais sans doute devenu psychotique, moi aussi. Ce qui n'empêchait pas Howard d'assurer qu'il n'y avait pas d'ombre dans leur mariage.

Après trois semaines de traitement intensif à l'hôpital et d'investigations psychologiques peu concluantes, de psychothérapie et d'antidépresseurs de dernière génération à haute dose, la dépression de Howard restait inchangée. Il était convaincu que son entreprise allait le licencier. Ses supérieurs m'avaient assuré du contraire. Mais nous devions tenir compte d'une autre contrainte : l'assurance sociale d'Howard ne remboursait que six semaines d'hospitalisation par an. Je l'ai donc adressé à un autre psychiatre de l'équipe, spécialisé dans l'administration d'électrochocs. (Howard est le seul patient à qui j'ai jamais recommandé un tel traitement.)

La raison principale de ce choix n'était pas d'ordre financier. Comme je le lui ai expliqué, personne ne sait comment ni pourquoi un électrochoc réussit, mais dans à peu près la moitié des cas de ce genre, il s'avère d'une spectaculaire efficacité. J'ai expliqué à Howard que, contrairement à ce qu'imaginent la plupart des gens, une séance d'électrochocs sous anesthésie générale légère n'est pas traumatisante. Il a accepté passivement ma proposition. Il se sentait si mal qu'il aurait d'ailleurs accepté pratiquement n'importe quoi.

On lui a donc administré un électrochoc chaque jour pendant trois jours. Quand Howard s'est éveillé de son troisième électrochoc, sa dépression était terminée. Il m'a souri pour la première fois depuis un mois et m'a vigoureusement remercié. Nous lui avons administré trois autres électrochocs la semaine suivante pour consolider sa guérison.

J'avais nourri l'espoir qu'après ces progrès spectaculaires il serait capable d'entreprendre une psychothérapie fructueuse. Je m'étais trompé : malgré sa bonne humeur et sa volonté de reprendre une vie normale, de se remettre au travail, Howard était aussi étanche et aussi lisse qu'auparavant, aussi insaisissable que son épouse.

Les quelques heures de convalescence qu'il a passées à l'hôpital n'ont donc servi qu'à organiser son retour chez lui. Il ne souffrait pas de pertes de mémoire manifestes – effet secondaire (temporaire) courant d'une séance d'électrochocs – et il me comprenait parfaitement. Je lui ai expliqué que le type de dépression dont il souffrait était parfois récurrent et qu'il devrait revenir me voir régulièrement pendant plusieurs mois. Un ou plusieurs électrochocs supplémentaires régleraient sans doute une éventuelle rechute, l'ai-je rassuré. « En général, il suffit d'une séance, et une hospitalisation n'est même pas nécessaire. Certains de nos patients se font traiter tous les mois de cette manière. » L'annonce de cette perspective n'a pas semblé l'inquiéter particulièrement.

Restaient deux questions en suspens. D'abord, la nuit où Howard s'était présenté au commissariat pour confesser un crime imaginaire, il semblait rechercher un châtiment. Sans en avoir la moindre preuve, je me demande toujours si certains traitements par électrochocs réussissent dans la mesure où ils représentent une punition pour le patient. J'ai essayé d'interroger Howard avec tact à ce sujet, mais il s'est dérobé, comme si c'était plus mon problème que le sien. « Un châtiment ? Au contraire, l'électrochoc c'est ma bouée de sauvetage ! », m'a-t-il rétorqué. Une fin de non-recevoir claire et nette.

Second problème non résolu : le refus qu'Howard a opposé à ma suggestion d'entreprendre une psychothérapie, même légère. Refus ou incapacité ? Je ne sais. J'étais très réservé quant au pronostic psychique d'Howard. Mais j'avais fait tout ce qui était en mon pouvoir pour l'aider. J'ai signé son autorisation de sortie en lui fixant un rendez-vous à mon cabinet une semaine plus tard. Bien que très sceptique sur le soulagement que pouvaient lui apporter ses antidépresseurs, j'ai renouvelé son traitement. Un garde-fou, me suis-je dit.

Quand j'ai revu Howard, la semaine suivante, il semblait aller très bien. Comme je m'y attendais, il s'est dit « heureux d'avoir repris le travail », mais je n'ai rien pu en tirer d'autre. Nous nous sommes chicanés sur son prochain rendez-vous. Je voulais le revoir une semaine plus tard, mais il avait un séminaire à Phénix qu'il ne voulait pas décommander. J'ai capitulé et nous avons pris rendez-vous pour la semaine suivante.

La veille de ce rendez-vous, Howard m'a appelé pour m'annoncer qu'il partait en voyage d'affaires le lendemain. Il prétendait se sentir toujours en pleine forme et c'est bien l'impression qu'il donnait. Nous avons reporté notre entretien d'une semaine. Je lui ai renouvelé son ordonnance d'antidépresseurs.

Howard ne s'est pas présenté au rendez-vous suivant. Ne le voyant pas venir, j'ai téléphoné à son domicile. Il s'y trouvait. Il m'a répondu qu'il avait simplement oublié. Il a nié tout sentiment dépressif, mais quelque chose, dans le ton de sa voix, m'a alerté.

Je lui ai demandé de passer me voir trois jours plus tard. Il m'a promis qu'il ne me ferait pas faux bond. J'ai demandé à parler à sa femme. Elle veillerait, a-t-elle dit, à ce qu'il vienne à son rendez-vous, proposant même de l'accompagner.

Ni l'un ni l'autre ne sont venus. J'ai attendu un quart d'heure. J'allais décrocher le téléphone pour leur proposer une visite à domicile le soir même, quand celui-ci a sonné. C'était la femme d'Howard.

— Je voulais vous dire qu'Howard ne pourrait pas venir à son rendez-vous d'aujourd'hui, m'a-t-elle annoncé.

— Et pourquoi ?

— Parce qu'il vient de se tirer une balle dans la tête.

— Oh, mon Dieu ! Comment va-t-il ?

— Mal, m'a-t-elle répondu sur un ton très neutre. L'ambulance est là. Il est mort.

Quand je l'ai rappelée une semaine plus tard pour lui présenter mes condoléances, elle était toujours aussi impassible. La police a découvert qu'Howard avait acheté le pistolet et les munitions chez un armurier local, l'après-midi du jour où nous nous étions parlé au téléphone pour la dernière fois. Vingt minutes avant le rendez-vous auquel sa femme avait promis de l'accompagner, elle lui a demandé de se préparer.

Howard s'est excusé quelques instants, le temps de se laver les mains. Il a refermé la porte de la salle de bains derrière lui. « C'est là qu'il l'a fait. J'ai entendu le coup de feu presque tout de suite. »

À l'heure actuelle, c'est l'interprétation biochimique des troubles mentaux qui prime ; et je suis tenté de croire que la majorité des psychiatres interpréteraient la dépression d'Howard d'un point de vue strictement biologique. Je considère moi aussi que la biologie a son mot à dire, mais en l'occurrence ce n'était peut-être pas le dernier. J'ai déjà exposé les raisons qui me font penser ainsi. La plus importante peut-être ne pouvait apparaître qu'à la fin de l'histoire, c'est-à-dire à l'instant de la mort de Howard.

Cet instant n'a pas été laissé au hasard, tant s'en faut, il n'est pas dû non plus à une modification de ses taux de dopamine, de sérotonine ou de noradrénaline. C'est un choix conscient dans lequel la dépression a incontestablement joué un rôle. Mais la dépression n'est pas la raison pour laquelle il a choisi ce moment pour se tuer. La raison évidente pour laquelle il s'est tué à ce moment précis, c'est qu'il voulait à tout prix éviter de me voir.

Mais pourquoi ? Malheureusement, je l'ignore. Son refus de se confier et mon incapacité à pénétrer sa psyché m'ont toujours empêché de comprendre ce qui se passait dans la tête d'Howard. J'en suis réduit à émettre des hypothèses. En ce qui concerne l'heure de sa mort, l'éventail est ouvert. Je me suis demandé jusqu'à quel point j'étais un psychiatre compétent, et j'ai réfléchi aux sentiments irrationnels de honte et de terreur qui avaient pu submerger Howard. Ces sentiments sont assez fréquents chez les grands dépressifs.

Par ailleurs, je suis obligé d'évoquer un autre facteur. J'ai dit dans ce même chapitre qu'il n'entrait pas dans mon propos de condamner qui que ce soit. Il n'est pas très bien vu, de nos jours, de porter un jugement moral sur autrui, *a fortiori* quand on est psychiatre. Néanmoins, en ce qui concerne Roger et Howard, je ne peux m'empêcher, depuis des années, de me demander dans quelle mesure une certaine part de lâcheté n'entrait pas dans leur geste. Qu'on me pardonne de m'ériger ainsi en juge, ce n'est pas une position que j'affectionne.

Je voudrais maintenant examiner, même trop brièvement, un cas de dépression très différent, clairement psychosomatique, chez un être très différent.

Anna est une amie chère et proche, de cinq ans ma cadette. Elle se souvient très bien de sa petite enfance. Rétrospectivement, elle s'est rendu compte qu'elle souffrait de dépression depuis très longtemps d'aussi loin que remontent ses souvenirs. Cela ne signifie pas qu'elle n'a jamais connu le bonheur. Mais, vers vingt-cinq ans, elle s'est aperçue que sa vision de la vie était plus sombre que celle de son entourage, que des pensées de suicide l'accompagnaient en permanence et que des sentiments de colère, de culpabilité et de désespoir la submergeaient avec une fréquence et une intensité anormales. À cette époque, on commençait à prescrire des antidépresseurs. Mais son premier réflexe, assez sain, fut d'aller voir un psychiatre-psychanalyste. Elle voulait se réaproprier sa psyché sans « béquilles » chimiques.

Elle dut se rendre assez vite à l'évidence : l'entreprise s'annonçait difficile. Seule et avec l'aide d'autres psychothérapeutes, au cours des deux décennies qui suivirent, elle a découvert bien des aspects de sa vie qu'elle aurait préférer ignorer : la violence de ses parents, la compétition qui l'avait opposée à ses frères et sœurs, son arrogance, sa volonté acharnée qui l'entraînait parfois dans des entreprises totalement irréalistes, un certain ressentiment à l'égard des hommes qui n'attendait que l'occasion de s'exprimer, etc.

Durant ces années, elle a fait d'énormes progrès dans la connaissance et la maîtrise de soi. Tout comme Fred et Howard, mais avec une lucidité sur elle-même qui leur faisait complètement défaut, elle est devenue un cadre supérieur de premier plan. Ce qui ne l'a pas empêchée d'être assez malheureuse, avec des tendances suicidaires. Elle s'est résolue à tester quelques-uns des antidépresseurs de première génération qu'on prescrivait à l'époque. Sans aucun résultat.

Après vingt ans de ce régime, Anna était devenue un être plein de sagesse dont on écoutait attentivement les conseils. Elle avait connu une réussite professionnelle et sociale incontestable. Les psychiatres et gourous de tous acabits n'avaient plus rien à lui apprendre. Elle était capable d'analyser instantanément avec brio tous les sentiments qui la traversaient et d'en découvrir la cause. Sauf ses pulsions suicidaires dont elle ne comprenait pas les motifs.

C'est à cette époque qu'un nouvel antidépresseur, le Prozac, a fait son apparition sur le marché. Renonçant à son projet de s'en remettre au seul travail psychique pour guérir, Anna a humblement demandé à son généraliste de lui prescrire du Prozac. Grâce à cet antidépresseur dont elle ajuste le dosage intuitivement en cas de besoin, ses pensées suicidaires ont disparu.

Voici la morale de cette histoire, selon les propres termes d'Anna : « Je remercie Dieu pour le Prozac, mais je le remercie encore plus qu'il n'ait pas existé quand j'ai commencé à lutter contre la dépression. »

La gratitude d'Anna concernant l'absence du Prozac dans sa jeunesse renvoie à un dénominateur commun à la souffrance physique et émotionnelle : le problème du masquage. L'usage prématuré d'antalgiques peut estomper ou masquer les symptômes d'un trouble physiologique nécessitant un traitement urgent. La dépression d'Anna était clairement de nature psychophysiologique. Mais chez elle, le facteur psychologique primait le facteur physiologique. Si elle avait été traitée au Prozac dès le début, elle aurait sans doute éprouvé un soulagement très rapide. Il est en revanche probable qu'elle n'aurait pas montré la même volonté d'accomplir le travail psychologique personnel, crucial pour parvenir à un véritable équilibre émotionnel.

Les médecins de toutes spécialités ont tendance à distribuer des pilules à leurs patients plutôt que de leur consacrer le temps et les soins dont ils auraient besoin. Mais au cours des deux dernières décennies, cette propension – et les problèmes de masquage qu'elle entraîne – est devenue un problème beaucoup plus aigu en psychiatrie que dans les autres secteurs de la médecine. Les raisons de cette situation sont multiples :

— on découvre sans cesse des molécules plus efficaces pour traiter les maladies psychiques ;

— des études ont montré que dans nombre d'affections prétendument « psychologiques », la causalité biologique joue un rôle important au point que la psychiatrie institutionnelle tend – aveuglément, à mon sens – à calquer de plus en plus le modèle médical traditionnel : une vision de la maladie psychique dans laquelle l'aspect biologique l'emporte sur les facteurs psychosociologiques et spirituels ;

— les systèmes d'assurances sociales publics et privés, pour des raisons purement financières, ont opté pour des traitements biochimiques rapides, de préférence aux psychothérapies jugées trop longues et coûteuses.

Il faudrait consacrer un ouvrage entier à ces problèmes. Je me contenterai de souligner que notre société, pour des raisons économiques, encourage le traitement de la souffrance morale à coup de pilules et dissuade les patients de s'engager dans un travail d'investigation psychologique assisté. Pourtant les maladies mentales de nos contemporains, dans leur immense majorité, sont d'ordre strictement psychologique. Et la cause principale de l'euthanasie reste la souffrance psychique.

Troubles psychologiques

Dans la plupart des cas, la souffrance psychique n'est pas pathologique : elle fait partie intégrante de la condition humaine.

Comment définir celle-ci ? Pour élaborer une réponse globale, il faut au préalable s'interroger sur la nature de l'âme. C'est le thème du chapitre VI de cet ouvrage. En attendant ce débat de fond, je voudrais souligner les trois caractéristiques essentielles qui définissent à mes yeux la condition humaine : la conscience, la volonté et le sentiment d'un décalage frustrant entre le monde réel et celui dont nous rêvons.

Quand notre volonté entre en conflit avec le monde extérieur, nous éprouvons une douleur psychologique consciente. La nature de cette douleur varie suivant la nature du conflit en question. Si un étranger s'introduit dans notre jardin et commence à y cueillir des fleurs sans notre autorisation, ce conflit se traduira par de la colère. Si cet intrus nous menace avec un couteau, c'est de la peur que nous ressentirons. Quand quelqu'un que nous voudrions à tout prix retenir nous quitte, notre souffrance prend la forme du chagrin... Ce chagrin se teinte lui-même souvent de tristesse, de dépression et de colère. Cette souffrance n'a rien d'anormal. Elle est normale et même, dans une certaine mesure, nécessaire. Les conflits avec la réalité font partie de la vie. Et parmi les nombreux tracas qu'occasionne la vie figurent ceux de la maladie chronique, du vieillissement et de la mort.

J'ai nommé *souffrance existentielle* la souffrance liée aux problèmes de la vie. Nous n'apprécions pas plus la souffrance morale que la douleur physique et nous avons tendance à l'éviter d'instinct ou à nous en débarrasser le plus vite possible. Les êtres humains fuient la souffrance. Dans la mesure où le conflit entre notre volonté et la réalité est responsable de cette souffrance, nous cherchons spontanément à plier la réalité à notre volonté. Cette réaction est souvent tout à fait appropriée. Pour en revenir à l'intrus surpris dans notre jardin, il est tout à fait adéquat de le sommer de partir et, s'il refuse, d'appeler la police afin qu'elle le fasse décamper.

Le désir d'imposer sa volonté à autrui, et l'esprit de compétition, ne sont nullement des sentiments erronés en soi. Pas plus qu'ils ne sont justes en soi, d'ailleurs : la vie n'est pas si simple. Il est sain pour un enfant d'essayer d'imposer sa volonté en pleurant afin que ses besoins soient satisfaits. Mais quand cet enfant devient capable de marcher, de manipuler et de jeter des objets, cet instinct de domination peut devenir dangereux, destructeur. C'est le cap terrible des deux ans. Les parents doivent alors assumer un rôle difficile : être ceux qui disent non. « Ne fais pas ça... Non ! Ce n'est pas toi qui commandes. Ça non plus, tu ne dois pas le faire... Tu es très important et nous t'aimons beaucoup, mais tu dois obéir ; c'est nous qui commandons. Non ! »

Tous ces refus sont humiliants pour l'enfant. Que se passe-t-il d'essentiel dans la vie d'un enfant de deux ans ? Il est rétrogradé du rang de chef d'état-major à celui de simple soldat. Pas étonnant que cette période de l'enfance soit celle des dépressions et des crises de colère ! Mais c'est un passage nécessaire – celui de la socialisation. Le grand psychologue Erich Fromm a défini la socialisation comme un processus où l'on « apprend à aimer faire ce que l'on est obligé de faire ». C'est l'humiliation qui est responsable de la colère du bambin de deux ans, mais ce sentiment douloureux est absolument nécessaire à la race humaine. Sans socialisation, les hommes se seraient exterminés depuis des millénaires. La plupart d'entre nous ne peuvent se souvenir de leur petite enfance et ont oublié les terribles humiliations éprouvées à l'époque, mais chacun conviendra que l'énorme souffrance liée à l'apprentissage de l'humilité est une des leçons les plus nécessaires de la vie.

Mais que se passe-t-il quand nous ne parvenons pas à plier la réalité à nos désirs et que nous refusons, ou sommes incapables, de serrer les dents et de nous soumettre ? Nous cherchons alors à éviter la souffrance et nous avons, pour ce faire, toute une gamme de stratégies à notre disposition.

L'une d'elles consiste à demander conseil à un psychiatre. La plupart de ceux qui consultent un « psy » sont à la recherche d'une solution magique. À peine ont-ils découvert que le spécialiste n'est pas un magicien, qu'ils laissent tomber la thérapie.

Stratégie d'évitement plus courante : la consommation de drogues illégales (amphétamines, héroïne) ou légales (alcool) pour calmer la souffrance, la noyer dans l'euphorie, pour ainsi dire. Le soulagement qu'apportent les drogues est provisoire et ; elles ne font qu'aggraver les problèmes qu'elles sont censées résoudre.

La stratégie la plus courante consiste à fuir tout simplement le problème. Votre épouse a un sale caractère. Quittez-la. Vos enfants représentent un fardeau ? Abandonnez-les. Vous avez un travail stressant ? Démissionnez. Vous êtes fauché ? Volez.

Mais voilà : de telles résolutions risquent de faire de votre vie un vrai gâchis – et de vous exposer à de graves ennuis judiciaires.

Le moyen le plus banal d'éviter la souffrance existentielle consiste à se tromper soi-même. Il s'agit d'un mensonge inconscient, d'une névrose. Une réaction qui n'apporte, elle aussi, qu'un soulagement très provisoire. Mais l'être humain est capable d'un étonnant entêtement dans l'auto-mystification. Les souffrances névrotiques peuvent prendre des formes très compliquées et leur somme est au final souvent bien pire que la souffrance initiale qu'elle devait nous épargner.

Comme Carl Jung le notait succinctement :

« La névrose se substitue toujours à une souffrance légitime. » Par *souffrance légitime*, Jung entendait une souffrance inhérente à l'existence et qu'on ne peut légitimement éviter (ce que j'appelle souffrance existentielle). Il sous-entendait que toute névrose est par définition une imposture. La névrose est illégitime non seulement à cause de l'auto-mystification qu'elle implique, mais aussi parce que la souffrance est riche d'enseignements nécessaires à tout être humain. La souffrance névrotique, en revanche, ne nous enseigne rien, on peut même dire qu'elle n'est là que pour nous empêcher d'apprendre.

Chaque individu invente sa mystification névrotique personnelle, mais il existe cependant quelques grandes catégories bien définies de névroses. Pour illustrer la dynamique névrotique, je vais maintenant aborder celle de la phobie.

Freud fut le premier à mettre en évidence le mécanisme central des phobies qu'il a lui-même appelé *déplacement*. Le sujet phobique déplace sa peur existentielle, qu'il refuse d'affronter, vers un objet apparemment plus facile à supporter. Le déplacement m'est apparu avec une lumineuse évidence autrefois, alors que, jeune psychiatre, j'ai un jour reçu à mon cabinet un homme en état d'angoisse panique. Trois jours auparavant, son beau-frère s'était suicidé en se tirant une balle dans la tête. Cet homme était si terrifié qu'il n'a même pas osé venir seul à mon cabinet. Non seulement sa femme l'accompagnait, mais elle lui tenait la main. Il s'est assis et a commencé à bredouiller :

— C'est mon beau-frère, il s'est tiré une balle dans la tête... il avait un revolver et... vous voyez, ça n'a pris qu'un quart de seconde... Et maintenant, il est mort. Un quart de seconde, une légère pression sur la gâchette, vous voyez, c'est tout. Et moi, si j'en avais un, je n'en ai pas, mais si j'en avais un et... un quart de seconde, le temps de dire ouf ! Enfin, je ne veux pas me tuer mais...

En l'écoutant, il m'est apparu clairement que sa panique n'était pas causée par le chagrin de la mort de son beau-frère mais que cet événement lui avait fait toucher du doigt sa propre mortalité, et je le lui ai dit.

Il m'a aussitôt rétorqué :

— Oh, je n'ai pas peur de mourir !

Sa femme l'a interrompu :

— Mon chéri, tu devrais peut-être parler des corbillards et des salons funéraires au docteur.

Il m'a alors confié sa phobie des corbillards et des salons funéraires. Si grave, que chaque jour, sur le chemin du travail, il faisait un détour de six cents mètres, matin et soir, juste pour éviter de passer devant le salon funéraire. De plus, quand il croisait un corbillard, il changeait de chemin, se réfugiait sous un porche d'immeuble ou dans un magasin.

— Vous avez vraiment peur de la mort..., repris-je.

Mais il a continué à nier :

— Non, non, non, je n'ai pas peur de la mort. C'est juste ces satanés corbillards et les salons funéraires qui me perturbent [1].

---

1. J'ai déjà décrit ce cas dans *Plus loin sur le chemin le moins fréquenté*, Robert Laffont, 1995.

Cet exemple est particulièrement à sa place dans cet ouvrage, non seulement à cause de sa simplicité, de sa naïveté presque, mais aussi parce qu'il révèle l'essence de la peur : l'angoisse devant la mort. Songez à toutes les peurs que vous pouvez éprouver et vous parviendrez probablement à les relier à votre angoisse de mourir. Vous redoutez de perdre votre travail, un krach boursier ? C'est votre peur primitive de voir votre famille mourir de faim qui parle. La plupart des phobies nous renvoient à cette peur existentielle. L'angoisse devant la mort est inhérente à notre conscience de la vie. Mais il nous revient de choisir la manière dont nous la soutenons – un choix dont, à mesure que nous approfondirons le problème de l'euthanasie, nous comprendrons mieux l'importance. Nous pouvons affronter notre peur et nous efforcer d'écouter ce qu'elle a à nous apprendre. Nous pouvons, à l'inverse, choisir d'éviter le problème, en fuyant dans la névrose ou la phobie. La solution de la névrose, comme l'illustre l'exemple de l'homme dont je viens de parler, est la plus inefficace et la plus douloureuse.

Il y a cinquante ans, les psychiatres, avec une sagesse aujourd'hui oubliée, faisaient une distinction entre « personnalité étrangère » et « moi syntonique ». Par « personnalité étrangère », ils désignaient une névrose que le patient reconnaissait lui-même comme stupide et inefficace, et dont il voulait se libérer. Par « moi syntonique », ils visaient une névrose que le moi considère comme naturelle, saine et même heureuse. Je vais prendre un autre exemple de phobie, en l'occurrence la phobie des serpents [1].

Commençons d'abord par dire qu'il est tout à fait naturel d'avoir peur des serpents. Au point qu'on a quelques raisons de croire que cette peur est inscrite dans nos gènes. Mais ce qui fait d'une peur une phobie, cependant, c'est son intensité et, plus encore, la gravité des handicaps qu'elle entraîne. Durant les trois années que j'ai passées à Okinawa [2], j'ai vu deux femmes dont la vie était sérieusement perturbée par cette phobie. On trouve en effet

1. Les deux exemples qui suivent sont aussi rapportés dans *Plus loin sur le chemin le moins fréquenté*, Robert Laffont, 1995.

2. Ile japonaise, située au sud du Japon, qui a été sous administration américaine de 1945 à 1972. *(N. d. T.)*

à Okinawa un grand serpent venimeux, le *habu*, d'une taille intermédiaire entre le crotale et le python. C'est un serpent nocturne qui réside dans les zones les plus sauvages de l'île. Les Américains étaient dûment avertis des dangers qu'ils encouraient en se promenant de nuit dans les forêts, mais les responsables excluaient pratiquement tout risque dans les secteurs construits et habités de cette île, très peuplée. Sur plus de cent mille Américains qui vivaient à l'époque à Okinawa, je n'ai eu connaissance que d'un cas de morsure durant mon séjour. Comme on disposait d'un contrepoison efficace, aucun Américain n'est mort d'une morsure de habu.

Janine, épouse d'un sergent, est venue me consulter pour me parler de sa phobie. « Impossible de mettre le pied dehors la nuit, la simple pensée du habu me terrifie. Je sais que la probabilité de me faire mordre dans une zone habitée est très restreinte, mais cette peur mine ma vie. Je ne peux sortir avec mon mari dans un night-club le soir. Je refuse d'emmener les enfants au cinéma à la nuit tombée. Dès que le soleil se couche, je suis cloîtrée chez moi, réfugiée dans le salon, toutes lumières allumées. C'est absurde, stupide et dingue. Je suis une misérable trouillarde. Pouvez-vous m'aider ? »

La phobie de Janine était clairement du type « personnalité étrangère ». Elle considérait la peur comme une force étrangère, irrationnelle, une intruse qu'elle refusait. Elle estimait « ridicules » les contraintes que cette peur lui imposait. Elle se jugeait elle-même « stupide » et voulait « guérir ».

Hilda était, quant à elle, l'épouse d'un cadre de l'administration. Elle aussi se cloîtrait chez elle le soir pour les mêmes raisons, mais elle était très complaisante vis-à-vis de sa névrose, elle en était même fière. Elle n'est pas venue me voir à mon cabinet. Je l'ai rencontrée à l'occasion d'une réception qu'elle et son mari avaient organisée. Après le dîner, nous avons discuté ensemble et elle m'a expliqué à quel point elle haïssait Okinawa à cause du habu qui l'obligeait à s'enfermer chez elle. « Je sais que les autres sortent le soir, mais c'est leur affaire, s'ils sont stupides à ce point. Ne savent-ils pas que ces horribles bestioles se laissent tomber des branches sur les gens pour les mordre ? Je ne comprends pas pourquoi le gouvernement ne les fait pas tous éliminer ! Mon Dieu, comme je serai contente le jour où nous rentrerons aux États-Unis ! »

La phobie de Hilda témoignait de toute évidence d'une personnalité syntonique. Elle ne la considérait absolument pas comme anormale. Bien au contraire, c'est les autres qu'elle considérait comme stupides. *Eux* avaient un problème. La cause de son malheur était extérieure : le habu, Okinawa, le gouvernement. Malgré la remarquable aisance de Hilda envers sa phobie, je compris plus tard que les restrictions qu'elle imposait à la vie mondaine du couple angoissaient beaucoup son mari, qui craignait même que sa carrière n'en soit freinée.

Dans la mesure où les victimes de névroses syntoniques ne considèrent pas celles-ci comme fâcheuses, elles sont virtuellement impossibles à aider. Janine, à l'inverse, ne demandait qu'à être aidée. Au cours de sa psychothérapie, elle a peu à peu reconnu qu'elle avait « déplacé » sur les serpents et le poison sa peur de la mort et du mal, de tout ce qui échappait à son contrôle, des « choses mauvaises » qui la menaçaient. Progressivement, pour la première fois de sa vie, elle est devenue capable de parler de ses problèmes existentiels et, notamment, de la vie et de la mort. À l'époque de son retour aux États-Unis, neuf mois plus tard, Janine était redevenue capable de sortir le soir avec ses enfants et son mari, au prix il est vrai d'angoisses assez fortes, mais qu'elle parvenait à contrôler. Sans doute pas guérie au sens strict, Janine me semblait bien partie pour surmonter ses problèmes.

Après la Seconde Guerre mondiale, les psychiatres ont commencé à étiqueter les névroses syntoniques « troubles du caractère ». Comme je l'ai mentionné plus haut, c'est la notion de responsabilité qui illustre le mieux l'opposition entre névroses et troubles du caractère : quand il est en conflit avec le monde, le névrosé a tendance à considérer automatiquement que c'est sa faute. Dans le même cas de figure, la personne atteinte de troubles du caractère va désigner un coupable à l'extérieur : c'est le monde qui est responsable.

La question : « Où commence et où s'arrête ma responsabilité ? » quotidienne, obsédante, capte une part considérable de notre énergie psychique et suscite en nous malaise et angoisses. Les névroses, comme les troubles du caractère, sont des stratégies d'évitement de l'angoisse existentielle. Même si le névrosé éprouve une souffrance (névrotique et inutile) beaucoup plus grande qu'une personne équilibrée, il est néanmoins délivré de la pénible tâche d'introspection en s'accusant de tout ce qui lui arrive.

Parce qu'ils souffrent et se considèrent comme responsables de leurs malheurs, les névrosés – comme Janine avec sa phobie typique d'un profil d'une « personnalité étrangère » – cherchent souvent un soulagement auprès d'un psychothérapeute et finissent en règle générale par guérir. Au contraire, les patients qui relèvent de la seconde catégorie ne comprennent pas l'intérêt d'une telle démarche. Quand ils s'y résignent, c'est au prix d'énormes efforts ; et je serais tenté de dire que le psychiatre ne doit pas tant soulager de tels patients que les aider à souffrir plus, à souffrir mieux, même si ce type de relation thérapeutique bute contre de nombreux obstacles.

Les patients atteints de troubles du caractère – ils sont légion – font partie de ces « lépreux psychologiques » que j'ai évoqués plus haut. Mais cela ne signifie pas que leurs désordres émotionnels n'entraînent aucune souffrance. S'ils éprouvent eux-mêmes une souffrance modérée, ils font généralement beaucoup souffrir leur entourage. Ils se répandent en reproches perpétuels et rendent autrui responsable de toutes leurs fautes. De mille façons différentes, de la négligence au crime, ils représentent un lourd fardeau pour la société.

Je parle des troubles du caractère et des névroses comme s'ils résultaient d'un choix. C'est bien le cas. Mais il importe de comprendre que tout se décide dans l'enfance et souvent sous une pression énorme.

Les parents n'ont pas à épargner à leurs enfants une souffrance existentielle nécessaire. Il leur incombe en revanche de ne pas l'aggraver arbitrairement. Certes, aucun parent n'est parfait, mais dans ce domaine, beaucoup échouent grossièrement. Toutes les familles connaissent leur lot d'échecs, mais certaines font endurer à leurs enfants une souffrance insupportable. Ces enfants n'ont alors guère d'autre choix que d'adopter des stratégies d'évitement de la souffrance, dont le déplacement. Cette souffrance évolue inévitablement en névrose ou en troubles du caractère. Beaucoup de patients qui consultent un psychothérapeute sont incapables de se rappeler leur choix parce qu'il est trop ancien.

C'est pourtant un choix. Et comme tout choix, il est révisable. J'ai vu des patients, issus de familles très perturbées et apparemment peu armés pour guérir, surmonter, contre toute attente, de graves névroses et même des troubles du caractère. J'en ai vu d'autres, dont les chances semblaient bien meilleures, refuser toute transformation, voire s'enferrer dans leur pathologie. Pourquoi est-il donné à certains de vouloir tant guérir alors que cette volonté fait absolument défaut à d'autres ? Je ne sais. C'est un des plus grands mystères de la nature humaine.

L'objectif suprême de la psychothérapie nous apparaît donc clairement : elle consiste à aider le patient à renoncer aux stratégies d'évitement et de substitution pour affronter ses vrais problèmes. Pour reprendre les exemples de phobies que j'évoquais, il s'agit de revenir de l'objet second (serpents, corbillards, salons funéraires...) à l'objet premier : la réalité de la mort et du mal. Une telle transformation suppose une énorme maturation. La mort et le mal sont des réalités effrayantes, mais, à l'inverse des salons funéraires et des serpents, elles ont beaucoup à nous apprendre.

Apprendre à admettre la réalité est tout, sauf aisé. Chez la plupart des névrosés, les stratégies d'évitement sont inconscientes, efficaces (relativement) et si ancrées qu'elles « font corps » avec la personnalité – un peu comme une vieille paire de chaussures si adaptée qu'on ne la sent plus. C'est pourquoi *tous* les patients sans exception refusent l'évolution qu'exige toute psychothérapie. L'intensité de leur résistance est variable. C'est elle qui décide en général de l'échec ou du succès d'une psychothérapie. La volonté du patient joue ici un grand rôle. Les névrosés les plus opiniâtres sont capables du meilleur comme du pire. Sur un patient qui refuse obstinément de mûrir, aucun psychiatre ne peut rien.

Au tout début de mon livre *Plus loin sur le chemin le moins fréquenté*, j'émets ce jugement apparemment outrancier : « Avec une discipline totale, on peut résoudre tous les problèmes ». Il ne semble outrancier que parce que j'ai oublié d'ajouter que la meilleure manière de résoudre certains problèmes, c'est de reconnaître qu'il n'existe pas de solution. Les patients qui opposent la plus grande résistance à la thérapie se caractérisent par leur refus absolu d'accepter l'évidence.

Le cas de Janet illustre parfaitement ce refus. Janet est une femme de trente-huit ans que j'ai traitée pendant quatre mois – sans succès. Elle se plaignait surtout d'une grave dépression qui avait commencé le jour où Ralph, avec lequel elle était mariée depuis douze ans, s'était séparé d'elle. Quand je l'ai vue pour la première fois, leur divorce était imminent. Janet était incapable de l'accepter. Un refus pathétique.

Trois mois après le jugement de divorce, je lui ai dit :

— Vous parlez de votre divorce au présent, comme si Ralph engageait la procédure. Mais la réalité est autre : il vous a quitté. Le divorce est derrière vous. Votre union est morte et enterrée. Et pourtant, à vous entendre, on a le sentiment que vous tombez des nues. C'est un grand malentendu. Il n'est certes pas facile d'accepter un tel bouleversement. Mais c'est ce refus qui est responsable de votre dépression. Et tant que vous ne penserez pas au divorce comme à un événement passé, je ne vois pas comment vous pourrez en sortir !

— Pas question de considérer mon mariage comme enterré ! m'a rétorqué Janet sans la moindre nuance d'hésitation.

Habitué à des réponses plus retorses, j'ai été frappé par son honnêteté. Je suis resté silencieux un long moment.

— Oui, je comprends votre position. Mais cette réponse vous place dans une situation inextricable. Il y a conflit entre votre désir et le possible. Ce conflit est la cause de votre dépression. Et vous resterez déprimée tant que vous nierez la réalité. Cela suppose aussi d'être capable de pardonner à votre ex-mari.

— Plutôt déprimer que lui pardonner ! m'a-t-elle répondu sèchement.

J'ai répliqué du tac au tac :

— Quelque part dans la Bible, il est dit que la vengeance appartient à Dieu. Qu'est-ce que cela signifie, selon vous ?

— Je n'ai rien à faire de ces inepties religieuses.

Trois séances plus tard, Janet mettait fin à sa thérapie parce que « ça ne marchait pas [1] ».

Ce n'est pas un hasard si Janet a parlé d'« inepties religieuses » avant de rompre définitivement. J'ai le sentiment que toute résistance vraiment importante est d'ordre autant spirituel que psychologique. On rencontre parfois des êtres qui refusent d'abdiquer la moindre prérogative de leur ego et de se soumettre à une puissance supérieure, serait-ce simplement la « vie », ou la « réalité ». Un tel rapport au monde dénote de graves troubles de la personnalité.

Je reviendrai sur les remous émotionnels et la souffrance psychologique qu'engendre la perspective de mourir. Car cette souffrance existentielle est la question centrale du débat sur l'euthanasie.

Avant de poursuivre, il me semble toutefois nécessaire d'aborder brièvement un type de souffrance qui n'est pas mentionné dans les manuels de psychiatrie, mais qui concerne notre discussion sur l'euthanasie et mérite une appellation distincte – celle de *souffrance rédemptrice*. Quand un être assume la souffrance morale d'autrui et, ce faisant, le guérit ou le soulage du poids de ses fautes, je qualifie sa souffrance de rédemptrice.

C'est une notion assez simple. Supposons que vous soyez un bon ami à moi et que votre mère soit mourante. Comme vous êtes mon ami, je compatis à votre souffrance, je *souffre avec* vous. Mais je n'aime pas éprouver de la souffrance. Alors, pour vous soulager mais surtout dissiper le malaise, je serai tenté de masquer la gravité de la situation, par exemple en vous parlant du paradis qui l'attend, si vous êtes croyant.

Quelle sera alors votre réaction ?

Il y a de grandes chances que vous vous sentiez encore plus malheureux – isolé, incompris, voire sous-estimé. Et ce ne serait que justice, puisque ma véritable motivation ne passait pas par vous, mais par moi-même.

Le seul geste véritablement aimant dans une telle situation

1. J'ai décrit ce cas en détail dans *Ainsi pourrait être le monde*, Robert Laffont, 1994.

consiste à partager votre souffrance, à prendre sur moi la détresse que vous éprouvez, à vous dire par exemple : « Je suis navré pour toi, ce doit être une situation terrible. Puis-je m'asseoir quelques instants ou préfères-tu rester seul ? »

Cette attitude ne vous aidera peut-être pas du tout. Mais il y a de bonnes chances pour que vous vous sentiez mieux respecté et moins seul en ce cas.

La souffrance rédemptrice n'a rien de mystérieux. J'hésite cependant à en parler à cause de son versant mystique, christique. Il existe en effet des êtres qui partagent la souffrance des autres non seulement avec eux, mais *pour* eux. Cette souffrance est-elle rédemptrice pour les hommes ? Je suis bien incapable de l'affirmer.

Beaucoup de gens m'ont cependant rapporté s'être sentis étrangement *grandis* – sauvés ? – par leur participation à l'agonie d'un ami proche ou d'un parent. Ils décrivent souvent l'approche de la mort comme apaisante et non effrayante. Cette « mort heureuse » n'a rien à voir avec l'euthanasie. Au contraire, comme nous le verrons, l'euthanasie comporte toujours une grande ambivalence. La « bonne mort » remplit les six conditions suivantes :

1. C'est une mort naturelle, pas le résultat d'un suicide ou d'un homicide.

2. Elle est physiquement indolore, que cette absence de douleur soit naturelle ou résulte d'un traitement médical.

3. Le mourant part en bons termes avec ceux qui restent : la mort est placée sous le signe du pardon et de la réconciliation.

4. Il est consciemment prêt à partir. En d'autres termes, il ne vit pas ses derniers instants dans le déni de la mort.

5. D'une façon ou d'une autre, le mourant a fait comprendre aux siens qu'il était prêt, il a fait ses adieux au monde.

6. Ce qui lui donne cette capacité, c'est le travail accompli sur la souffrance existentielle nécessaire pour accepter totalement la mort. (Ce travail est décrit en détail dans le chapitre 6.)

Il est presque stupéfiant qu'une mort puisse réunir tous ces critères simultanément. On rencontre pourtant souvent ce visage rédempteur de la mort. Et, en tout cas, une chose est sûre : quand un être humain accomplit le travail intérieur que réclame sa souffrance existentielle, même s'il ne sauve pas autrui, il se sauve lui-même.

4

Meurtre, suicide et mort naturelle

Avant de parvenir, à la fin de ce chapitre, à une définition de l'euthanasie, il nous faut définir ce que nous entendons par meurtre, suicide et mort naturelle. Ces locutions recouvrent, comme nous allons le voir, des réalités plus complexes qu'il n'y paraît au premier abord.

Le meurtre

Le suicide est une forme de meurtre. Mais, alors que nous éprouvons de la pitié pour celui qui met fin à ses jours, nous ressentons de la colère pour le meurtrier que nous souhaitons voir châtié. Le suicide n'est d'ailleurs pas un acte illégal et je ne sache pas qu'un Américain ou un Européen ayant tenté de se suicider ait, ces dernières décennies au moins, été traîné en justice. Hospitalisé, certes, contre son gré peut-être, mais pas emprisonné.

La différence est évidente : alors que le meurtrier ôte la vie d'autrui contre sa volonté, le suicidé commet cet acte – une profanation selon certains – de son plein gré. La définition du meurtre pourrait donc se présenter sous une forme assez simple : priver autrui de sa vie contre sa volonté. Mais cette apparente simplicité est un leurre.

Considérons d'abord ce qui attend le meurtrier jugé devant une cour d'assises. Toute une série de qualifications pénales sont possibles : meurtre avec préméditation, homicide involontaire, coups et blessures ayant entraîné la mort sans intention de la donner... Un individu peut même être déclaré irresponsable d'un meurtre qu'il a commis pour peu qu'il soit jugé dément au moment des faits [1].

Il faut aussi mentionner les meurtres par accident : le conducteur sobre, dont la voiture fauche en pleine nuit un cycliste vêtu de noir, prive cette personne de sa vie contre sa volonté, mais sans intention de tuer. Il ne s'est pas même montré négligent. Le meurtre suppose l'intention de tuer. Notre conducteur ne sera sans doute pas poursuivi.

Pas plus que le soldat qui, en temps de guerre, abat un ennemi sur le champ de bataille. Lui, a incontestablement l'intention de tuer et pourtant il sera récompensé et non puni – sauf s'il tue un civil désarmé, ce qui, au XXe siècle, peut lui valoir des poursuites pour crime de guerre. Mais quand la guerre fait rage, ce genre de distinction tend à s'estomper : il devient alors très difficile de distinguer les combattants des non-combattants. Et en fin de compte, même des « gentils » peuvent décider d'exterminer des populations entières, comme on l'a vu à Hiroshima et Nagasaki.

Encore faudrait-il, pour mieux qualifier ces différents actes, s'interroger sur la différence entre morale dogmatique et morale pragmatique.

Dans une morale pragmatique, tout jugement porté sur un acte présuppose une évaluation du contexte dans lequel il intervient. Si le cycliste évoqué plus haut est victime d'un chauffard ivre et récidiviste auquel on a retiré son permis, il va de soi que celui-ci sera jugé beaucoup plus sévèrement que dans le cas que nous venons de citer.

Une morale dogmatique part du point de vue inverse : le code de Hammourabi et les dix commandements sont des exemples de codes antiques qui proclament certains actes mauvais en eux-mêmes, quel que soit le contexte. Le sixième commandement, par

1. Cette notion d'irresponsabilité me semble très contestable. Un fou qui commet un meurtre est bien, selon moi, coupable de ce meurtre. Ce qui est en question n'est pas sa responsabilité mais la façon dont il doit être traité.

exemple, énonce catégoriquement : « Tu ne tueras point ». Il ne dit pas : « Tu ne tueras point, sauf les méchants » ou « Tu ne tueras point, sauf en temps de guerre ». Tu ne tueras point, c'est tout !

Depuis des siècles, la société s'éloigne de cette codification dogmatique pour se rapprocher d'une morale pragmatique. Dans le cabinet de votre avocat vous avez sans doute vu des rayonnages couverts de livres reliés de cuir. Ces ouvrages de jurisprudence, souvent contradictoires, montrent la relativité des règles énoncées par les différents codes juridiques.

Je suis, en général, très partisan de cette évolution de la société ; elle témoigne de la complexité croissante de notre civilisation. Pourtant, comme certains des membres les plus éclairés de la prétendue droite religieuse, je suis inquiet. Je redoute qu'un excès de pragmatisme en morale finisse par engendrer un laxisme à tout va. La guerre est une situation de ce genre. Compte tenu de toutes les ambiguïtés que génèrent les situations de guerre, une morale pragmatique en temps de guerre pourrait presque nous amener à la conclusion que la fin justifie les moyens. Effrayante conclusion s'il en est.

Quelqu'un a un jour posé cette question : « Si la fin ne justifie pas les moyens, alors qu'est-ce qui les justifie ? » Mais le pire des risques est celui de la contagion qui guette quand des personnes convaincues d'agir au nom du bien se transforment en criminels de guerre pour combattre d'autres criminels de guerre. Il existe des guerres justes, c'est indéniable. Je suis en revanche convaincu que seul le code moral primitif et absolu qui décrète : « Tu ne tueras point » peut nous servir de garde-fou dans toute guerre et nous aider à distinguer entre le juste et l'injuste.

Outre les cas de légitime défense et de guerre, l'État autorise deux formes de « meurtre », assez différentes l'une de l'autre : l'avortement et la peine capitale.

Je mets le mot meurtre entre guillemets parce qu'il implique un jugement moral dogmatique, sujet à caution. Le législateur autorise d'ailleurs ces deux formes de meurtre au nom d'une morale pragmatique. Dans le premier cas, il reconnaît implicitement qu'une grossesse peut être une situation moralement si pénible qu'une entorse au caractère sacré de la vie est acceptable. Dans le second, il décide que certains crimes sont si atroces qu'ils justifient une vengeance « capitale ».

On observe cependant que les tenants d'une morale dogmatique peuvent se révéler, à l'occasion, des pragmatiques et vice versa. Beaucoup de partisans (pragmatiques) de l'avortement sont des adversaires inconditionnels de la peine de mort. À l'inverse, nombre de ceux qui luttent pour interdire l'avortement sous l'étendard du « caractère sacré de la vie » sont d'intransigeants partisans de la peine capitale.

Dans un effort de cohérence, philosophes et juristes se sont efforcés de lier le débat sur l'euthanasie à celui sur l'avortement. Si une femme a le droit d'interrompre sa grossesse avec l'aide de professionnels de la santé, soutiennent-ils, pourquoi refuse-t-on le droit à la même assistance pour mettre fin à ses jours ? Mais je songe à Emerson qui disait : « La recherche d'une cohérence imbécile est la marotte des petits esprits. » La volonté de cohérence est une règle intellectuelle, mais n'en faisons pas une idole ! En l'occurrence, je crois que nous allons au-devant de gros ennuis si nous confondons les débats sur l'avortement, la peine de mort et l'euthanasie.

Comme nous le verrons, certains des problèmes théologiques que soulève l'euthanasie recoupent les deux autres. Mais cela ne signifie pas qu'il faille les confondre – au risque de tout embrouiller. Ils ont pourtant un dénominateur commun : la question essentielle du caractère sacré de la vie... qu'on retrouve dans bien d'autres débats : les droits des animaux, des plantes, la préservation de l'environnement, etc. Bref, il me semble que, contrairement à l'euthanasie, les problèmes de la peine de mort et de l'avortement font l'objet d'un débat intense et mobilisateur. Si difficiles, si pénibles que soient ces débats, nous pouvons être fiers du chemin parcouru. Ils témoignent du travail collectif sur la « souffrance légitime » accompli par les nations occidentales les plus avancées.

Revenons-en à présent au « meurtre par compassion ». J'ai défini le meurtre comme le fait d'ôter intentionnellement la vie d'un être contre sa volonté. Mais que signifient ces mots ?

Soit un patient comateux au stade terminal d'une maladie

mortelle, qui ne survit que grâce à l'assistance de toute une panoplie de machines. Certes, son cœur bat et son électroencéphalogramme n'est pas tout à fait plat. Si tuer consiste à débrancher les appareils qui le maintiennent en vie, alors je suis un meurtrier. Il y a trente ans, un matin, dans le service de neurologie, j'ai arrêté la perfusion de Tony. Je ne crois pourtant pas que j'ai « tué » ce patient. Il existe en effet une distinction cruciale entre ôter la vie et permettre à un mourant de mourir. Interrompre des mesures d'acharnement thérapeutique dans des circonstances aussi claires n'a rien d'un meurtre – même compassionnel. Ce n'est même pas un acte d'euthanasie mais simplement la mise hors jeu d'une machine qui empêche un processus naturel (qu'elle est incapable d'inverser) d'aller à son terme.

J'ai déjà mentionné le cas du régime nazi qui a exécuté, entre septembre 1939 et août 1941, par les gaz ou par injection létale, 70 000 personnes mentalement retardées, schizophrènes ou séniles. Ce « Programme Euthanasie » représente bien l'exemple inverse : ces personnes n'ont pas été autorisées à mourir naturellement, elles ont été supprimées. Un « acte de charité », ont allégué les autorités de l'époque, en expliquant qu'il valait mieux pour elles être mortes que de traîner une existence aussi misérable. Mais quelle était la volonté des victimes ? À cette question, les nazis auraient sans doute répondu que ces pauvres gens étaient trop malades pour exprimer la moindre volonté. Encore aurait-il fallu leur poser la question : ces malades mentaux, ou présumés tels, ont été liquidés *contre* leur volonté. Et les raisons économiques ont sans doute pesé plus lourd que la charité dans la balance.

Prenons l'exemple d'un homme qui euthanasie son épouse, gravement handicapée, sans même lui demander si elle est d'accord. Il dira pour se justifier : « Il fallait que je mette fin à ses souffrances. C'est un acte de pure compassion. » Mais, sans preuve du contraire, on est en droit de supposer que la souffrance qu'il voulait soulager était la sienne, et que sa « compassion » est l'auto-justification d'un meurtrier.

Et le suicide assisté ? Est-ce un crime ? Question délicate. Quand un être a clairement exprimé son souhait de mourir, ceux qui l'aident, s'ils sont coupables, le sont d'un meurtre paradoxal : un meurtre sans victime n'en est plus tout à fait un.

Avant de répondre à ces questions, il reste quelques préalables à éclaircir. Ainsi, comment définir le suicide et en quoi diffère-t-il de la mort naturelle ? C'est après avoir défini l'euthanasie que nous pourrons nous pencher sur le problème du suicide assisté.

Le suicide

Nous venons de découvrir que la définition du meurtre n'était pas du tout aussi claire que nous le présumions, nous allons voir qu'il en va de même du suicide.

Il est parfois impossible de distinguer suicide (se tuer soi-même) et meurtre (tuer une autre personne). Qu'on pense au soldat ou au militant extrémiste qui se porte volontaire pour une « mission kamikaze ». Je me souviens avoir lu autrefois un article concernant un homme qui avait engagé plusieurs tueurs à gages pour le supprimer. Tous avaient empoché son argent, aucun ne s'était acquitté de sa mission. C'est un cas extrême. Chaque année, des milliers de personnes se mettent en danger de mort de manière plus subtile. Ils nieront toute tendance suicidaire, mais les psychiatres qui les suivent savent de quoi il retourne. Un désir intense de mourir peut fort bien rester inconscient (le suicide et le meurtre semblent d'ailleurs culturellement liés : on se suicide peu dans les sociétés à taux de meurtre élevé, et vice versa).

Existe-t-il des suicides moins justifiés que d'autres ? Il ne s'agit pas d'un problème juridique mais moral, puisque le suicide n'est pas illégal. Oui, j'estime qu'il existe des suicides moins justifiés que d'autres. J'ai évoqué les sentiments très différents que j'éprouvais au sujet des suicides de Roger et d'Howard. J'ai dit qu'à la place de Roger, dans son corps, endurant les mêmes angoisses que lui, j'aurais peut-être fini par me pendre. Beaucoup de psychiatres auraient estimé qu'Howard était le plus atteint des deux. Je pense quant à moi que son refus – de la psychothérapie que je lui proposais, entre autres – traduisait une forme de fuite perpétuelle devant soi. Ce thème de la fuite et de la dérobade est essentiel à une clarification du phénomène de l'euthanasie, et nous y reviendrons.

Mais les suicides de Roger et Howard n'étaient pas des cas d'euthanasie, et c'est l'euthanasie qui nous intéresse, non le suicide en général. Voici tout de même un cas de suicide qui s'en approche beaucoup.

L'histoire de Victoria m'a été confiée par mon ami Jason, un médecin de famille. Selon lui, de telles histoires ne sont pas rares.

À maints égards, Victoria était une femme comblée par la vie. Son mari, Arthur, de quatre ans son cadet, avait amassé une grande fortune dès le début de sa carrière. Ses trois filles réussissaient très bien, chacune dans son domaine. Elle avait sept petits-enfants en parfaite santé, qui n'allaient pas tarder à lui donner des arrière-petits-enfants. Elle occupait donc la position d'une matriarche à la tête d'une nombreuse famille.

Mais sa vie n'était pas simple. Elle avait souffert de deux importantes dépressions, l'une vers trente-cinq ans et l'autre vingt ans plus tard. Chacune de ces périodes noires avait duré environ deux ans, pendant lesquels elle n'avait pas cherché de soutien auprès d'un psychiatre. Sa relation avec Arthur avait toujours été distante, ce qui explique sans doute partiellement ses états dépressifs. À la fin de sa vie, après sa retraite, Arthur avait maintenu cette distance en se réfugiant dans l'alcool. Il communiquait le moins possible avec sa femme. Cette fuite chronique résultait sans doute de l'autoritarisme souvent exaspérant de Victoria.

Ses filles entretenaient avec elle une relation ambivalente : elles admiraient la grande dignité de Victoria et ses indéniables talents de mère de famille, à commencer par son dévouement. Elles supportaient mal, en revanche, ses tentatives plus ou moins insidieuses pour les garder sous sa coupe.

La congestion cérébrale qui la priva de l'usage de son bras à l'âge de soixante-dix-neuf ans lui fut donc particulièrement pénible. Après une année pendant laquelle Victoria sembla très bien surmonter l'épreuve, elle sombra à nouveau dans la dépression. Elle était devenue dépendante d'une infirmière et de son mari, pour s'habiller et se laver, ce qui constituait pour elle une humiliation quotidienne.

Complètement abattue, elle décida donc de consulter Jason qui l'adressa à un psychiatre. N'ayant pas trouvé chez lui les conseils qu'elle espérait, Victoria consulta divers médecins, dont elle attendait la solution magique à ses problèmes. Elle accumula durant cette période toutes sortes de prescriptions et une quantité assez impressionnante de sédatifs.

Vers quatre-vingt-deux ans, elle se mit à faire des surdoses régulières de calmants : on la retrouvait le matin au lit dans un état semi-comateux et Jason appelait, en général, l'une de ses filles. Pour toute explication, Victoria simulait un début de sénilité : elle semblait incapable de se souvenir des médicaments qu'elle avait ingurgités la veille. La situation s'aggravait, les surdoses devenaient presque hebdomadaires. Ses filles, pas dupes, ont décidé d'intervenir : leur mère était désormais incapable de se soigner seule. Elles lui ont imposé la présence d'infirmières qui se relayaient auprès d'elle vingt-quatre heures sur vingt-quatre. La vieille dame a protesté. « Et si tu meurs d'une surdose ? » lui ont demandé ses filles. « Ça me regarde ! » a rétorqué la matriarche. Croyantes, à la différence de Victoria qui était athée, elles lui ont expliqué qu'elles ne voulaient pas la voir mourir avant l'heure, et que le suicide était contraire à la loi divine. Victoria a fait semblant d'obtempérer.

Elle n'en a pas moins congédié presque aussitôt les trois infirmières engagées par ses filles. Celles-ci ont riposté en lui annonçant qu'elles en recrutaient d'autres et qu'il n'était pas question de les mettre à la porte. Victoria était furieuse. « Autant me coller tout de suite dans une maison de retraite ! » Ses proches lui ont répliqué que c'était précisément pour lui éviter ce sort qu'ils prenaient les choses en main.

Les surdoses et les renvois d'infirmières ont cessé. Victoria semblait défaite et presque hagarde. Trois semaines plus tard, elle a apparemment recouvré un peu d'allant. Mais presque au même moment, elle a peu à peu cessé de s'alimenter. Passablement décharnée depuis sa rupture d'anévrisme, elle picorait en expliquant qu'elle n'avait plus d'appétit. Elle s'est affaiblie de plus en plus. Ses enfants la soupçonnaient de se laisser délibérément mourir de faim, mais elle refusait d'en parler.

Quand son agonie a commencé, ses filles ont appelé Jason.

Victoria l'a reçu cordialement. L'échange a été très bref. « Vous allez vous tuer si vous ne mangez pas ! » s'est exclamé Jason. Elle lui a jeté un regard plein de malice. « Vous avez parfaitement compris. Je sais ce que je fais. »

Jason a répété cette discussion à ses filles. Elles ont décidé de respecter ce choix. Quarante-huit heures plus tard, après avoir sombré dans un état semi-comateux traversé de rêves agités, Victoria mourait. Ses filles, qui avaient très mal supporté ce pénible déclin soulignèrent, dans leur oraison funèbre, que leur mère était morte comme elle avait vécu : sans jamais perdre le contrôle de la situation.

La mort de Victoria ne peut être considérée comme un cas d'euthanasie pour plusieurs raisons :

— elle ne souffrait pas d'une maladie mortelle ;

— elle n'essayait pas de contrecarrer un processus naturel d'agonie ;

— elle souffrait d'une dépression, un trouble psychologique incontestable. La perte d'appétit est d'ailleurs un symptôme courant de dépression, et ce n'est pas sans rapport avec le fait qu'elle ait choisi de mourir de cette façon. Il me semble plus honnête de dire, tout simplement, que Victoria s'est bien suicidée.

On ne peut parler à son sujet de suicide assisté. Mais ici le problème se corse : sauf dans certains cas d'euthanasies ou de suicides assistés, la réponse habituelle des proches, comme des professionnels de la santé consiste à tout faire pour empêcher leur parent proche de mettre fin à ses jours. En l'occurrence, Jason, son médecin et les filles de Victoria ont décidé d'un commun accord de ne rien faire. Pourquoi une telle négligence ? Ne se rendaient-ils pas coupables de non-assistance à personne en danger, en agissant ainsi ?

Je ne le crois pas. En fait, ils n'avaient guère le choix. À mes yeux, il aurait été beaucoup plus criminel de prendre des mesures d'acharnement thérapeutique à l'encontre de Victoria et l'alimenter de force, par exemple. Cette vieille dame de quatre-vingt-trois ans, dépressive chronique et handicapée, était résolue à mourir le plus vite possible. En un sens, sa famille l'a laissée se « débrancher » elle-même.

Cet exemple démontre qu'une zone de clair-obscur sépare euthanasie et suicide : et c'est précisément parce que le cas de Victoria relève à certains égards de l'euthanasie que je me propose de l'examiner plus en détail.

Vous avez sans doute été frappés, comme moi, par la détermination inébranlable de cette vieille dame. Il existe certes des suicides plus douloureux que celui-là (assez fréquents, comme le rappelait Jason), mais la mort des grévistes de la faim est lente : l'agonie de Victoria, déjà décharnée à l'époque, a duré trois semaines. Ce calvaire n'a en rien entamé sa détermination.

On ne saurait d'ailleurs surestimer la résolution de mourir chez certains patients. Au risque de paraître d'une brutalité insupportable, je voudrais citer deux cas typiques de cet acharnement. Il s'agit de deux patients suicidaires dans un service psychiatrique fermé, qui ont réussi à tromper la surveillance dont ils faisaient l'objet et à se tuer – soudainement, brutalement.

Le premier de ces patients est un jeune homme. Il s'élance, dévale un couloir à toute vitesse et se précipite tête baissée contre un mur. L'autre est une femme d'une quarantaine d'années. Elle interrompt une partie de bridge avec d'autres patients (c'était son tour de faire le « mort ») et demande à aller aux toilettes. En constatant qu'elle ne revient pas, l'infirmière se rend aux toilettes et la découvre morte, effondrée par terre. L'autopsie révèle qu'elle s'est asphyxiée en s'enfonçant un bouchon de papier hygiénique dans la trachée.

Moralité ? On ne peut empêcher tous les suicides. L'euthanasie existe depuis toujours, seul le débat sur sa légalisation est moderne. Il serait totalement irréaliste de vouloir la proscrire et ce n'est pas le but de ce livre.

Bien que nous soyons tous deux en faveur de l'avortement, mon épouse et moi soutenons l'organisation *Birthright* (« Le droit de naître »). Le but de Birthright n'est pas de condamner les femmes qui avortent mais de soutenir celles qui font le choix inverse. Nous y avons adhéré parce que nous estimons qu'il faut donner aux femmes la possibilité de choisir. Ce livre est écrit dans le même but : il ne s'agit pas de condamner ceux qui optent pour l'euthanasie ni ceux qui les aident, mais d'encourager les gens à choisir une mort naturelle.

La mort naturelle

Il n'est pas plus aisé de définir la mort naturelle que le meurtre ou le suicide. J'ai évoqué les cas de gens qui se mettaient systématiquement en situation de danger mortel. Il existe toutes sortes de comportements autodestructeurs ou suicidaires. En voici un exemple :

J'ai commencé à inhaler la fumée de cigarette à l'âge de treize ans et depuis, je fume un paquet par jour ; cela fait donc maintenant cinquante ans. J'ai essayé d'arrêter plusieurs fois sans succès. Je n'ai pas l'intention d'essayer à nouveau. J'espère du fond du cœur que je n'y serai jamais contraint. J'adore fumer.

Sans être dépendant de l'alcool comme je le suis de la nicotine, j'ai contracté, depuis ma jeunesse, l'habitude de boire. Sauf à de rares exceptions, je bois chaque soir – beaucoup. C'est aussi un très grand plaisir.

Les effets nocifs de ces mauvaises habitudes sur ma santé sont évidents. Je suis un sexagénaire usé avant l'heure. Je pourrais d'ailleurs ajouter que je souffre de plusieurs autres maladies chroniques, dont un glaucome, et une grave affection dégénérative des vertèbres probablement sans rapport avec mes « mauvaises habitudes [1] ». Si ces drogues sont un jour responsables, même partiellement, de mon décès prématuré, ma mort pourra-t-elle être considérée comme naturelle ? Ou bien devra-t-on la qualifier de suicide ? Dans la mesure ou j'abrège sans doute ma vie en abusant du tabac et de l'alcool, peut-on dire que je pratique sur moi-même une forme d'euthanasie ?

Avant de pouvoir répondre à ces questions, nous devons examiner certains faits. Ma démarche risque de passer pour une autojustification – c'est toujours le cas quand on se prend soi-même

1. J'évoque en détail le problème de mes « mauvaises habitudes » dans *La Quête des pierres*, Robert Laffont, 1998.

comme exemple – mais il est nécessaire pour moi, et utile pour mon exposé, de parler ouvertement de mes penchants.

Primo, la vie n'est pas seulement difficile, elle est aussi stressante. Outre le sommeil, l'alcool et les cigarettes ont été les premiers moyens dont je disposais pour lutter contre le stress. Ce sont mes béquilles. Un jour, faisant allusion à mon tabagisme, l'auditrice d'une conférence m'a demandé : « Comment un psychiatre peut-il avoir besoin de béquilles ? » J'ai regardé mon interlocutrice dans les yeux et j'ai répliqué : « Mieux vaut marcher avec des béquilles que de ne pas marcher du tout. »

Aucun homme ne peut se prétendre quitte de toute dépendance.

Il m'est arrivé d'évoquer ce thème au cours d'une conférence. Il y a des dépendances dont on ne parle guère : l'addiction à l'argent, au pouvoir, au contrôle... la complaisance, la vanité. Elles sont pourtant bien plus délétères que l'abus de drogues quelles qu'elles soient. Après mon exposé, je demandais à mes auditeurs : « Que tous ceux qui ne sont accros à rien lèvent la main... » Personne ne s'y est jamais risqué.

La vie est stressante et elle nous use, chacun d'une manière différente. Bien qu'il soit sans doute impossible de se mettre à la place d'autrui, le simple fait d'essayer nous rend plus aimables, plus compréhensifs. Et nous finissons généralement par mieux comprendre nos « semblables ».

Parfois, un auditeur me demandait :

— Docteur Peck, pouvez-vous nous donner un autre exemple de grâce ?

— Oui, le fait que la mort soit aussi soulagement. Je ne sais pas ce qu'il en est pour vous, mais pour ma part, je me sens un peu las. Pas au point d'avoir envie de tout laisser tomber, mais si je devais envisager de devoir patauger dans ce bourbier encore trois ou quatre cents ans, je me débrouillerais sûrement pour passer l'arme à gauche avant.

Je n'ai pas entendu la moindre protestation.

Les dernières années de sa vie, Freud en était arrivé à la conclusion que, dans ses grandes lignes, le comportement humain se ramène à la lutte d'Éros et Thanatos.

Par Éros, le nom du dieu grec de l'amour, Freud n'entendait pas seulement la sexualité, mais le besoin de vivre et de se développer (qu'Henri Bergson, le philosophe français, avait baptisé « élan vital »). Cette énergie n'est pas seulement psychologique, elle est présente dans chaque cellule du corps humain. C'est pourquoi il est si difficile de se résigner à mourir : chaque parcelle de notre être se révolte contre l'inévitable. Éros ne concerne d'ailleurs pas seulement les hommes ou les animaux, il est « la force qui conduit les fleurs à travers la marée verte » selon les termes de Dylan Thomas, le grand poète gallois.

Et la pulsion de mort (Thanatos est le nom du dieu grec de la mort) ne se résumait pas pour Freud au désir avoué de mourir, celui qui motive les suicides évidents. Il y incluait aussi mes dépendances – et les siennes. Et au-delà, toutes les névroses, tous les troubles de la personnalité. Il est arrivé à ce concept au terme d'une longue méditation sur les névroses, et c'est l'ultime réponse à une question qu'il s'est posée toute sa vie : pourquoi les névrosés choisissent-ils de vivre des existences si étriquées, si insatisfaisantes ? En dernière analyse, il entendait par Thanatos, tout ce qui en chacun de nous s'efforce d'éviter la vie, la réalité et la souffrance existentielle inhérente à la vie.

Dylan Thomas, qui nous a donné cette belle description de la force vitale, est aussi l'auteur d'une des plus éloquentes exhortations à vivre que je connaisse. Elle lui a été inspirée par l'agonie de son père : « Ne rentre pas doucement dans cette bonne nuit [...] rage, rage contre la mort de la lumière. » Le même homme qui écrivait ces lignes inoubliables est pourtant mort lui-même d'alcoolisme, quelques années plus tard, à l'âge de trente-neuf ans. Que penser de cette contradiction ? Dylan Thomas n'était-il qu'un abominable hypocrite ?

Je ne le crois pas. Pas plus que tout un chacun. Dylan Thomas était l'un de ces rares hommes que l'on peut qualifier de géant. Un être hors norme. Son Éros était gigantesque mais sa pulsion de mort aussi. Cette contradiction apparente ne trahit aucune duplicité, elle révèle la nature profonde d'un homme chez qui une tendance effrénée à l'autodestruction rivalisait sans cesse avec une formidable volonté de vivre. On peut aussi le considérer comme un être possédé par Éros, prématurément usé par son élan vital.

Une mort prématurée, résultant d'un certain style de vie – et peut-être de déterminations génétiques plus que d'un choix conscient – ne doit pas forcément être considérée comme une mort non naturelle. C'est pourtant une assimilation banale. Et ceci m'amène à évoquer l'une de mes bêtes noires : le culte de la longévité.

L'idolâtrie de la longévité dans notre culture est un élément clé du débat sur l'euthanasie. Elle constitue un fardeau redoutable pour beaucoup de gens qu'elle place dans une situation absurde : aujourd'hui toute personne qui disparaît avant quatre-vingts ans est un peu considérée comme un traître à la cause de la longévité. Décéder est devenue immoral. On ne *doit* pas mourir. Comme toujours, c'est pour nos idoles culturelles, pour les riches et célèbres, que le fardeau de cette idolâtrie est le plus lourd à porter. J'en ai eu la révélation saisissante lors de la mort, en août 1995, de Jerry Garcia, le guitariste du groupe de rock *The Grateful Dead* (« le mort reconnaissant »). Il est décédé à l'âge de cinquante-trois ans dans un centre de désintoxication.

Peut-être la couverture médiatique de l'événement m'a-t-elle paru d'autant plus impressionnante que je n'étais pas un fan du Grateful Dead. Je n'avais qu'une vague notion de l'existence de ce groupe et de Jerry Garcia. Mais il était si connu que je n'ai pu échapper aux innombrables articles parus à l'époque. Tous pleuraient la disparition du grand artiste et soulignaient que sa toxicomanie l'avait tué. Sans qu'il soit jamais exprimé clairement, le message que je lisais partout, entre les lignes, était le suivant : « Jerry, comment as-tu pu nous abandonner ? »

Mais ce culte fanatique de la longévité n'est pas réservé aux *happy few*. Il n'est pas seulement le fait des médias et du public mais aussi de certains médecins, des amis et des proches, comme le montre l'histoire de Simone.

Simone est ce qu'on appelle une « grande dame ». Feu son mari était un homme de lettres encensé et elle appartenait depuis sa jeunesse aux cercles intellectuels les plus huppés de New York. À l'époque où je l'ai rencontrée, elle était veuve depuis longtemps et menait une vie paisible, retirée à la campagne. C'était une femme brillante, volontiers iconoclaste, dont ma femme et moi aimions beaucoup la compagnie. Notre relation était avant tout amicale, mais Simone m'adressait de temps à autre des jeunes gens en détresse pour une psychothérapie. En général, ces patients étaient pauvres et elle réglait souvent les consultations. Il lui arrivait d'ailleurs de discuter mes honoraires ou de m'expliquer comment je devais les traiter.

À ma grande surprise, elle m'a appelé un jour pour demander un rendez-vous. Elle est allée droit au but :

— Mon médecin de famille m'a annoncé que j'étais atteinte d'emphysème. Il veut que j'arrête de fumer. Moi, je ne veux pas. Il a réussi à faire en sorte que je me sente très coupable. Je voulais avoir votre avis sur ce problème.

— Simone, je ne suis pas sûr d'être la personne la plus objective sur ce sujet. Vous savez que je suis moi-même un fumeur. En un sens, cela m'aide à comprendre votre situation, mais je ne suis pas dénué de parti pris.

— Laissez vos partis pris de côté, vous avez été formé pour cela. D'ailleurs, je ne suis pas venue vous voir seulement parce que vous fumez. Je suis ici parce que vous n'êtes pas seulement un technicien comme mon généraliste, et que vous êtes l'un des rares psychiatres, à ma connaissance, qui accepte de discuter de Dieu.

— Parlez-moi de votre emphysème, lui demandai-je.

— Il n'y a pas grand-chose à dire. Le médecin m'a confié que les radios de mes poumons font apparaître un œdème important et que ma poitrine sonne creux à l'auscultation. Il prétend que la cigarette est le pire des poisons pour moi, que je suis en train de me tuer et que les emphysémateux sont voués à une mort terrible.

— Vous êtes très essoufflée ?

— Non. Je suis gênée par une toux chronique, mais je ne suis pas essoufflée du tout. Trois fois par semaine, j'emmène le chien grimper la colline qui se trouve derrière la maison.

La côte en question, que je connaissais, était assez escarpée.

— Votre médecin a-t-il émis un pronostic concernant l'essoufflement ?

— Non, il m'a dit qu'il était incapable de prévoir ce genre de choses.

— Si vous éprouviez de sérieuses difficultés à respirer, croyez-vous que vous seriez disposée à cesser de fumer ?

Simone me jeta un regard perçant.

— Je n'en suis pas sûre.

— Vous m'avez parlé de Dieu...

— Je me fiche pas mal de ce que cette andouille de médecin pense du fait que je fume, mais ce que Dieu en pense, ça oui, ça me préoccupe !

— Continuez.

— J'ai soixante-sept ans. J'ai eu une vie bien remplie et, dans l'ensemble, heureuse. Je n'ai pas la moindre envie de me remarier. Mes enfants sont adultes et se débrouillent très bien sans moi. Nous ne sommes plus très proches, mais je m'y suis faite. Je ne suis pas déprimée. Vous pouvez vous en rendre compte par vous-même : il n'y a plus grand-chose qui m'intéresse vraiment. Franchement, si je mourais demain, ce ne serait pas une grande perte. Mais je veux que Dieu choisisse l'heure de ma mort. C'est pour ça que je me sens coupable. En continuant à fumer, est-ce que je laisse Dieu choisir ? Je me fiche pas mal de « profaner le temple de mon corps », expression que j'ai entendue récemment à l'église. Vous savez que je n'ai jamais été une bigote. Mais je ne veux pas aller contre la volonté de Dieu. Et s'il avait décidé que je devais vivre vieille ? En continuant à fumer, je le tromperais. Pourtant j'adore mes cigarettes... Bref je ne sais que penser. Et vous, qu'en pensez-vous ?

— Je ne suis pas dans les pensées de Dieu, Simone.

— Bien sûr, et moi non plus ; mais donnez-moi quand même votre avis.

— Je pense que ce qui importe le plus pour Dieu c'est que notre vie soit remplie. Je crois que la question de la longueur de cette vie ne l'intéresse pas beaucoup. Et qu'il vous accueillera royalement quand vous mourrez.

— Merci, fit Simone. C'est aussi ce que je crois. Mais je suis heureuse de vous l'entendre dire.

Nous avons bavardé encore quelques instants d'amis communs et elle est partie. Simone a continué à fumer et à gravir la colline qui se trouvait derrière sa maison. Environ deux ans plus tard, à l'âge de soixante-neuf ans, elle a été prise d'une syncope, un jour lors d'une discussion avec sa femme de ménage.

Victime d'une congestion cérébrale, elle est morte quelques instants plus tard. Rien ne permet d'affirmer que cette attaque était liée à son emphysème, et vu que sa tension était normale, il est peu probable que la cigarette y ait été pour quelque chose.

Éros et Thanatos sont présents en chacun de nous.

Comme Simone, je continue à fumer parce que je suis dépendant, parce que j'aime ça, parce que j'ai eu une vie bien remplie, et (voilà la pulsion de mort) parce que je n'ai pas l'intention de faire de vieux os. Pourtant, exactement comme Simone gravissait régulièrement sa colline, chaque matin je m'astreins à une gymnastique fatigante pour entretenir mon dos. Je *hais* ces exercices. Ils sont douloureux et très fastidieux. Néanmoins, je m'y astreins sans faillir parce que je sais que si je les néglige, dans un an mon dos sera complètement pétrifié et je mourrai peu après. Voilà pour ma pulsion de vie. Je dois cependant ajouter que, certains jours, mon application relève plutôt d'une profonde terreur de mourir que d'un ardent désir de vivre. Mais comment les distinguer ? Il m'arrive, parfois, d'espérer que je partirai comme Simone ; mais aussi, pour des raisons que j'exposerai plus loin, j'espère que la mort viendra progressivement.

Une dernière remarque : la raison pour laquelle l'idolâtrie de la longévité peut devenir un fardeau est plus liée à la vieillesse qu'à la mort.

L'aspect le plus excitant, le plus agréable et le plus créatif de ma vie ces quatre dernières années a été la semi-retraite que j'ai décidé de prendre en renonçant, notamment, aux conférences que je donnais. Des dizaines de gens, ces dernières années, me l'ont vivement reproché : « Vous ne pouvez pas vous retirer ! » s'exclamaient-ils.

Il faut savoir partir.

Une définition de l'euthanasie

La *Euthanasia Society of America*, fondée en 1938, définit l'euthanasie comme « l'interruption de la vie humaine par des moyens indolores dans le but de mettre fin à une souffrance physique intense. »

Cette définition est totalement inadéquate. Elle ne distingue pas clairement entre la volonté de la personne dont on interrompt l'existence et celle de la personne qui y met fin. Elle est muette sur le caractère temporaire ou chronique, curable ou incurable, de la souffrance physique « intense ». Elle ne mentionne pas le caractère fatal du mal dont est atteint celui qui souffre. Elle ignore la question qui se pose à propos des patients qui, plongés dans le coma, ne souffrent probablement pas : faut-il les débrancher ? Elle ne distingue pas entre souffrance morale et douleur physique. Elle ne recouvre certainement pas les cas traités par le Docteur Kevorkian [1] et ses semblables, qui se rangent aussi sous la bannière de l'euthanasie : pour ces patients, l'interruption d'une souffrance physique intense n'est absolument pas le véritable problème.

Je n'ai nullement la prétention d'être un expert infaillible sur la question. Je ne me suis pas imposé la lecture systématique de la littérature touchant à ce sujet. Mais dans les ouvrages que j'ai consultés, ces distinctions étaient absentes. L'un d'eux, *Euthanasia : The Moral issues* (*Euthanasie, les problèmes moraux*), par exemple, ne formule même pas de définition. Il se contente de reproduire les opinions de juristes, de médecins et autres supposés spécialistes en déontologie qui s'expriment sur un vaste éventail de questions : avortement à « interruption » de patients sous assistance lourde, suicide, meurtre... Cet amalgame génère plus de confusion que de clarté.

Il n'entre pas dans mes intentions de polémiquer avec des spécialistes et de contester leur rigueur intellectuelle. Mais la société évolue rapidement sur le plan des mœurs et de la technologie. Les problèmes les plus aigus d'il y a dix ou vingt ans sont aujourd'hui résolus et donc périmés. Même des articles de spécialistes relativement récents sont déjà dépassés. Dans l'intervalle, le problème

1. Surnommé par la presse d'outre-Atlantique « Doctor Death » (« docteur Mort »), Jack Kevorkian est un généraliste américain qui, au nom de « la liberté ultime, celle du droit de chacun à décider de sa propre mort », a aidé à mourir plus de cent trente personnes qui lui en avaient fait la demande. Il a été poursuivi à plusieurs reprises pour meurtre par la justice américaine. *(N.d.T.)*

de l'euthanasie est devenu l'un des plus controversés. Il n'a, hélas, pas pour autant gagné en cohérence, notamment parce qu'il nous manque une définition rigoureuse. Pour pallier cette lacune, je propose la formulation suivante, délibérément restrictive :

« La véritable euthanasie est un acte de suicide, avec ou sans assistance d'un tiers, principalement motivée par la volonté d'éviter la souffrance morale-existentielle que ressentent les personnes atteintes de maladies mortelles en stade plus ou moins terminal. »

Cette définition n'est pas aussi claire que je le souhaiterais. Au début de ce chapitre, j'ai évoqué l'histoire de Victoria qui s'est laissée mourir de faim à quatre-vingts ans passés, comme un exemple intermédiaire entre l'euthanasie et d'autres types de suicide. Vu le vieillissement de la population dans les pays occidentaux, je pense que les cas de ce genre vont se multiplier. Il me semble donc nécessaire de créer une catégorie particulière pour ces personnes, celle de « quasi-euthanasie », pour la distinguer de l'euthanasie véritable, malgré les similitudes nombreuses. Voici la définition que je propose pour cette seconde catégorie :

« La quasi-euthanasie est un acte de suicide, avec ou sans assistance d'un tiers, principalement motivée par la volonté d'éviter la souffrance existentielle provoquée par les vicissitudes de l'âge – handicaps divers, déchéance physique ou psychologique, maladie chronique incurable. »

J'ai de bonnes raisons de penser que le débat sur l'euthanasie continuera d'engendrer plus d'effervescence que de vérités profondes, tant que la société n'aura pas appris à limiter strictement l'usage du mot « euthanasie » aux deux catégories ci-dessus mentionnées à l'exclusion de tous autres, non parce que les problèmes connexes, comme l'avortement ou la peine de mort, sont anecdotiques, mais parce qu'ils méritent un examen distinct.

Je pense qu'il faut aussi examiner séparément le problème du recours aux mesures dites d'acharnement thérapeutique visant à prolonger la vie des patients. Ce sujet ne fait plus aujourd'hui l'objet d'un débat national, comme c'était le cas il y a vingt ou trente ans. À l'époque, on « débranchait » les malades mais le sujet était tabou, ce qui autorisait évidemment toutes les dérives. Si le climat a changé, c'est d'ailleurs aux partisans de l'euthanasie que nous le devons. Pourtant leur succès a contribué à transformer le dilemme de l'euthanasie en simple question de bonne pratique médicale : quel est le meilleur moment pour débrancher le patient ?

Le sujet de la douleur ne doit pas non plus être confondu avec celui de l'euthanasie. Cette conviction est relativement récente chez moi et je veux exprimer ma gratitude aux militants pro-euthanasie : grâce à eux la douleur physique est mieux soignée à l'hôpital aujourd'hui. Ce n'est qu'un début, il reste encore beaucoup à faire. La réponse adaptée à la douleur physique n'est pas l'euthanasie ; elle dépend entièrement des médecins et des infirmières et suppose aussi une meilleure information des patients eux-mêmes. Tous doivent comprendre que le soulagement de la douleur est désormais un *droit* du malade.

L'euthanasie de compassion n'entre pas non plus dans le cadre de notre discussion pour toutes les raisons déjà évoquées.

Et enfin le suicide doit en être exclus, à l'exception des cas où une maladie chronique invalidante ou en stade terminal n'est pas seulement un des facteurs motivants, mais la cause principale de la décision d'en finir. Comme nous le verrons, si l'euthanasie est un suicide au sens plein du terme, elle renferme sa logique propre qu'il importe de bien distinguer des autres formes de suicide.

Si le lecteur a accepté ma définition assez précise de l'euthanasie véritable et de la quasi-euthanasie, sans doute alors sommes-nous arrivés à un point où nous pouvons espérer renouveler en profondeur le débat. Je ne prétends pas le régler, mais poser clairement les quelques questions qui me semblent essentielles, au bout du compte : celles de la vie et de la mort, et du sens qu'on leur donne. Nous découvrirons que ces deux questions appartiennent à deux domaines séparés depuis toujours : la théologie et la psychologie. Séparation trompeuse : j'ai déjà expliqué que la souffrance existentielle émotionnelle était de nature psycho-spirituelle. Je ne prétends pas mettre fin au débat. Je n'attends pas non plus que mon lecteur prenne mes opinions pour argent comptant, mais je lui demande de s'efforcer de considérer le problème de l'euthanasie du double point de vue psychologique *et* théologique.

Deuxième partie

UNE SIMPLICITÉ SOUS-JACENTE PERSPECTIVES SPIRITUELLES

5

La vision athée du monde

Dans l'introduction, j'ai daté mon malaise devant l'euthanasie du suicide des époux Van Dusen, en 1975. C'est, selon ma définition, un cas de « quasi-euthanasie ». Aucun des Van Dusen n'était parvenu au stade terminal d'une maladie chronique mortelle. En revanche, ils souffraient tous deux d'infirmités courantes chez les personnes âgées. À la suite de la congestion cérébrale qui l'avait frappé, le Dr Van Dusen, âgé de soixante-neuf ans, éprouvait de grandes difficultés d'élocution, d'autant plus insupportables qu'il avait été un prédicateur renommé. Son épouse, âgée de plus de quatre-vingts ans, souffrait depuis plusieurs années d'une polyarthrite très douloureuse. Tous deux étaient membres de la *Euthanasia Society of America* et, comme ils l'ont clairement expliqué dans des lettres à leurs proches et amis, ils voulaient que leur suicide soit interprété comme une prise de position publique autant que comme un moyen de soulager leurs souffrances personnelles.

Si j'avais disposé de ces informations à l'époque, j'aurais été sans doute moins surpris. Je savais seulement que le Dr Van Dusen était un célèbre théologien chrétien. Et si j'ai été légèrement choqué, c'est précisément pour cette raison : sans tout à fait comprendre pourquoi, je sentais que profession de foi religieuse et plaidoyer en faveur de l'euthanasie étaient radicalement incompatibles. J'aurais sans doute été moins surpris si j'avais compris à l'époque la nature de la vision athée du monde.

Les dix années qui ont suivi cet événement ont été pour moi une période d'intense développement religieux et spirituel. Vers 1985, j'étais devenu un expert sur les questions de spiritualité et d'athéisme.

À la fin des années quatre-vingt, j'ai reçu la seule demande qu'on m'ait jamais faite en matière d'euthanasie. Et aussi curieux que cela puisse paraître, elle émanait d'un homme d'Église. D'âge mûr, il jouissait d'une parfaite santé et d'une robuste constitution. Il n'était pas déprimé le moins du monde. Il m'a demandé de lui prescrire, pour lui et son épouse, plusieurs boîtes de somnifères très puissants. Il s'est montré très franc : « Je n'ai aucun problème de sommeil. Je veux pouvoir utiliser ces pilules au cas où je tomberais gravement malade. Je préfère planifier ce genre de choses et je veux avoir sous la main le moyen d'en finir, pour mon bien et celui de ma famille. Je refuse une mort prolongée et pénible et je souhaite épargner cette situation à mes proches. »

J'ai rejeté sa requête, en lui répondant simplement que mes convictions m'interdisaient de faire ce qu'il me demandait. Il s'est incliné.

Nous avions collaboré ensemble dans différents hôpitaux et je le connaissais bien, mais nous n'étions pas à proprement parler des amis. C'était un homme charitable dont j'admirais le dévouement inlassable pour ses paroissiens mais nous étions, sur le plan idéologique à des kilomètres l'un de l'autre. En effet, malgré son identité professionnelle de pasteur, c'est l'un des plus grands athées que j'aie rencontrés. Je n'ai pas fait état de mes convictions religieuses ni essayé de le faire changer de point de vue sur l'euthanasie parce que je savais qu'il m'en aurait voulu de le sermonner.

Cette brève histoire comporte plusieurs moralités. La plus importante est que l'euthanasie, telle que je l'ai définie, est un phénomène profondément athée. J'y reviendrai souvent par la suite. Autre moralité, subsidiaire : l'habit ne fait pas le moine, et une façade religieuse peut masquer un tempérament profondément athée. Ce pasteur en est un exemple, les Van Dusen aussi, sans doute, et je pourrais en citer bien d'autres. À l'inverse, l'indifférence apparente de beaucoup sur le plan religieux cache souvent des préoccupations profondément spirituelles. Attention : je ne prétends pas qu'afficher sa religiosité revient à avouer son hypocrisie, ni que tous les athées sont des croyants camouflés. J'affirme seulement que notre nature profonde ne coïncide pas toujours avec notre identité sociale.

Pour comprendre le système complexe de croyances et d'axiomes qui constituent la vision athée du monde, il vaut peut-être mieux partir de son opposé. C'est la tâche dont s'est acquitté le théologien Michael Novak dans un ouvrage[1] d'une lumineuse clarté. Novak distingue entre conscience sacrée et conscience athée.

Pour un athée, *je* est, grosso modo, le centre du monde. Les athées savent très bien que chacun de nous n'est qu'un des six milliards de représentants de l'espèce sur terre, que cette planète n'est elle-même qu'un grain de sable dans le système solaire, insignifiant atome d'une galaxie perdue dans l'univers qui en compte une infinité d'autres... ce qui n'empêche nullement les hommes de se considérer comme le centre du monde. Les athées, un peu perdus dans l'immensité de l'univers, sont souvent en proie à un sentiment de vacuité et d'insignifiance de l'existence contre lequel leur « anthropocentrisme » ne les protège en rien.

Un croyant, au contraire, ne se considère jamais comme le centre du monde. Pour lui, le centre est ailleurs, dans le sacré, à savoir dans la figure de Dieu. Pourtant, malgré son refus de se placer au centre, il résiste mieux que l'athée au sentiment d'insignifiance ou absurdité de l'existence, parce qu'il se comprend comme *relatif* à un autre, en l'occurrence Dieu, et qu'il puise sa signification et son importance dans cet Autre sacré. Il serait cependant illusoire d'opposer absolument ces deux types de conscience : on en compte autant de variétés hybrides que de formes pures. Les êtres humains sont souvent en porte-à-faux entre conscience sacrée et athée du monde. Sans compter les différentes espèces d'athéisme et de religiosité existantes. Pour mieux comprendre la conscience athée je distingue quatre étapes de développement de

1. *Ascent of the Mountain, Flight of the Dove*, Harpers and Row, New York, 1978.

la conscience religieuse ou spirituelle[1]. Les voici, brièvement résumées :

1. Le premier stade, chaotique, antisocial. À ce stade très primitif, les êtres peuvent sembler religieux ou athées, mais dans un cas comme dans l'autre, leur système de croyances est très superficiel. C'est en quelque sorte un stade pré-légal.

2. Le deuxième est formel, institutionnel. C'est le stade de la loi prise à la lettre, celui des fondamentalistes religieux (la plupart des croyants).

3. Le troisième est celui du scepticisme, de l'individualisme. C'est celui dont relèvent la plupart des athées. À ce stade, la conscience est dominée par un scientisme rationaliste, moralisant et humanitaire. Son horizon est pour l'essentiel matérialiste. Elle doute non seulement de l'existence d'une dimension spirituelle, mais tient pour quantité négligeable tout ce qui ne peut être scientifiquement démontré.

4. Le quatrième est celui que je qualifie de mystique, communautaire. Ce stade très évolué du développement religieux est celui de l'*esprit* de la loi. Hommes et femmes sont rationnels mais partagent une approche non fétichiste du rationalisme. Ils ont commencé à douter de leurs propres doutes. En relation profonde avec un ordre invisible des choses, qu'ils sont incapables de définir précisément, ils se sentent en harmonie avec le sacré.

Cette division en stades ne doit pas être interprétée de façon trop rigide. Je connais des êtres qui s'efforcent de paraître très avancés dans leur quête, mais en réalité stagnent. De plus, il existe différents degrés à l'intérieur de chaque stade. Enfin, alors que certains évoluent, d'autres restent inexorablement fixés à un degré de leur évolution.

Ces stades sont progressifs : ce qui signifie par exemple que les athées du stade 3 sont spirituellement plus développés que la majorité des croyants. Ceux qui, au stade 2, critiquent vivement

1. J'ai décrit ces étapes en détail dans *The Different Drum*, Simon and Schuster, New York, 1987. Et, de façon plus condensée, dans *Plus loin sur le chemin le moins fréquenté*, Robert Laffont, 1995.

l'humanisme athée feraient mieux de se montrer eux-mêmes plus humanistes.

Pourtant la critique de l'humanisme athée n'est pas complètement erronée. L'humanisme, la survalorisation de l'humain, témoigne d'un noble sentiment mais l'humanisme athée ressemble à un édifice bâti sur du sable. Dépourvu de tout ancrage théologique, l'humanisme du stade 3 cède trop facilement à un opportunisme dicté par les circonstances. Le journalisme, par exemple, reflète particulièrement bien l'humanisme athée du stade 3. Les journalistes se réclament volontiers d'un humanisme intransigeant ; mais que ne feraient pas ces bons samaritains pour obtenir un scoop !

Je n'insinue nullement que les athées soient plus enclins que les autres à l'hypocrisie. Peut-être le plus grand péché, le blasphème, est-il réservé aux croyants. Blasphémer n'est pas jurer, se répandre en propos grossiers ou obscènes, ni sacrer : « Nom de Dieu ! » comme on le croit couramment. Le véritable blasphème consiste à enrober un comportement secrètement irréligieux dans un langage dévot. « Invoquer le nom de Dieu en vain », selon les termes mêmes de la Bible : le louer dans les mots et le mépriser dans les actes. Quoi de plus scandaleux que cette contradiction entre le mode de vie et les opinions religieuses affichées ?

Je ne sous-entends d'ailleurs pas que les deux hommes d'Église dont j'ai parlé, le Dr Van Dusen et le pasteur si peu religieux que j'ai évoqués, soient coupables de blasphème. Souvenez-vous que le développement spirituel est progressif. Il n'est pas rare qu'un jeune homme, encore au stade 2, entre dans les ordres pour parvenir peu après au stade 3, celui où il va douter de l'existence même de Dieu. Il n'est pas dans mes intentions d'inventorier les nombreux problèmes ni les bienfaits qu'entraîne cette évolution spirituelle, mais seulement d'indiquer la situation fâcheuse dans laquelle se trouve un ministre du culte, dont le travail consiste à prêcher chaque dimanche et à honorer un Dieu auquel il n'est plus sûr de croire.

Le plus grave travers, induit par ce développement spirituel réparti en stades, est la suffisance : on est toujours convaincu de la supériorité de son point de vue. Sauf peut-être au stade 4. Ceux qui y parviennent considèrent leur vie comme un pèlerinage, un long voyage spirituel. Les personnes parvenues aux stades 2 et 3, au contraire, croient qu'ils « savent ». C'est particulièrement flagrant au stade II, celui des fondamentalistes, qui sont convaincus de détenir la vérité, d'être les instruments de Dieu et jurent que les pauvres idiots qui ne pensent pas comme eux sont des barbares infréquentables.

Les athées du stade 3 arborent une satisfaction plus discrète, mais, eux aussi, sont convaincus de savoir. Ils toisent les dévots, qu'ils considèrent comme absolument irrationnels, voire primitifs. Mais un tel dédain n'est pas le pire obstacle à un fructueux débat sur l'euthanasie. Le pire, c'est d'être persuadé qu'on n'évoluera plus. Les athées n'ont pas la moindre intuition de ce qu'est un voyage d'ordre spirituel et, contrairement aux religieux, aucun contact avec cette dimension.

Bien que les exploits de cet homme me fassent froid dans le dos, je dois reconnaître au docteur Kevorkian, plus qu'à tout autre, une dette dans la genèse de cet ouvrage. À lui seul ou presque, depuis bientôt dix ans, il a transformé le débat sur l'euthanasie – au sens où nous l'avons définie – en un débat national, du moins aux États-Unis.

Ce n'est pourtant pas Kervokian qui m'a décidé à écrire ce livre, mais l'accueil que le public lui a réservé. J'ai été surpris par l'admiration qu'il inspire à une foule de gens et plus encore par le nombre de compatriotes qui tout en n'éprouvant aucune admiration pour lui, approuvent l'assistance qu'il a apportée aux grands malades qui décidaient de se suicider. J'ai surtout été sidéré de découvrir qu'un grand nombre d'Américains n'ont aucune objection à élever contre les agissements de ce personnage. Comme je le rappelais dans l'introduction, le débat sur l'euthanasie est devenu étrangement dépassionné. C'est cette absence de passion, cette vaste et tacite approbation de l'euthanasie qui m'a décidé à intervenir.

Le caractère massif du soutien actif ou passif à l'euthanasie dans les pays occidentaux traduit l'ampleur de la laïcisation de nos sociétés. Cette laïcisation est un phénomène très compréhensible et pas alarmant en soi. Pourtant, quand on en arrive à la question de l'euthanasie, elle me perturbe profondément. Pourquoi ? Parce qu'il s'agit de rien moins que la dénégation de l'âme humaine. Et ce déni envahissant de la spiritualité humaine me paraît de fort mauvais augure pour notre avenir... à moins que nous ne réagissions.

J'ai choisi de mêler dans ce livre objectivité et subjectivité. Dans la suite de cet ouvrage, je parle souvent de l'âme humaine en théologien totalement détaché. Pourtant, je ne vois pas comment rendre justice à ce sujet sans adopter aussi un point de vue personnel. Il est une tradition d'ailleurs à laquelle je souscris, qui impose aux scientifiques d'exposer leurs préventions avant d'examiner faits et théories. Je me réserve de ponctuer d'exemples personnels mon exposé « objectif » sur l'âme et d'examiner ce que l'essence spirituelle de l'être humain implique pour le sens de sa vie.

Aussi loin que remontent mes souvenirs, je me suis toujours senti lié à une dimension plus vaste que moi. Durant toute mon enfance, celle-ci a d'abord pris la forme de la nature, sa beauté, sa puissance. J'aimais le vent et les tempêtes. J'adorais regarder tomber la neige et humer les premières senteurs du printemps. J'arpentais joyeusement les grèves à marée basse, les marécages, les collines, les forêts et les gorges encaissées de la région où nous habitions. Je supposais que Dieu avait joué un rôle dans tout cela ; il était présent, à l'arrière-plan dans ma vie. Mais je ne me posais guère de questions et celle de l'existence de l'âme ne me tourmentait pas beaucoup.

Mes parents étant assez riches, j'ai eu l'occasion de voyager et de contempler les merveilles de la nature, sans doute plus que d'autres enfants. Je me suis demandé si ce pressentiment d'une transcendance était lié à mon expérience particulière. Mais au fil des ans, j'ai rencontré beaucoup de gens issus de tous milieux qui le possédaient autant que moi.

À l'âge de treize ans, je suis entré en tant qu'interne à Exeter, une prestigieuse école privée. Mon frère aîné, auquel je ressemblais beaucoup, s'y plaisait et y réussissait de brillantes études. Mes parents voulaient m'y envoyer à tout prix ; je le désirais aussi : je voulais réussir comme mon frère.

Mais dès le début, je m'y suis senti très malheureux. Après deux ans et demi de calvaire, j'ai fini par partir. Mes parents étaient si déçus – et même consternés – qu'ils m'ont envoyé chez un psychiatre. Cela me semblait parfaitement justifié. J'étais déprimé, je me faisais l'impression d'un déserteur, je venais d'essuyer un échec accablant. Quelques mois après, dans ma nouvelle école, ce traumatisme n'était plus qu'un mauvais souvenir et j'ai compris quelle bénédiction ce changement avait représenté pour moi.

Je rapporte cet épisode de ma vie, parce qu'il a coïncidé avec le début de ma quête spirituelle. Il symbolise aussi un nouveau départ dans ma vie. Chacun de nous possède un sens de son moi intime, de son identité. Encore faut-il distinguer entre deux « moi ». Je voulais entrer à Exeter. Une part de moi était programmée pour y réussir. Ce moi ne voulait absolument pas décevoir mes parents ni renoncer. Et pourtant c'est ce qui s'est produit. Qui a donc pris cette décision contraire à mon ambition affichée ?

La plupart des psychiatres répondraient simplement que mon ego était en conflit avec lui-même. D'autres diraient que mon pseudo-moi et mon moi authentique (plus vaste et plus profond) s'étaient en quelque sorte scindés. Mais cette explication me semble éluder le problème. En quoi consiste le vrai moi ? Pourquoi n'en a-t-on jamais fourni de définition satisfaisante ? Est-ce l'âme ? Si c'est le cas, pourquoi ne pas l'appeler par son vrai nom ? Et comment définir l'âme ?

Les psychiatres athées diraient que le vrai moi, le moi intégral, est une combinaison de différents éléments : le « moi », le « ça », le « surmoi » (Freud), ou bien encore l'inconscient et le conscient, le caractère génétiquement déterminé, etc. Avec autant de pièces disparates, pas étonnant que la machine se grippe !

Je ne connaissais par ces schémas complexes, à l'époque. Et même si, en vieillissant, j'y ai adhéré peu à peu, je ne me suis jamais vécu comme un agencement de pièces et de forces. Je sentais une unité profonde, plus vaste que moi-même, à l'œuvre dans ma vie. Une dimension primordiale. Je commençais à reconnaître que j'étais doté d'une âme.

Le mot « âme », nous l'apprenons dès l'école primaire. Nous entendons parler de « nourriture de l'âme », d'« états d'âme », de « vendre son âme ». De lieux qui nous inspirent particulièrement, nous disons qu'ils ont une âme. Ces usages du mot sont sans doute plus populaires qu'exacts, mais tout un chacun comprend clairement ce qu'il signifie. Pourquoi, dans ces conditions, le mot « âme » ne figure-t-il pas dans les dictionnaires spécialisés de psychiatrie, dans les manuels de santé mentale à l'usage des étudiants et des infirmiers, dans les ouvrages de références des généralistes ?

Pour deux raisons. La première, c'est que le concept de Dieu et celui d'âme sont liés et que dans un milieu athée comme celui des médecins, ces notions sont, de fait, taboues. Les psychiatres croyants laissent leurs opinions religieuses au vestiaire de peur d'offenser leurs collègues athées, ou de se voir mis sur la touche par ceux-ci – voire de perdre leur emploi ! Car parler de Dieu ou de l'âme dans les séminaires et les congrès de psychiatrie est politiquement incorrect.

La seconde, c'est que ces scientifiques sont habitués à certaines règles intellectuelles dont ils ne se départissent pas facilement. Or, l'âme résiste à toute définition rigoureuse. Nous ne sommes capables de définir que les « choses » qui sont plus petites que nous. Je dispose, par exemple, dans mon bureau d'un chauffage d'appoint électrique. Si j'étais ingénieur, je pourrais sans doute démonter ce convecteur et vous expliquer exactement comme il fonctionne, le définir précisément. À une réserve près : ce petit radiateur est relié, par l'intermédiaire d'une prise au courant électrique. Or, il subsiste des aspects de l'électricité, ou de l'énergie, que même des physiciens nucléaires chevronnés sont incapables d'expliquer. Pourquoi ? sans doute parce que le problème de l'électricité est trop grand pour nous : il nous dépasse.

Nous sommes environnés de nombreux mystères analogues, qui résistent à tous nos efforts pour les définir : l'amour, la mort, la prière, la conscience, la lumière, etc. Je ne crois pas que ce soit un hasard si tous ces problèmes sont en rapport avec Dieu, le plus énigmatique de tous les mystères auxquels soient confrontés les hommes[1]. L'impossibilité d'une définition adéquate n'est pas la pierre d'achoppement ultime : les concepts de « lumière », d'« amour », de « conscience » appartiennent au vocabulaire professionnel des psychiatres. Leur problème principal avec la notion d'« âme », c'est qu'elle présuppose la notion de Dieu.

Les notions d'âme et de Dieu appartiennent à notre vocabulaire de tous les jours. Nombre d'entre nous croient en Dieu ou sont préoccupés par le problème de son existence. Et pourtant ces mots « âme », « Dieu » sont bannis des congrès et des réunions professionnelles de médecins. En même temps, les universitaires et les chercheurs définissent notre société comme « athée ». Pourquoi ?

On trouve beaucoup d'athées (stade 3) occupant des positions de pouvoir dans notre société. Comme je l'ai déjà observé, ils sont ultra-majoritaires dans les médias et le milieu psychiatrique. Ils ne seraient pas si puissants, toutefois, si ceux qui se prétendent croyants étaient plus conséquents dans leur pratique de la foi. Ces derniers, pour la plupart, me semblent aussi obsédés par l'argent et l'accumulation de biens matériels que ceux qui ne mettent jamais les pieds à l'église ou à la synagogue. Ils vont manifester devant une clinique où l'on pratique l'avortement mais laissent le système éducatif et la notion de savoir se vider de tout sens. Le messager d'une autre planète qui débarquerait sur terre aurait les pires difficultés à faire la différence entre croyants et incroyants : ils sont, à peu près, tous aussi matérialistes. Si ce n'était une contradiction dans les termes, je dirais qu'on assiste aujourd'hui à une véritable « laïcisation » de la religion.

Et si notre société est désormais complètement laïcisée, sans doute n'est-ce pas tant le fait des athées que la faute des croyants. Ils ont apparemment capitulé. Le contenu de la foi s'est tellement dilué que la plupart des croyants se passionnent plus pour des questions de doctrine, anecdotiques et sectaires, que pour le rôle spirituel de l'Église dans le monde moderne.

1. C'est la raison qui explique la prohibition des images dans la religion islamique : toute image ne peut représenter qu'une minuscule partie de la réalité et constitue donc une profanation de celle-ci.

J'ai laissé entendre que ce n'est pas l'athéisme qui me préoccupe dans le déni de l'âme, celui qui sous-tend le mouvement pro-euthanasie. Il n'est pas surprenant que les athées nient l'existence de l'âme. Mais il existe deux types de déni : l'un consiste à rejeter quelque chose en bloc. L'autre, plus insidieux, l'ignore purement et simplement. S'il évoque l'âme, c'est avec une condescendance qui la disqualifie en tant que question importante. Ce qui m'inquiète le plus dans la laïcisation de notre société, c'est que les croyants, ayant cessé de prendre au sérieux leur religion, sont devenus incapables de prendre en compte la question de l'âme. Ils ne s'en soucient plus vraiment.

Le moment est venu de lui consacrer à nouveau la réflexion qu'elle mérite.

6

Les êtres humains sont-ils « créés » ?

La difficulté qui consiste à définir clairement les problèmes les plus difficiles ne doit pas nous empêcher de les examiner – ni d'essayer d'approcher la meilleure définition possible [1]. C'est pourquoi, malgré son insuffisance, j'ai quand même décidé de proposer la définition suivante :

Tout esprit humain en tant qu'il est créé et élevé par Dieu – unique, capable de progrès, immortel – est une âme.

Je pressens que cette définition va choquer la plupart des athées bon teint, qui la taxeront de charabia. Mais j'espère qu'elle touchera quelques croyants et qu'ils l'accepteront sans réserve. Ma définition est plus complexe que ne pourrait le laisser supposer son allure simple et lapidaire. Ce chapitre tout entier va être consacré à l'expliquer, à analyser chacun de ses éléments en insistant particulièrement sur son rapport à l'euthanasie.

Créé par Dieu

Nous évoquons souvent les animaux et les êtres humains sous le concept générique de « créatures ». Nous voulons signifier par là

1. Par exemple, dans *Le Chemin le moins fréquenté*, j'ai proposé cette définition de l'amour : « volonté de se dépasser dans le but de nourrir sa propre évolution spirituelle ou celle d'autrui ». Beaucoup de lecteurs l'ont trouvée utile, malgré son caractère évidemment insuffisant.

que tout ce qui vit a été créé. Nous sommes des « créations ». Mais créées par qui ?

« Par nos parents ! » rétorqueront sur-le-champ les athées. Comment ? En s'accouplant, dans un lit, sur la banquette arrière d'une voiture, n'importe où, mariés ou non, avec ou sans l'intention d'engendrer un enfant. Et, plus précisément, grâce à l'éjaculation réflexe, par l'homme, de millions de spermatozoïdes dans le vagin de la femme. L'un de ces spermatozoïdes, pour des raisons qui restent, aujourd'hui encore, complètement mystérieuses, va gagner la « course à l'ovule ». La fusion de cet ovule et de ce spermatozoïde va créer une combinaison génétique encore inédite. Et qui ne se répétera plus jamais.

En tant que combinaison de gènes (à la rare, mais possible exception de deux jumeaux monozygotes), chaque être humain est unique. Chacun de nous est d'ailleurs le fruit d'un accident. Du strict point de vue de la biologie de la reproduction, la grossesse la mieux planifiée du monde est à peine moins accidentelle qu'une autre.

« Mais le point de vue biologique ne résume pas tout », répliqueront aussitôt les athées. Il y a l'inné et l'acquis : les parents « engendrent » aussi leurs enfants par l'éducation qu'ils leur donnent. J'ai moi-même pratiqué la psychothérapie pendant vingt ans en faisant de cette supposition un de mes leitmotive. Il est incontestable que de bons parents « engendrent » des enfants mentalement plus équilibrés que des parents médiocres ou mauvais.

Mais ce n'est pas une règle absolue : j'ai connu des saints qui avaient grandi dans des foyers catastrophiques, et d'épouvantables criminels que leurs parents aimaient d'un amour authentique et sublime. Si la nature et l'éducation jouent toutes deux leur rôle dans la formation de la personnalité humaine, un conflit entre les deux parties est toujours possible : des enfants dotés de bons gènes naissent dans de mauvais foyers et d'autres affligés de gènes déficients viennent au monde dans d'excellents foyers. C'est la théorie de la « mauvaise graine ». On songe à ces faits divers où des adolescents, pris d'un accès de rage meurtrière, suppriment leurs parents – des êtres visiblement bons et aimants.

Nous voilà encore confrontés à un accident incompréhensible : qu'ont bien pu faire des bons parents pour mériter un mauvais enfant ? Ou, au contraire, des parents négligents pour en avoir un bon ? Il deviendra peut-être plus facile de répondre à cette question le jour où nous disposerons de tests psychologiques pour les « bons » et les « mauvais » caractères. Pour l'instant, la dynamique psychologique familiale demeure encore relativement obscure et, malgré les progrès de la recherche sur le génome, nous ne sommes pas mieux armés pour déchiffrer les gènes que le marc de café. Tout compte fait, nous en savons très peu sur la psychophysiologie de la personnalité humaine. Ou sur sa genèse sociologique : les sociologues soulignent le rôle majeur que joue la culture dans la genèse de la personnalité et prétendent qu'il existe des traits de caractère nationaux. Vérité souvent vérifiée, mais dont ils restent incapables de justifier les trop nombreuses exceptions. Pour reprendre mon exemple personnel, quand je repense à ma décision de quitter Exeter, une chose m'apparaît clairement – même si je n'ai pas compris mes motifs à l'époque : j'étais mû par une aversion instinctive et profonde pour la culture de cette école et du monde WASP[1] qu'elle incarnait parfaitement. Pourquoi ? Qu'est-ce qui me poussait à rejeter si précocement la culture dans laquelle j'avais été élevé, à me muer en marginal complet, en accident sociologique ?

On ne peut nier la forte influence des gènes et de l'éducation dans la formation du moi. Pourtant, j'affirme qu'il manque une pièce du puzzle. Une pièce capitale. Cette pièce manquante, c'est Dieu. Je crois que Dieu est subtilement présent dans nos gènes, notre enfance, notre culture et – par d'autres canaux – dans la création de chaque être humain. Comment ? Je n'en ai pas la moindre idée. Mais c'est lui qui tire les ficelles, en coulisses. Et parce que son œuvre est cachée, mystérieuse, indémontrable, les athées la relèguent au rang de pure spéculation, qu'il faut éviter bien sûr de prendre au sérieux. Je suis convaincu du contraire. Je crois que le caractère secret de cette œuvre révèle son extrême importance. Il s'agit de la source première de notre être, la source de la création.

1. WASP (white anglo-saxon protestant) : Anglo-Saxon blanc protestant, désigne la bourgeoisie américaine blanche de souche et ses valeurs. *(N.d.T.)*

Dieu est l'Auteur : absent de la scène, il est responsable, plus que quiconque, du drame qui s'y déroule.

Cette « théorie » de Dieu a trois conséquences immédiates :

La première, c'est que nous ne sommes réductibles ni à nos gènes ni à notre enfance, notre culture ou notre éducation. Nous ne sommes même pas réductibles à notre « moi ». Parce que, en plus de nos gènes et de notre éducation, nous possédons une âme. « En plus ? » Non ; au cœur même de notre être.

La deuxième, c'est que nous ne sommes pas de simples accidents. Je ne prétends pas que la vie exclut toute forme d'accident. Je répète qu'il y a quelque chose *de plus*, à savoir que chacun de nous a été *conçu*.

La troisième découle de la précédente : si nous sommes conçus, c'est en vue d'un but. Ce but, nous ne le connaissons pas nécessairement. Nous sommes les acteurs d'un drame cosmique et le mieux que nous puissions espérer durant notre bref passage terrestre est d'entr'apercevoir, par instants, le sens de cette pièce et le rôle qui nous convient le mieux. À charge pour nous de déchiffrer ces révélations et d'en tirer parti. Elles sont fréquentes, comme je le montrerai.

Mais quel rapport avec l'euthanasie ?

L'euthanasie, comme je l'ai montré, est une forme de suicide. Je sais que la souffrance de ceux qui se suicident peut être intolérable, que les suicidés méritent presque toujours toute notre sympathie et que, si je condamne le péché, je ne me sens pas le droit de condamner le pécheur. Néanmoins, je considère le suicide comme un péché. Et plus précisément un péché d'arrogance. Qu'elle soit consciente ou non, l'arrière-pensée de la plupart des gens qui se suicident pourrait se formuler à peu près ainsi : « C'est ma vie et j'en fais ce que je veux. Dans la mesure où je suis mon propre créateur, j'ai le droit de me détruire moi-même. » L'arrogance par excellence, aurais-je dû dire.

Nous ne sommes pas nos propres créateurs. Je ne peux pas plus me créer moi-même que je ne peux créer une rose ou un iris. Je peux arroser et soigner une fleur, mais pas la créer. Exactement comme je suis capable de me nourrir et de me soigner moi-même, – c'est d'ailleurs un devoir –, mais en aucun cas de m'auto-créer.

Et je ne suis pas le propriétaire de ma vie. Car Dieu est autant « l'auteur de mes jours » que mes parents ou mon éducation. Plus que tout autre, il a son mot à dire, sur mon commencement et ma fin. Si « quelqu'un » me « possède », ce ne sont pas mes parents, ma famille ou moi-même, c'est Dieu. En me suicidant, je ne dispose pas seulement de ma vie. Je nie Dieu, je récuse les choix qu'il a faits pour moi, le droit qu'il a sur ma vie.

Dans la Bible, il est dit que Dieu nous a créés à son image. Cette phrase signifie, pour l'essentiel, qu'il nous a dotés de libre arbitre. Libre à nous, donc, de nous suicider. Libre à nous de rejeter Dieu et de le tourner en dérision. Ou de coopérer avec lui. Notre relation avec Dieu n'est pas passive. Nous pouvons l'ignorer, le fuir. Mais si nous choisissons de coopérer avec Dieu de notre mieux, nous pouvons devenir coresponsables de notre destin. C'est dans cette perspective que réside l'essence de notre grandeur potentielle.

S'il est vrai que le choix de l'euthanasie traduit généralement un rejet de l'âme, du Créateur et de l'échéance fixée par lui, choisir une mort naturelle, à l'inverse, démontre la volonté d'assumer, avec Dieu, la coresponsabilité de la vie qui nous est dévolue. Je n'insinue pas que les athées n'acceptent jamais la mort naturelle. Je veux dire que beaucoup d'êtres, arrivés au terme de leur vie, choisissent de coopérer avec Dieu et que cette décision adoucit leurs derniers instants.

Nombreux parmi ceux qui choisissent l'euthanasie veulent s'épargner une agonie interminable et dégradante. À mon avis, cependant, la coopération avec Dieu a toutes les chances de nous éviter ce naufrage. Je suis contre tout acharnement thérapeutique parce qu'il me semble que les médecins, avec leur arsenal technologique, lancent un défi non seulement à la mort, mais à Dieu. De même, un certain nombre de patients prolongent et « gâchent » leur agonie parce qu'eux aussi tentent de vaincre la mort et... Dieu.

Rappelons-nous le cas de Malcolm qui meurt d'un cancer du poumon à l'hôpital, qui est traité par radiothérapie et essaie de se forcer à manger. Il ne veut capituler pour rien au monde. C'est un battant. Mais quand je lui montre qu'il n'est pas nécessairement mauvais de renoncer, il décide, avec sa femme, de rentrer chez lui où il meurt paisiblement deux jours plus tard.

Nous n'avions pas discuté de ses options religieuses, donc, pour autant que je sache, il a simplement choisi de renoncer. Mais je ne peux m'empêcher d'imaginer qu'il a aussi choisi de coopérer de s'abandonner à Dieu.

Élevé par Dieu

Je me définis d'abord comme un scientifique – un scientifique croyant. Je crois dans la nécessité des preuves, quand elles sont possibles. Si Dieu s'était contenté de créer mon âme, avant ma naissance, et qu'il n'était plus intervenu, je ne sais si je prendrais au sérieux ma « théologie ». Mais il ne m'a jamais laissé tranquille. Dès le début de mon adolescence, je n'ai cessé de dialoguer avec lui et de sentir qu'il interférait, discrètement, mais régulièrement dans ma vie.

Ce que je veux dire, c'est que Dieu ne se contente pas seulement de nous créer mais qu'il continue à veiller sur nous, toujours. Des preuves ? Je pourrais en remplir des ouvrages. Mon premier livre, *Le Chemin le moins fréquenté*, cité beaucoup d'exemples de cette attention divine (dans les chapitres sur la grâce, notamment) et mes autres livres en contiennent d'autres. Mais ici, je me contenterai de deux exemples personnels sur la grâce divine.

Dieu s'adresse à nous, s'efforce d'élever notre âme à travers certains de nos rêves, ceux que Jung appelait les « grands rêves ». Je voudrais évoquer un rêve personnel [1].

Après la parution du *Chemin le moins fréquenté*, j'ai décidé de prendre quelques vacances. Mais seul, pas en famille – et pas question de flemmarder sur une plage. Me vint alors l'idée saugrenue, mais captivante, de me retirer deux semaines dans un monastère. J'étais plein de bonnes résolutions. D'abord, arrêter de fumer. J'y suis parvenu, mais seulement le temps de cette retraite ! Et surtout faire le point : quelle attitude adopter si mon livre deve-

1. J'ai raconté ce rêve dans *Le Chemin le moins fréquenté*.

nait un succès ? Me lancer dans le grand circuit des conférences, renoncer à toute vie privée, ou au contraire me retirer en ermite au fond des bois et mettre mon téléphone sur la liste rouge ? J'espérais que, dans le silence et la quiétude de ce lieu saint, Dieu m'aiderait à résoudre mes problèmes et mes interrogations.

Je comptais sur mes rêves pour trouver une réponse. Je les notais scrupuleusement dès le réveil pour aider le Seigneur. Mais ce n'étaient que des images assez simplistes : des ponts, des portails... ils ne m'apprenaient rien que je ne sache déjà : je me trouvais à un tournant de ma vie.

Une nuit, j'ai fait un rêve bien plus complexe, un rêve dont j'étais le spectateur. Il se déroulait dans une famille bourgeoise. Le fils aîné, âgé de dix-sept ans, était doté de toutes les qualités : beau, excellent élève, capitaine de son équipe de foot, travaillant à mi-temps pour se faire de l'argent de poche. En plus, une petite amie adorable, bref le fils idéal. Au volant, c'était un conducteur prudent et responsable, mais son père ne voulait pas lui prêter sa voiture et s'imposait comme chauffeur pour tous ses déplacements, – du lycée à ses entraînements de foot et aux surprises-parties. Il exigeait en plus que son fils le paie pour chacun de ses voyages, comme s'il se prenait pour un taxi. Je me suis réveillé fou de rage contre ce tyran implacable.

Je ne savais que penser de ce rêve complètement saugrenu. Mais après trois jours de réflexion, je l'ai retranscrit ; et en relisant mes notes, j'ai remarqué que j'avais écrit le mot « Père » avec une majuscule. C'était donc de Dieu qu'il s'agissait ! Ce rêve était une révélation. Dieu me disait : « Hé, Scott, c'est moi qui conduis, mais c'est toi qui paies la course ! »

Jusqu'alors, j'avais considéré Dieu comme un être parfait et bon. Et voilà que dans ce rêve, je lui donnais le rôle du méchant autoritaire et dominateur. Je n'étais que haine et rage à son égard. Pourquoi cette colère ? Parce que Dieu ne m'apportait pas le message attendu. Je voulais un petit conseil, du genre de ceux qu'on demande à son avocat ou à son comptable. Je n'avais pas demandé une « grande » révélation dans laquelle Dieu m'annoncerait : « Maintenant, c'est moi qui conduis ! »

Vingt ans après cette vision, je tâche de m'en montrer digne, de m'en remettre complètement à Dieu, d'apprendre à accepter avec joie qu'Il soit aux commandes de ma vie, et que je demeure le fils soumis au Père.

J'ai décidé de relater ce rêve une nouvelle fois à cause de sa relation saisissante à mon ego. Comme je l'ai dit, ce n'est pas un rêve qui reflète *mon désir personnel.* Je n'en suis pas l'auteur : il m'est évidemment venu d'ailleurs, d'une réalité autre que mon intériorité. J'y suis dépeint sous les traits d'un adolescent de dix-sept ans, alors qu'au moment du rêve je suis un homme « mûr » de quarante et un ans. C'est une insulte à mon ego, une incitation à capituler.

À l'époque, je m'efforçais de « dialoguer » avec Dieu. Il m'a pourtant fallu trois jours pour déchiffrer ce message, tant étaient fortes mes résistances. Quand on ferme délibérément ses oreilles aux messages divins, on a toutes les chances de passer à côté des signaux qu'il nous envoie.

Dieu a mille et une façons de nous parler, mais la plus courante c'est la « voix de la conscience », une voix silencieuse, à peine perceptible. C'est un phénomène étrange. Cette voix n'a rien de la voix tonnante des péplums bibliques qui hèle du haut du ciel les pauvres humains effarés. Elle semble monter en nous et on a du mal à la distinguer des mille pensées qui nous traversent sans cesse l'esprit. Pourtant, elle vient du Très-Haut.

Comment distinguer cette voix d'une pensée ordinaire ? Voici quelques indices :

1. Prenez le temps et le recul nécessaire pour déterminer s'il s'agit d'une voix divine ou d'une simple pensée personnelle. Aucune fausse priorité ne doit vous empêcher de trouver ce temps. Si vous restez sourd au message, il se répétera presque à coup sûr.

2. Cette parole, qu'elle émane de l'Esprit-Saint, de Jésus, de l'Éternel, est toujours positive, jamais négative. Elle peut vous inciter à changer de voie, et donc sans doute à prendre des risques, mais il ne s'agit jamais de risques majeurs. Si vous entendez une voix qui vous ordonne de vous supprimer, de tricher, de voler ou de miser toutes vos économies à la roulette, allez voir un psychiatre.

En revanche, le message divin vous paraîtra toujours insolite. C'est précisément ce qui le distingue d'une pensée ordinaire. Il dégage une inquiétante étrangeté comme s'il venait d'ailleurs – et c'est bien le cas. Pourquoi Dieu s'adresserait-il à nous pour nous dire quelque chose que nous savons déjà ? Il nous envoie toujours des messages nouveaux et inattendus, sa voix se fraye doucement un passage en nous, perce notre carapace. C'est pourquoi, devant cette intrusion, la réaction habituelle de ceux qui entendent pour la première fois la voix du Saint-Esprit consiste à se boucher les oreilles.

Pour introduire mon second exemple de révélation divine, je dois commencer par avouer que je ne suis qu'un piètre érudit et notamment en matière biblique. Je n'ai jamais réussi à achever le *Livre des Révélations* et j'ai trouvé la lecture des Épîtres un exercice ardu. Pour ce qui est de l'Ancien Testament, mon bagage est encore plus sommaire.

Cet incident s'est produit au début de l'automne 1995. Je venais de terminer la première mouture d'un nouveau roman, *Au Ciel comme sur Terre*[1]. Mon éditeur l'avait accepté, mais je devais en récrire certains passages et j'étais bien embêté. Dans cette version, j'avais donné mes traits au personnage principal, et je savais qu'il fallait changer cet aspect du livre. Prendre un peu de distance vis-à-vis de moi-même et donner plus de consistance à mon héros. Comment m'y prendre ? Je n'en avais pas la moindre idée. Et ce personnage qui me ressemblait comme deux gouttes d'eau : intellectuel, psychiatre de formation et théologien amateur par-dessus le marché.

Un après-midi, alors que je travaillais à autre chose et que je laissais décanter le roman, j'ai entendu une petite voix à peine audible me souffler : « Lis le Livre de Daniel ! » J'ai secoué doucement la tête. Je me souvenais de l'histoire entendue dans mon enfance, celle du prophète Daniel, martyr jeté dans la fosse aux lions, que les fauves épargnent, parce qu'il est protégé par Dieu. Ma connaissance de ce passage de l'Ancien Testament s'arrêtait là. Je n'avais jamais eu l'intention de lire le Livre de Daniel et je ne comprenais absolument pas pourquoi cette petite voix me le demandait. Je me suis donc remis à dicter mon courrier.

1. Robert Laffont, 1999.

Le lendemain, alors que je cherchais des papiers dans le bureau de ma femme, j'ai encore entendu la voix. Même phrase : « Lis le Livre de Daniel ! » Cette fois, je l'ai prise au sérieux. J'ai reconnu la ténacité du Saint-Esprit et compris que Dieu, pour des raisons qui lui appartenaient, me poussait sur une voie. Mais j'ai pris mon temps. Le lendemain, à midi, pendant ma promenade quotidienne, la voix, plus insistante, est revenue me souffler la question :

« Scott, *quand* vas-tu lire le Livre de Daniel ? »

Si bien qu'une fois rentré, n'ayant rien de mieux à faire, j'ai ouvert une Bible et j'ai lu ce passage. Il est court, par bonheur. J'y ai appris beaucoup de choses, mais la plus intéressante pour moi, à l'époque, c'était que le personnage de Daniel me ressemblait beaucoup. Je suis évidemment loin de rivaliser avec sa sainteté, et son courage. Mais c'est un intellectuel, comme moi : psychiatre avant la lettre, il interprète des rêves, sonde l'esprit humain et, en tant que prophète, c'est un théologien. J'ai rapidement compris que je tenais la solution du problème. D'abord le personnage central de mon roman devait être Daniel et non Scott. Ensuite, nos différences de caractère me contraignaient à « sortir de moi » pour donner plus de vraisemblance à mon personnage.

Que penser de ce type de phénomènes ? Bien des auteurs qui ont parlé de la créativité, sans mentionner le rôle de Dieu, ont évoqué des moments similaires : ceux où la solution d'un problème difficile se présente précisément au moment où l'on n'y pense pas. Mais, dans ces cas, la solution est aussitôt reconnue comme telle. Le créateur n'a d'ailleurs pas l'impression qu'elle vient du dehors. Dans mon cas, je n'avais pas tant reçue la solution que l'indication du chemin à suivre. Je n'ai pas reconnu d'emblée ce don, parce que je ne voyais pas le rapport à mon problème. Au lieu de l'accueillir comme une révélation, je l'ai donc rejeté comme étant saugrenu.

Comparé aux problèmes de l'humanité, le mien ne pesait pas bien lourd. Qui suis-je pour imaginer que Dieu prend le temps de se pencher sur mes minuscules tracas ? C'est pourtant ce que j'affirme. Pourquoi Dieu montre-t-il tant d'attention à d'humbles spécimens d'humanité comme moi ? Je ne sais pas. Ce dont je suis sûr, c'est qu'il m'a apporté à de nombreuses reprises une aide précieuse, parfois décisive. Cette certitude m'accompagne depuis près de quarante ans, époque où j'ai pris conscience qu'il intervenait dans ma vie.

Suis-je un énergumène ? Sans aucun doute, mais pas de ce point de vue. Comme nous le verrons très bientôt, chacun de nous est unique et donc un rien énergumène. Mais des millions d'êtres ont relaté des expériences comparables à celle-ci. Nous ne sommes peut-être pas majoritaires mais nous formons une très large minorité.

J'ai parlé de ces expériences de grâce pour apporter une preuve non seulement de l'existence de Dieu, mais aussi du fait qu'il nous *élève* en permanence. Qu'en est-il des athées qui ne croient pas en Dieu ou nient son influence sur leur vie ? Ils ne croient qu'aux preuves. Dieu a-t-il failli à leur égard ?

Je ne le pense pas. Je suis certain que l'âme d'un athée fonctionne de la même façon que celle d'un croyant. Où réside alors la différence ?

Peut-être Dieu influence-t-il les athées autrement, d'une façon qui défie le raisonnement scientifique ? Je suis assez tenté de le croire. Je sais que Dieu a besoin de différents types d'êtres humains et que chacun d'eux réclame une « nourriture » spécifique. Je suis même convaincu que Dieu veut qu'il subsiste quelques athées sur terre pour préserver la santé morale des autres et – ça lui ressemblerait assez, rusé comme il l'est – entretenir leur athéisme.

D'autre part, j'éprouve à l'égard des athées des sentiments très comparables à ceux que m'inspirent les avocats (ou les paparazzi). Nous aurons toujours besoin de quelques bons avocats. Mais dans une société devenue follement procédurière, je crois que nous nous porterions tous mieux s'il se trouvait moins d'avocats pour exciter sans cesse le démon de la procédure. Et Dieu entretiendrait-Il quelques athées dans leur athéisme, je crois aussi qu'il souhaite de tout son cœur être reconnu par le plus grand nombre. Sans succès.

Pourquoi ? Pourquoi tant d'hommes et de femmes restent-ils sourds à ses signes ? Pour deux raisons :

1. Parce que les êtres redoutent le changement ; et si les athées admettaient la preuve de son existence, leur système d'opinions s'écroulerait.

2. Reconnaître l'existence de Dieu pour la première fois est particulièrement effrayant. L'ego ne cède pas facilement les commandes à un autre maître. Il n'est pas doué pour le dessaisissement. Un problème très important sur lequel nous reviendrons plus loin. En tout cas, comme l'explique saint Paul, il peut être « terrifiant de tomber entre les mains du Dieu vivant ».

J'ai évoqué le rejet athée des signes... comme si c'était une attitude neutre ou passive. C'est inexact. Il est courant, à notre époque, de parler de « syndrome de dénégation » à propos des toxicomanes ou des alcooliques qui refusent de reconnaître leur problème. La dénégation traduit une psychopathologie spécifique. À cet égard, je crois qu'on peut affirmer que certains athées sont « dépendants » de leur athéisme. Aucune preuve si concluante soit-elle, ne pourra les faire changer d'avis. Ils disposent probablement de la même ligne directe avec Dieu que n'importe quelle créature, mais ils ont dû décrocher le récepteur. C'est l'une des raisons pour lesquelles j'ai choisi d'intituler cet ouvrage *Le Chemin de l'âme*.

L'âme de chacun est unique

J'ai pris ma retraite de psychiatre de ville depuis plus d'une dizaine d'années, mais je continue à recevoir une seule patiente, tous les trois mois, pour des honoraires symboliques. Barbara est aujourd'hui âgée de quatre-vingts ans. Nous travaillons ensemble depuis plus de vingt ans et j'essaie de l'aider à résoudre ses problèmes, qui tournent pour la plupart autour de la vieillesse et de la mort. Je n'ai jamais rencontré personne qui illustre aussi spectaculairement la différence entre ego et âme.

Barbara est dotée d'un ego monumental. Ce qui ne veut pas dire qu'elle soit égoïste ou prétentieuse. Elle n'est ni l'un ni l'autre. Avec les meilleures intentions du monde, elle voudrait tout régir. C'est son plus cher désir : tout contrôler, y compris la vieillesse et la mort. Elle souffre d'angoisses et de frustrations énormes dans toutes les situations qu'elle ne peut contrôler. La thérapie que je poursuis avec elle devrait s'appeler une *thérapie de l'ego*. Barbara a un peu progressé. D'abord athée, elle a appris à prier, à abandonner à Dieu une parcelle de sa volonté. De temps à autre, elle lui demande de se substituer à elle. Elle distingue mieux entre l'essentiel et l'accessoire et elle a cessé de se tourmenter pour les détails. En d'autres termes, elle est moins phobique et moins obsessionnelle qu'autrefois. Néanmoins, et malgré son intelligence, sa croyance instinctive qu'elle *devrait* tout contrôler pour le bien de l'humanité, subsiste. On peut dire que Barbara est atteinte de mégalomanie douce.

Tout ces symptômes n'ont d'ailleurs rien d'exceptionnel. Avec ses troubles obsessionnels compulsifs et son « perfectionnisme », son problème d'ego ne sort pas du cadre des névroses assez ordinaires. Pourquoi, dans ces conditions est-elle restée ma seule cliente payante ? Pourquoi continuer à la voir, alors que je suis retraité, que ses progrès sont laborieux et que son ego surdimensionné n'est pas particulièrement intéressant ?

Parce que j'aime son âme.

Barbara possède sans aucun doute une « bonne âme ». Sa générosité hors du commun (elle serait moins anxieuse, si elle se souciait moins des autres) se double d'une franchise totale. Elle est dotée d'un solide sens de l'humour quand elle parvient à juguler ses angoisses. Mais n'ai-je pas eu l'occasion de rencontrer d'autres bonnes âmes qui rayonnaient d'amour, d'honnêteté et de bonne humeur ? Pourquoi Barbara ? Qu'a-t-elle de différent ?

Je ne sais pas.

Bien que l'âme puisse être définie au moyen de termes presque banals, comme je l'ai fait, une âme singulière défie toute tentative de description. Comme tout psychiatre, je suis capable de décrire un ego, de dessiner le profil psychologique de mes patients, mais pour dépeindre une âme je me sens vite à court de mots.

Les athées reconnaissent la singularité des individus, mais la distinction mystique entre âme et ego reste pour eux nulle et non avenue. Ils allégueront que « dans la mesure où tous les êtres humains sont dotés d'un génotype particulier et ont engrangé un vécu spécifique, l'ego de chacun est différent des autres ». Ce qui me frappe, c'est la ressemblance de tous ces ego entre eux.

Richard Bolles, auteur de *Chercheurs d'emploi, n'oubliez pas votre parachute*[1], a un jour défini les êtres humains comme des « êtres comparants » : nous nous comparons en permanence à nos semblables presque obsessionnellement. Cette tendance, parfois positive, est le plus souvent nuisible. Barbara qui, d'un point de vue intellectuel, tient la dragée haute à tous ses amis encore vivants, se plaignait récemment de se sentir plus usée qu'eux sur le plan physique. À son habitude, elle a interprété ce fait comme une défaillance rédhibitoire.

— J'aurais dû rester à la hauteur ; comparée à eux, je ne suis qu'une misérable épave.

— Barbara, lui ai-je demandé, quelle est la part de vous qui se compare, en ce moment : est-ce votre ego ou votre âme ?

— C'est mon ego, bien sûr, a-t-elle aussitôt rétorqué.

C'est parce que nous avons souvent évoqué cette distinction qu'elle a répondu si rapidement. Elle a appris que son ego n'avait rien de remarquable, son hypertrophie mise à part. Elle sait que nous traitons l'ego et laissons son âme, parfaitement saine, en paix. Elle a même compris qu'ayant réussi à réduire quelque peu les boursouflures névrotiques de son moi, elle a permis à son âme de s'épanouir. C'est ainsi qu'elle est devenue un être humain encore plus exceptionnel.

Barbara n'est pas unique à cet égard. Chacun de nous peut s'engager sur un chemin de croissance psycho-spirituelle dont l'épanouissement de l'âme est toujours la conséquence. Celle-ci se trouve en quelque sorte enlisée dans le marécage de l'ego et il appartient aux chercheurs spirituels de l'en extraire pour qu'elle puisse rayonner dans toute sa splendeur. Croyez-moi, le rayonnement d'une âme en majesté est incomparable.

Ce n'est certes pas un hasard si l'être que je connais le mieux, mon épouse Lily, me frappe par son caractère particulièrement unique. J'aurais sans doute affirmé que Lily était unique, il y a trois décennies de cela, quand elle a commencé sa psychothérapie. Depuis, sa singularité n'a fait que croître et se développer. Mais

1. Éditions G. Saint-Jean, 1984.

comment décrire cette transfiguration ? Je m'en sens totalement incapable.

Je pourrais vous dire qu'elle adore dénicher des trèfles à quatre feuilles et que c'est un exercice dans lequel elle excelle. Elle peut traverser une prairie et en ramasser des dizaines comme s'ils étaient aussi voyants que des violettes. Je pourrais vous raconter que sur un parcours de golf, il lui arrive d'envoyer délibérément la balle sur le *rough*, pour le seul plaisir de la chercher – et d'en trouver quatre ou cinq, égarées par des golfeurs. Mais que vous apprendront ces détails ? Qu'elle possède un œil de lynx ? Faux. Elle est affectée d'une cataracte précoce, qui ne l'empêche d'ailleurs nullement de fureter à son gré. Non, vraiment, je me sens incapable de représenter l'âme de Lily par des mots imprimés sur une page.

L'art du romancier réside pour un grande part dans son talent à donner de la consistance à ses personnages. Les grands écrivains ont le génie d'enfanter des héros que le lecteur ne trouve pas seulement vraisemblables, mais dont il va se soucier comme d'amis vivants. Certains personnages particulièrement mémorables se détachent dans l'histoire de la littérature. Mais aucun des plus grands romanciers et dramaturges, Shakespeare, Balzac, Dickens, ou Tchekhov, n'a jamais réussi à capturer une âme. Ils ont forgé de remarquables caricatures, extraordinaires au point de ne plus nous apparaître comme telles, mais on a beau tourner les pages, on ne rencontre jamais d'âmes dans leurs romans ou dans leurs pièces. La singularité de l'âme transcende l'art, y compris le plus extraordinaire.

Quand Dieu crée une âme, il s'y prend différemment à chaque fois. Mais je ne prétends pas connaître les réponses à toutes les questions sur la nature de l'âme humaine et son caractère divin, au contraire. Ce chapitre se termine d'ailleurs par une discussion sur ce mystère de l'âme.

Quelles que soient les énigmes qui l'entourent, le processus de la création de l'âme est *individuel*. L'unicité de chaque être est indéniable (sauf au péril de l'âme du dénégateur) et résiste à toute explication purement biologique ou psychologique.

L'âme est capable de progrès

La psychothérapie de l'ego entreprise avec Barbara, comme toute psychothérapie, n'aurait aucun sens si les patients étaient incapables de progresser. Cela ne signifie pas qu'ils progressent toujours. Mais ils le peuvent : c'est le propre de l'ego d'apprendre et de s'améliorer.

J'ai émis l'hypothèse que lorsque l'ego progresse, quand il se raffine pour ainsi dire, l'âme qu'il masque se met à rayonner dans sa singularité avec une force décuplée. (Contrairement à ce que ces termes pourraient suggérer, l'âme n'est pas inerte, elle n'attend pas passivement son heure : elle aussi est capable de progrès).

Mais n'oublions pas que l'ego et l'âme relèvent de registres entièrement différents. Prenons, par exemple, le problème de la perspective temporelle : celle d'un bambin de trois ans n'a rien à voir avec celle d'un homme de trente ans, elle-même radicalement différente de celle d'un homme de soixante-cinq ans. Avant tout pour des raisons de chronologie : combien de temps a-t-il vécu ? Combien de temps lui reste-t-il à vivre ? Telles sont les questions qui décident du rapport de l'ego au temps.

Les théologiens distinguent deux concepts du temps radicalement opposés : *chronos* et *kaïros*. Chronos, c'est le temps auquel a affaire l'ego : le monde des horloges, du prévisible : le cycle des saisons, le processus de la croissance naturelle (naissance, maturité, vieillissement, déclin et mort). Le kaïros, à l'inverse, désigne le temps divin. Les théologiens peinent à définir celui-ci, sinon pour suggérer qu'il est très différent du chronos, qu'il a plus à voir avec l'éternel qu'avec le temporel et que les règles ne sont pas les mêmes. Ils considèrent que l'ego appartient plutôt à la sphère du chronos et l'âme à celle du kaïros.

Sur le plan du chronos, le fait que Barbara se montre incapable de rivaliser avec ses amis par sa forme physique – et la honte qu'elle en éprouve – ce fait lui semblait un problème très important. Sur le plan du kaïros, en revanche, elle était capable de se rendre compte que cette « infériorité » ne comptait guère.

Nous en savons très peu sur le fonctionnement de l'apprentissage chez les êtres humains. Bien sûr, dans la mesure où l'ego est notre part la plus tangible, nous avons tendance à lui attribuer cette faculté d'apprendre. L'âme, elle, est invisible, et nous saisissons très mal en quoi consiste son aptitude au progrès. Nous recueillons tout de même parfois quelques indices qui nous éclairent sur la réalité de cet apprentissage. Les stades du développement spirituel que j'ai décrits au chapitre 5 en offrent un exemple.

Nombreux sont ceux qui restent bloqués à l'un de ces stades toute leur vie. D'autres, au contraire, évoluent et s'épanouissent spirituellement : la séquence de ce développement est alors prévisible. On ne saute pas du stade 2 au stade 4 sans traverser l'étape du scepticisme plus ou moins athée du stade 3. Mais nous restons totalement incapables de comprendre comment et pourquoi un individu réalise ces progrès : ce phénomène ne relève pas de l'ego. Il obéit à des mouvements invisibles qui proviennent de l'âme et finissent par atteindre l'ego.

Le passage d'un stade à l'autre est une sorte de « conversion ». Cette conversion peut se produire dans les deux sens, vers la religiosité comme vers le scepticisme. Comment convertir quelqu'un ? Je ne sais pas. Cela ne signifie pas que je n'ai pas essayé. Parfois, comme nous le verrons bientôt, la conversion peut constituer le but légitime d'une psychothérapie. En général, cependant, cet espoir est déçu. Mais quand un de mes patients se convertissait, j'y voyais plutôt le résultat d'un échange entre son âme et Dieu que celui d'une interaction entre son ego et moi.

Les interactions entre l'âme et l'ego existent aussi, nous l'avons vu, mais elles sont difficiles à cerner avec rigueur. Quand un athée se convertit au stade 4, par exemple, il peut devenir avide d'informations qu'il rejetait vigoureusement auparavant. Je crois également que ce que l'ego acquiert stimule le développement de l'âme. Mais les modalités de ces échanges restent mystérieuses pour moi.

Vers la fin de ma carrière de psychiatre, j'ai reçu en consultation quatre femmes d'environ soixante-dix ans qui se plaignaient du même trouble : une dépression due au vieillissement. Elles étaient athées. Toutes avaient fait fortune dans leur métier ou par leur mariage. Leurs enfants aussi avaient brillamment réussi. Pour elles, la vie semblait s'être conformée à un scénario bien rôdé, celui de la réussite professionnelle, familiale et mondaine. Mais l'heure du déclin avait sonné : cataractes, appareils auditifs ou dentaires, prothèses de la hanche... Elles auraient préféré une fin – *happy end* – sans humiliations. Elles ne supportaient pas de vieillir. Le seul moyen de les aider : les convertir à une vision de la vieillesse plus riche que cette contemplation morbide de leur propre déchéance. J'ai essayé de les inciter à percevoir ce moment comme une formidable occasion d'épanouissement spirituel. Pas facile. Je leur répétais sans arrêt : « Ce n'est pas vous qui écrivez le scénario de la pièce, vous n'êtes que des figurantes... ». Deux d'entre elles ont rapidement abandonné la partie, préférant affronter leur dépression plutôt que d'admettre qu'elles n'étaient pas les « auteurs de la pièce ».

Une autre, la plus déprimée d'ailleurs, s'est montrée plus réceptive à mes conseils. C'était sans doute, de par son éducation, la plus chrétienne des trois. Elle avait souffert d'un décollement de la rétine successivement à chaque œil. Malgré le recours à un traitement de pointe au laser, son ophtalmologue n'avait pas réussi à la guérir. Elle lui en voulait terriblement. Elle était convaincue, sans l'ombre d'une preuve, qu'il avait bâclé l'opération et avait commis une faute professionnelle. Affligée d'une cécité presque totale, elle était indignée par son destin. Dès le début de nos entretiens, elle m'a avoué qu'elle détestait qu'on lui « prenne le bras pour l'aider à s'asseoir ou à traverser la rue » et qu'elle ne supportait pas de « rester enfermée chez elle », ajoutant que « beaucoup d'amies lui proposaient de sortir mais qu'il n'était pas question qu'elle dépende des autres. »

— Il est clair que vous êtes très fière de votre indépendance, lui ai-je dit. Tous vos succès ont contribué à renforcer cet orgueil légitime. Mais voilà. La vie est un voyage qui nous mène de la terre au ciel et la règle d'or de tout voyageur c'est de voyager léger. Votre orgueil est devenu un fardeau inutile. Je ne suis pas sûr qu'il vous aide à gagner le paradis. Vous interprétez votre cécité comme une malédiction et je ne vous le reproche pas. Mais vous pourriez peut-être changer d'attitude et le considérer comme une bénédiction qui vous a été envoyée pour vous aider à vous débarrasser de l'inutile fardeau de l'orgueil. D'ailleurs, hormis votre vue, vous jouissez d'une excellente santé. Vous avez probablement une bonne dizaine d'années devant vous. À vous de choisir si vous voulez les vivre sous le signe de la malédiction ou celui de la bénédiction.

Dès le rendez-vous suivant, sa dépression s'était spectaculairement atténuée.

Tous les cas ne sont pas aussi simples, loin de là. Je ne suis pas sûr que je pourrais faire preuve d'autant d'élégance morale que cette femme. Ce n'est pas si facile d'interpréter délibérément sa cécité – ou toute maladie liée au vieillissement – comme une bénédiction. Il faut une grande force de caractère.

Les femmes que je viens de décrire[1] possédaient toutes cette force de caractère. Pourtant, certaines d'entre elles ont décidé d'utiliser cette force pour guérir et les autres pour résister à la guérison. Pourquoi ? Je ne sais pas. Ce que je sais, c'est que nous avons le pouvoir de choisir. Il est écrit que Dieu nous a créés à son image. Cela signifie qu'il nous a dotés de libre arbitre. Nous sommes libres de choisir le meilleur ou le pire, et même Dieu ne peut s'opposer à ce choix.

Où réside donc cette volonté ? Dans l'âme ? Dans l'ego ? Je suppose que la volonté est d'origine biologique, qu'elle est inscrite dans nos gènes, qu'elle marque de son empreinte chaque cellule de notre corps. Mais la mystérieuse interaction entre l'âme et le corps décide de la façon dont cette volonté s'oriente : c'est l'âme qui nous guide.

Les enfants n'ont pas le choix : ils ne peuvent qu'apprendre et mûrir. À l'âge adulte, en revanche, les chemins qu'empruntent les êtres humains divergent radicalement. Beaucoup cessent d'apprendre, ce qui a pour conséquence d'interrompre leur développement. Pour les autres, à l'inverse, le processus de développement psycho-spirituel a tendance à s'accélérer. La question la plus

1. Pour une analyse détaillée de ces cas, on se reportera à *La Quête des pierres*, Robert Laffont, 1998.

critique dans la vie est peut-être celle de savoir à quel moment arrêter son apprentissage et s'il le faut.

On pourrait reformuler cette phrase de cent autres façons. Se demander, par exemple si la véritable question n'est pas : faut-il être co-créateur de soi avec Dieu ? D'autres diraient sans doute que l'essentiel est d'aimer. Choisissez le chemin de l'amour authentique et vous vous épanouirez spirituellement. Votre âme se développera inévitablement. Mais compte tenu du propos de ce livre, je vais me concentrer sur l'apprentissage, le chemin de la sagesse. Et d'abord : considérons-nous la vie comme un chemin vers la sagesse ?

Apprendre est le sens même de la vie. Si nous n'étions pas capables de progrès, si Dieu ne désirait pas que nous progressions et apprenions, pourquoi nous aurait-il créés et continuerait-il à nous guider ?

Je mets le lecteur au défi d'imaginer un cadre plus parfait que ce monde pour les êtres humains. La vie est remplie de vicissitudes et de souffrances, mais comme le disait Benjamin Franklin : « Ce qui nous blesse nous instruit. » On a souvent comparé la terre à une « vallée de larmes ». Keats montre une vision plus profonde quand il l'appelle « la vallée où se forgent les âmes ».

La vie peut être considérée – c'est un choix – comme une perpétuelle occasion d'apprentissage dès l'adolescence. Les uns se convertissent à cette perspective tout naturellement comme si, au fond, leur âme y était déjà préparée. Plus souvent, ce choix résulte d'une crise existentielle : alcoolisme, échec d'un mariage, mort d'un être cher, tout ce qui peut nous amener à entreprendre une « cure en douze étapes [1] » ou une psychothérapie. Il s'agit souvent d'une crise de la maturité. Pour d'autres, c'est une révélation tardive, dans la maladie, voire dans l'agonie. Mais la plupart des êtres humains font le choix inverse.

Mon travail le plus satisfaisant en tant que psychothérapeute est celui que j'ai accompli avec des mourants. On apprend toujours mieux quand l'échéance se rapproche. Pourtant, la majorité des mourants refusent de regarder la réalité en face jusqu'à leur der-

1. Allusion au programme de désintoxication des Alcooliques Anonymes. *(N.d.T.)*

nier souffle. Mais ceux qui surmontent le déni, et admettent qu'il leur reste peu de temps, ceux-là font des progrès spectaculaires. Ils choisissent souvent d'affronter des problèmes qu'ils ont esquivé leur vie durant. C'est un plaisir et un privilège de travailler avec de tels êtres dans de tels moments. Les confessions et conversions de mourants, le pardon, la réconciliation, les progrès spirituels stupéfiants qui semblaient impossibles sont monnaie courante. Les agonisants sont souvent plus présents et plus rapides qu'on ne le supposerait.

Parce que l'imminence de la mort fournit l'occasion ultime d'apprendre et de s'épanouir spirituellement, c'est de la mort comme « déclencheur » d'apprentissage que je parlerai, surtout dans le prochain chapitre. Nous verrons que cet apprentissage n'a rien d'aisé. Si la douleur physique de l'agonie peut et doit être soulagée, la souffrance existentielle des agonisants est énorme. Il est tout à fait compréhensible que certains, pour en finir avec la souffrance, optent pour l'euthanasie. Mais l'euthanasie supprime aussi toute possibilité d'apprentissage et d'éclosion spirituelle. Opter pour une mort prématurée, c'est nier le sens même de la vie humaine, c'est court-circuiter Dieu. En s'ôtant ce reliquat de vie si plein de possibilités, on ne vole pas seulement Dieu, on se dépouille soi-même. Voilà le problème, posé dans sa brutale simplicité.

L'immortalité de l'âme

J'ai décrit la fin de la vie comme une période de préparation potentielle. Quand je donnais encore des conférences, il me semblait toujours étrange que la question qu'on me pose le plus souvent soit : « Croyez-vous dans la réincarnation ? » Et non pas : « Selon vous, y a-t-il une vie après la mort ? » Je répondais qu'en ce qui concerne la réincarnation, j'étais agnostique. Mais parfois, je lançais à mon auditoire : « Que nous ayons déjà vécu une vie avant notre conception et notre naissance me semble un problème assez accessoire. En revanche, la question de la vie après la mort – et donc de l'au-delà – celle-là me paraît absolument cruciale. »

Si la vie future n'existe pas, alors mes livres et mes conférences se résument à un tas d'inepties. Soit, il vaut la peine d'apprendre quand on est jeune, pour dépasser la génération précédente et contribuer ainsi non seulement à la survie, mais aussi à l'évolution spirituelle de l'espèce. Mais pourquoi apprendre et progresser spirituellement à l'âge mûr ? Une fois que nos enfants ont quitté le foyer ? Pour leur transmettre une sagesse supérieure dans nos vieux jours ? Je n'ai pas été frappé par la capacité des anciens à transmettre leur sagesse, en tout cas pas dans notre société, et pas à leurs propres enfants. On pourrait aussi bien solder les comptes à cinquante ans. Ou manger, boire et faire la noce, parce que la mort est proche. Je n'ai évidemment rien contre une vieillesse joyeuse mais je n'ai pas l'impression que je la savourerais beaucoup si je n'avais aucun désir d'apprendre. Cette époque de déclin physique est pour moi une occasion de me développer et de me préparer. Si l'au-delà n'existe pas, à quoi et à quoi bon se préparer ? Si notre âme est mortelle, si notre seul futur est le point final de la mort, pourquoi ne pas en avancer l'heure ? Pourquoi ne pas solder les comptes un peu plus tôt, si le cœur nous en dit ? L'âme est périssable ? Alors, l'euthanasie n'est pas une mauvaise solution.

Mais je crois à une vie après la mort et je ne prends pas mes désirs pour la réalité. D'ailleurs, l'expérience m'a appris que tenter de faire coïncider désirs et réalité est une démarche des plus fructueuses. Les athées repoussent l'idée d'une vie après la mort, malgré les indices – voire les preuves – que nous possédons de sa réalité. Je pourrais invoquer des expériences de mort imminente, des apparitions, des fantômes et la résurrection. Mais le fondement le plus solide de cette croyance reste... la raison.

Un de nos plus grands plaisirs, à Lily et moi, consiste à entretenir le magnifique jardin de notre maison du Connecticut. Sa beauté est le résultat de vingt-cinq ans d'efforts, d'imagination et de labeur physique. Nous ne pouvons admettre l'idée qu'un jour, si nous sommes amenés à vendre la maison, cet Éden soit rasé par des terrassiers. Peut-être est-ce le destin qui l'attend, mais nous frémissons à l'idée d'un tel gâchis.

Une des rares choses que je sais à propos de Dieu, c'est qu'il est économe : il ne gâche rien. Quand je songe à l'énergie qu'il déploie pour guider et développer les âmes jusqu'au moment de leur mort physique, je n'arrive pas à admettre qu'il puisse se résoudre à les laisser perdre. Non, il a mieux en réserve pour nous : la vie future à laquelle il s'efforce de nous préparer.

À quoi ressemble cette vie future, je l'ignore. J'en suis réduit aux hypothèses. J'ai écrit un court roman à ce sujet [1]. Mais ce n'est qu'une œuvre de fiction. Les détails de la vie future, dont personne n'est revenu nous parler, relèvent de la spéculation théologique et de l'imagination pure.

Ce n'est pas un hasard si la mort est à la fois la plus extraordinaire occasion d'apprendre et l'aventure suprême de la vie. Une aventure est un voyage dans l'inconnu. Si l'on savait exactement où l'on va, comment y parvenir et ce que l'on est susceptible de trouver une fois arrivé « là-bas », ce ne serait plus une aventure. Ni une occasion d'apprendre. Seules les aventures nous apprennent quelque chose. La peur de l'inconnu est humaine et, personnellement, la mort me terrifie. Je n'ai aucune certitude. Le moment venu il ne me restera que la prière : « Mon Dieu, mon Dieu, ne m'abandonne pas... » Mais je croirai quand même. Il existe une vie future, et Dieu seul la connaît. Seul notre corps est mortel et temporel.

Toute créature possède une âme

En définissant l'âme comme « esprit humain créé et élevé par Dieu, unique, capable de progrès, immortel », j'ai soulevé bien des questions délicates mais un seul terme prête à confusion dans cette phrase : celui d'humain. Il semble suggérer que seuls les êtres humains possèdent une âme, ce que rien ne me permet d'affirmer.

J'ai conservé ce mot car je sais que les êtres humains ont une âme. Étant incapable de communiquer avec les autres créatures, je ne puis affirmer qu'il en va de même pour elles. Mais je le pressens. J'ai affirmé que la singularité est une qualité de l'âme. Et, tout en reconnaissant les différences subtiles qui séparent des chiens ou des chats de la même espèce, je ne retrouve pas chez eux

1. *Au Ciel comme sur Terre*, Robert Laffont, 1999.

la même « personnalité » que chez des humains. Quand cela arrive, quand un chien se distingue par son caractère unique, je ne puis m'empêcher de penser : cet animal a une âme.

J'ai placé le mot « personnalité » entre guillemets parce que nous réservons en général le terme de personne aux êtres humains. Ces animaux exceptionnels ont bien quelque chose d'humain. Je les regarde cependant avec mes yeux humains et l'égocentrisme qui pousse l'homme à projeter ses qualités sur les créatures les plus différentes de lui. De quoi mon chien exceptionnel a l'air, aux yeux d'un représentant moyen de l'espèce canine, je l'ignore.

Le même problème se pose avec la conscience. Nous autres hommes avons tendance à penser que nous sommes les seules créatures douées de conscience. Présomption bien fragile. Même (et probablement) très différente, il y a fort à parier que toutes les créatures vivantes, y compris les plantes, possèdent une conscience. Et je serais tenté de croire que le monde entier est vivant, doté de conscience et même... d'une âme.

L'esprit

Quoi qu'il en soit, je m'en tiendrai ici aux problèmes de l'âme humaine. Et j'ai posé, dans ma définition initiale, l'équivalence âme/esprit, ce qui soulève d'emblée un certain nombre de difficultés, non seulement pour les athées intransigeants, mais pour la plupart de ceux qui partagent les valeurs de la civilisation occidentale. Malgré les statistiques de fréquentation des églises et les sondages qui montrent la permanence des convictions religieuses dans la société d'aujourd'hui, celle-ci est gouvernée par le matérialisme. Cela ne signifie pas simplement que nous sommes « accros » à la consommation, à ses emblèmes quels qu'ils soient, ou que les choses nous tiennent en laisse. Cela signifie que nous sommes accoutumés à ne penser qu'à elles. « Seul existe ce qui se voit ou se touche. » Tel est l'axiome d'un matérialisme profondément ancré en nous. Ce qui n'est pas mesurable, et donc observable ou manipulable, n'existe pas. Le matérialisme nie complètement l'esprit (et *a fortiori* l'âme). Il le considère au mieux comme impalpable et par conséquent comme quantité négligeable dans la gestion des affaires humaines.

En parlant de l'âme, j'ai évoqué l'*esprit*. Ce qui est unique en chacun de nous, c'est précisément l'esprit. En tant que tel, il est non mesurable, intangible : on ne peut le saisir, le toucher. Le capturer. On peut ignorer l'esprit, et l'âme ; on peut leur résister ; on peut même, à l'occasion, les chasser... mais personne n'a encore réussi à les codifier.

Et cet échec en met plus d'un très mal à l'aise.

Affligés par le matérialisme contemporain, certains essayistes se sont consolés en soulignant que le XXe siècle a été celui des physiciens de l'atome et que ceux-ci ont cru percer les secrets ultimes de la matière. Secrets qu'ils pensaient pouvoir codifier. Aujourd'hui, d'autres particules infinitésimales ont remplacé l'atome et tous reconnaissent s'être trompés. La matière se métamorphose en énergie et l'énergie, en matière. Vitesse, direction et position dans l'espace sont imprévisibles : autant d'énigmes pour l'instant insolubles. Les constituants ultimes de la matière sont aujourd'hui décrits comme « des champs complexes de possibilités statistiques ». Les atomes seraient-ils aussi insaisissables que l'esprit lui-même ? Il semblerait.

Mais attention : les atomes sont peut-être de nature spirituelle, en un sens (et j'ai suggéré que le monde entier l'était peut-être aussi), mais cela ne signifie pas pour autant que les atomes ont une âme. Ni une personnalité. Moins encore que les lois de la physique peuvent être identiques à celles de la théologie. À vrai dire, au niveau subatomique, la matière devient de moins en moins prévisible et ne laisse rien transparaître de l'individualité caractéristique de l'âme.

La matière reste la matière, l'âme, l'âme. Personne n'est plus conscient de leur opposition que ceux qui accompagnent les mourants. En vieillissant, nous sommes témoins de notre propre déchéance physique. Mais si la mort du corps est irrémédiable, la *personne* est inaltérable. Parfois, on assiste même au phénomène inverse : chez ceux qui ont vraiment accepté l'agonie et la mort, on voit – malgré le dépérissement physique – l'esprit, l'individualité, l'âme libérée, se magnifier, vibrer comme jamais.

Je me considère comme un chrétien modéré, mais je ne crois pas à la doctrine de la résurrection de la chair. Cette vision me paraît entraîner une confusion entre âme et corps, esprit et matière. Le corps est matériel, l'âme immatérielle. Pour le matérialisme ambiant il n'existe pas de vie en dehors du corps ; c'est pourquoi il est difficile aux hommes d'imaginer une vie purement spirituelle. Mais je suis sûr que l'imagination de Dieu dépasse de loin la nôtre.

Le mystère de l'âme

Comme je l'ai dit, ma définition de l'âme brille par son insuffisance. Celle-ci, loin d'être une lacune personnelle, est inhérente à la nature humaine. Pour notre horizon borné, Dieu est inévitablement mystérieux.

Notre âme étant une création permanente de Dieu, nous participons de Dieu et de son mystère à travers elle, que nous le voulions ou non. Mais de toutes les questions auxquelles je n'ai pas répondu, il en est une qui revêt une importance particulière : un être humain peut-il posséder une âme « méchante » ?

Il existe, sans aucun doute, des êtres méchants. Mais je n'ai jamais pu les approcher d'assez près – ils me tenaient en général à distance – pour discerner si le mal provenait d'un désordre de leur ego ou de leur âme [1].

Un être particulièrement malfaisant a fait l'objet, après sa mort, d'études très approfondies : Adolf Hitler. Les historiens ont collationné un nombre incalculable de faits historiques à son sujet, multiplié analyses, hypothèses, explications. Pourtant, cette énorme masse de réflexions nous laisse sur notre faim : il manque une pièce du puzzle. Une pièce capitale. Les experts n'ont pas réussi à restituer ce personnage dans sa vérité. Si sa malfaisance provient de son âme, ce n'est guère étonnant. Les âmes ne se laissent pas épingler et disséquer si facilement.

---

1. Pour une analyse approfondie de la méchanceté, des esprits malins et de la possession démoniaque, on pourra se reporter à mon ouvrage *Les Gens du mensonge*, J'ai lu, 1992.

Encore une fois, j'estime possible qu'un petit nombre d'hommes soient dotés, à leur naissance, d'une âme authentiquement malfaisante. C'est certes difficile à admettre, surtout pour un croyant. Si Dieu est le créateur des âmes, comment peut-il en créer d'intégralement mauvaises ? Je ne sais pas. Mais j'ai échafaudé une double hypothèse à ce sujet.

D'abord, nous devons remettre en question la toute-puissance de Dieu. Ici, je me sens en terrain sûr. Je sais qu'il est en général représenté comme tout-puissant dans la Bible ; et tous ceux qui ont reçu une éducation religieuse chrétienne, juive ou musulmane l'imaginent spontanément comme tel. Je suis d'accord avec les théologiens modernes pour penser que son énorme pouvoir est contrarié par de multiples facteurs, et notamment sa bonté. Einstein, théologien à sa manière, ne parlait pas du Dieu vengeur de Sodome et Gomorrhe le jour où il a dit : « Subtil est le Seigneur ».

Ensuite, et cette idée est sans doute plus spéculative, je pense que la création de l'âme – comme toute création – est *expérimentale*[1]. Les scientifiques ont pris l'habitude de voir leurs intuitions démenties par des expérimentations censées les valider. Nos propres entreprises quotidiennes échouent souvent, et nous acceptons l'idée que ces échecs nous en apprennent autant sur la vie que nos succès. Ils nous forcent à revoir notre copie.

Je ne cherche pas à démystifier la création divine. Si la création de l'âme est vraiment, à tous égards, une expérimentation divine, le mystère serait plutôt de comprendre pourquoi si peu de ces expérimentations échouent... Saint Paul a évoqué le « mystère de l'iniquité », ou si l'on préfère de la méchanceté humaine. Je considère pour ma part que la bonté humaine est beaucoup plus énigmatique. Il me semble que l'être humain moyen est plus honnête, voire héroïque, que le simple hasard, ou le calcul des probabilités, ne pourrait le laisser prévoir.

C'est parce qu'elle nous renvoie à notre part divine que j'ai choisi de faire mienne l'hypothèse audacieuse selon laquelle notre âme est une expérimentation de Dieu. J'ai déjà dit qu'il nous est

1. J'ai déjà abordé ces problèmes dans *Au Ciel comme sur Terre*, Robert Laffont, 1999.

donné, dans cette « vallée où se forgent les âmes », d'en être avec Lui, les co-créateurs. Mais je pense que nous sommes aussi co-expérimentateurs à parité avec lui. Cette expérimentation, qui renferme une charge dramatique considérable, continue sans doute longtemps après la disparition du corps. Mais jamais cette co-création de l'âme n'est aussi captivante que quand, parvenus au terme de notre vie terrestre, nous nous trouvons au seuil de la mort.

7

Apprendre à mourir

Dans le chapitre précédent, j'ai exposé les deux raisons pour lesquelles je réprouve l'euthanasie. L'une est d'ordre théologique et concerne le suicide en général : nous ne sommes pas les seuls responsables de notre vie. Dieu, qui nous a créés et guidés, est partie prenante dans cette décision. En tant que créature dotée de libre arbitre, nous avons le pouvoir de nous supprimer. Avons-nous le droit moral d'accomplir un tel acte ? C'est une autre affaire. En décidant de se suicider, on fixe l'heure de sa mort sans tenir compte de Celui qui donne la vie. C'est un déni de Dieu et de sa relation à l'âme humaine.

L'autre motif de mon désaccord, d'ordre psychologique et théologique, renvoie à ma définition spécifique de l'euthanasie. Nous avons beaucoup à apprendre du processus de la mort naturelle. Se supprimer pour éviter la souffrance liée au vieillissement et à la mort revient à se priver de cet apprentissage, à se voler soi-même. C'est aussi spolier Dieu qui nous a donné cette possibilité. Le présent chapitre se propose d'approfondir ces questions.

Face à la mort : les différentes étapes

Elisabeth Kübler-Ross est la première scientifique à avoir recueilli les témoignages de mourants sur leur rapport à la mort. Elle relate son expérience dans un ouvrage essentiel, *Vivre avec la mort et les mourants*[1]. Elle y énumère la série d'étapes émotionnelles par lesquelles passent les malades en apprenant qu'ils souffrent d'un mal incurable : déni, colère, marchandage, dépression, acceptation.

Au début, les patients nient la terrible réalité : « Le labo s'est sûrement trompé de dossier. Ce n'est pas de moi qu'il s'agit. Ça ne peut pas m'arriver à moi. » Mais cette tactique tourne vite court. Alors, ils se mettent en colère. Contre les médecins, les infirmières, l'hôpital, leurs parents, Dieu. Constatant l'inutilité de cette colère, il se mettent à marchander : « Peut-être que si je retourne à l'église, que je recommence à prier, que je suis plus gentil avec mes proches, je guérirai de mon cancer. » Mais ce marchandage ne donne pas plus de résultat et ils commencent à comprendre qu'ils vont vraiment mourir. Vient alors le moment de la dépression.

Si le mourant ne se laisse pas aller et qu'il effectue ce que certains psychothérapeutes appellent le « travail de deuil », il pourra voir le bout du tunnel. C'est la cinquième étape : l'acceptation.

On a critiqué le caractère rigide de ce classement – c'est toujours le cas pour les ouvrages innovants. Les critiques ont souligné le fait que des mourants pouvaient fort bien sauter certaines étapes. « Parfois ils tournent en rond et répètent une ou plusieurs étapes. On observe aussi des régressions. Certains patients vivent plusieurs états simultanément et non successivement. » Ces critiques sont pertinentes : il faut donc se garder de toute systématisation. Cette analyse reste toutefois aussi solide qu'utile.

Kübler-Ross décrit la cinquième étape, l'acceptation, comme un état de sérénité imperturbable, de rayonnement spirituel. C'est presque une litote. En tant que psychiatre, j'ai eu la chance de suivre plusieurs patients parvenus au stade de l'acceptation. Formidable expérience. J'ai aussi eu l'occasion de rencontrer deux mourants, qui n'étaient pas mes patients ; chez eux, à l'occasion de dîners. L'un d'eux, âgé d'environ soixante-dix ans, avait contracté un cancer de la vessie pour lequel il avait été traité par chimiothérapie – sans succès. Il était très maigre, cachectique. Il était aussi

1. Le Livre de Poche, 1999.

complètement sourd, mais lisait sur les lèvres. Atteint d'une mycose de l'œsophage, il ne pouvait plus avaler d'aliments solides. Pendant que les autres convives mangeaient, il buvait à petites gorgées une mixture bien peu engageante. Ce dîner a été sa dernière rencontre avec ses amis et il est mort trois semaines plus tard, entouré des siens.

L'autre homme, âgé d'à peine plus de quarante ans, souffrait depuis plus de dix ans de sclérose amyotrophique latérale. Le soir du dîner, il était complètement paralysé, à l'exception de la tête. Assis dans un fauteuil roulant, incontinent, il était nourri à la cuiller. Il était soigné vingt-quatre heures sur vingt-quatre par des membres de sa communauté religieuse. Il devait mourir six mois plus tard. Je savais à quel point ces deux hommes étaient atteints et je redoutais évidemment ces deux dîners. Mais j'avais tort. Malgré leurs personnalités très différentes, mes expériences avec ces deux êtres ont été étonnamment similaires. Tous deux, dès le début de la soirée, m'ont spontanément décrit leur état. Ils ont évoqué en détail la maladie et leur mort prochaine. Ils essayaient évidemment de me mettre à l'aise. Ils y sont parvenus. Je n'ai jamais vu d'êtres aussi vifs, aussi conscients de ce qui leur arrivait, aussi *présents*. Il rayonnaient littéralement tous les deux. Ils étaient traversés d'une lumière qui semblait envelopper tous les invités. Ces deux dîners m'ont fait l'effet de célébrations sereines, presque enjouées, et m'ont laissé un souvenir incomparable.

L'étape finale, celle de l'acceptation, tout à fait réelle et magnifique à observer, ne concerne qu'un petit nombre de mourants. La plupart meurent sans avoir dépassé les étapes précédentes : déni, colère, marchandage, dépression. Cette dépression est si douloureuse qu'ils ne savent pas qu'ils peuvent la dépasser, si bien qu'ils ont tendance à régresser aux stades antérieurs – surtout le déni. J'ai la nette impression, sans la moindre statistique à l'appui, que la majorité des êtres meurent en niant leur propre mort.

Pourquoi ? Comment un adulte intelligent, dûment informé d'un pronostic mortel et qui voit son état se détériorer de plus en plus malgré les meilleurs traitements médicaux peut-il nier qu'il se meurt ? Ce refus a évidemment quelque chose d'absurde, de délirant presque. C'est pourtant le comportement le plus courant. Si l'on veut comprendre pourquoi c'est la norme et non l'exception, on ne doit surestimer ni la puissance du déni, ni la terreur de la mort.

La puissance du déni traduit simplement la force de la volonté humaine. Notre libre arbitre nous laisse le choix de soumettre notre volonté à une instance supérieure – qu'on l'appelle Dieu, amour, vérité ou même réalité. Mais si notre volonté ne se soumet pas, nous sommes libres de penser et de croire ce que nous *voulons*. Tant pis pour les faits. Il est d'ailleurs plus facile de nier la réalité que de s'y soumettre. Plus facile mais moins juste.

Nous ne voulons pas mourir. Comme je l'ai expliqué plus haut, la volonté de vivre est inscrite au plus profond de notre corps et de notre esprit. Nous ne connaissons que la vie, et la mort ne peut être qu'une perspective terrifiante. Et même si nous croyons en une vie après la mort, nous redoutons le néant, ou pire encore.

En explorant ma propre terreur de mourir, j'ai découvert une hantise étrange, plus effrayante encore que la perspective de disparaître. C'est la possibilité d'exister dans de redoutables « limbes ». Dans ce fantasme, je continue de vivre après ma mort, je suis conscient, mais je me trouve dans un « endroit » bien précis : au beau milieu de nulle part, au cœur d'un vide absolu. Un peu comme un cosmonaute accidentellement détaché de son vaisseau spatial qui partirait à la dérive dans la nuit de l'espace intersidéral. Condamné à une solitude absolue et éternelle en quelque sorte. Ce cauchemar soulève évidemment bien des questions rationnelles... Mais il est d'abord terrifiant, et beaucoup d'êtres parfaitement rationnels m'ont révélé partager la même terreur.

Notre angoisse du néant est si grande qu'Ernest Becker, dans son ouvrage *Le Déni de la mort*[1], fait dériver l'essentiel de la méchanceté humaine d'un refus de la mortalité. Becker ne fait pas allusion comme nous à ceux qui souffrent d'une maladie au stade terminal, il parle d'êtres en bonne santé. Si sa thèse est juste, si le déni de la mort est la cause psychologique de la méchanceté

1. *The Denial of Death*, New York, Free Press, 1973.

humaine, qu'on imagine alors la pression qui s'exerce sur un mourant pour nier la maladie dont il est en train de mourir !

Mais quelle que soit cette pression, si compréhensible et si normal le déni de la mortalité, il est nuisible. Un ouvrage a su démontrer cette vérité comme peu d'autres. Il s'agit du livre de L. Schreiber, *Milieu de la vie : histoire de la mort d'une mère et de la renaissance d'une fille*[1]. On peut le lire comme une étude de cas, celui d'un déni de mortalité. C'est peut-être parce que l'auteur (c'est une femme) n'a pas cherché à séduire son lecteur qu'elle est si captivante. Elle se contente de raconter les circonstances de la mort de sa mère et la part qu'elle y a prise.

Sa mère, vers l'âge de soixante-dix ans, contracte un cancer du pancréas. Elle survit environ un an après le diagnostic, sans doute grâce à une radiothérapie. Elle décède des métastases de sa tumeur primitive. On constate une fois de plus les carences du personnel médical tant dans le traitement de sa douleur physique que de ses souffrances morales. Mais ce qui rend la lecture de ce récit particulièrement navrante c'est le déni persistant qu'oppose la patiente à sa mort imminente... jusqu'au moment de son décès.

Un des aspects les plus réussis du livre est le portrait de la mère sous l'angle de la foi. Catholique pratiquante, celle-ci s'est impliquée depuis toujours dans les activités de sa paroisse. Sa fille est une athée invétérée. On voit, à un moment, la fille et la mère assister à une messe pour la guérison de celle-ci, et prier ensemble. On pense, au mieux, à un comportement typique de marchandage. Le catholicisme de l'une n'apporte aucun réconfort à l'autre. J'ai retiré de cette lecture la nette impression que, chez la mère, la religiosité était plutôt le fruit de son éducation qu'une foi authentique et qu'elle était au fond, comme c'est si souvent le cas, aussi athée que sa fille. Elles évitent d'ailleurs toujours d'évoquer la question de Dieu, visiblement accessoire dans leur vie.

L'auteur essaie avec délicatesse de comprendre les raisons du déni de sa mère, mais celle-ci reste fermée comme une huître. Attitude typique de tant de mourants. Arc-boutés sur leur déni, ils se

1. *Midstream : The Story of a Mother's Death and a Daughter's Renewal*, New York, Viking Penguin, 1990.

dérobent à toute question, à toute discussion. Insister est alors cruel et inutile. La meilleure attitude consiste à donner aux patients un maximum d'occasions de parler de leur mort, à être disponible à une discussion sur ce sujet, sans la solliciter. À défaut, on doit se montrer respectueux de l'attitude de déni, quoi qu'il en coûte.

Ce sont souvent les parents et les médecins qui se réfugient dans le déni et esquivent toute discussion sur la mort. Le livre de L. Schreiber est éloquent à ce sujet. Elle montre que le déni est aussi acharné chez son père que chez sa mère. Quand les proches refusent de parler de la mort, de la reconnaître, ils encouragent le patient dans son déni, le plaçant dans une position d'isolement telle que, même s'il voulait exprimer ses sentiments les plus profonds, il ne le pourrait pas.

Le déni empêche donc toute communication réelle. Le frère de Mme Schreiber, médecin, sait dès le début que sa mère va mourir mais, sous le prétexte des contraintes de son travail – il habite une autre région – il garde ses distances. Même durant ses nombreux coups de téléphone il s'abrite derrière le jargon médical et n'exprime jamais de sentiments personnels. Tant et si bien que l'auteur, une année durant, ne peut parler de son épreuve à personne. Je suppose que c'est la raison pour laquelle elle a finalement écrit ce livre.

À la fin du chapitre III, à propos de la souffrance morale, j'ai brièvement évoqué la souffrance rédemptrice. J'ai mentionné différentes « morts heureuses » et ce qu'elles ont en commun. Le plus frappant, c'est que le mourant ne nie pas et qu'il parle librement de sa mort à ses amis et à sa famille. Il leur fait des adieux aimants. Souvent, vers la fin, parents et enfants se réconcilient. La famille tout entière est plus unie que jamais. Ceux qui m'ont décrit ces moments disent que c'est une chance unique de pouvoir les vivre. Ce n'est pas du tout une expérience effrayante, au contraire ; elle est rédemptrice et heureuse.

Pour Mme Schreiber, accompagner sa mère dans son agonie n'a pas été une expérience heureuse, parce que les membres de sa famille sont restés incapables de parler de l'essentiel. Malgré l'optimisme du terme « renaissance » qu'elle emploie dans son titre, je tiens son livre pour profondément triste. Je n'ai absolument rien trouvé de rédempteur dans l'agonie et la mort de cette mère, pas le moindre signe que cette mourante ait appris quoi que ce soit d'important durant la dernière année de sa vie. On n'a pas le sentiment que son âme ait mûri ou se soit épanouie.

Le déni bloque le processus d'apprentissage. On ne peut rien apprendre de sa mort si l'on n'est pas capable d'affronter le fait que l'on va mourir. La mort de cette femme a été naturelle, mais elle n'a pas été une mort heureuse.

Les étapes de Kübler-Ross et l'apprentissage

Le Dr Kübler-Ross ne s'en est sans doute pas aperçue à l'époque où elle a écrit *Vivre avec la mort et les mourants*, mais les étapes qu'elle décrit sont celles que nous franchissons chaque fois que nous accomplissons un progrès psycho-spirituel important. Imaginons par exemple que j'ai un gros défaut et que mes amis se mettent à me critiquer. Je commencerai par réagir négativement : « Il a dû se lever du pied gauche ce matin », ou bien : « Il doit avoir des problèmes avec sa femme en ce moment », bref : « Tout ça n'a rien à voir avec moi. » *Déni.*

Si mes amis persévèrent dans leurs critiques, je me dirai : « Qu'est-ce qui leur donne le droit de fourrer leur nez dans mes affaires ? Ils n'ont pas la moindre idée de ce qu'est ma vie ! Qu'ils se mêlent de ce qui les regarde. » *Colère.*

S'ils m'aiment assez pour continuer à me critiquer, alors je commencerai à penser : « Il faut vraiment que je pense à les féliciter du fier service qu'ils m'ont rendu. » Tapes affectueuses dans le dos, bonnes paroles – dans l'espoir secret que ces simagrées les feront taire. *Marchandage.*

Mais s'ils m'aiment vraiment assez pour persévérer dans leurs critiques, alors peut-être en arriverai-je à me dire : « Et s'ils ont raison ? Si quelque chose cloche dans mon comportement ? » Si je réponds par l'affirmative, la *dépression* menace. Mais si je tiens bon et que je cherche à comprendre ce qui ne va pas, si je m'analyse et que je découvre le hic, alors je pourrai remédier à ce travers et m'en débarrasser. J'aurai accompli le travail de deuil et je sortirai de cette épreuve régénéré, bonifié. On a reconnu le stade de l'*acceptation.*

Rien de tout cela n'est vraiment nouveau. J'aime particulièrement citer une phrase de Sénèque qui disait, il y a deux mille ans : « Toute la vie, on doit sans relâche apprendre comment vivre, et, cela vous étonnera encore plus, chers amis, on doit sans relâche apprendre comment mourir. » Bien sûr, nous avons le choix de ne rien apprendre sur l'art de vivre et de mourir. Mais si nous choisissons la voie de l'apprentissage, si nous acceptons d'être les cocréateurs de notre âme, nous passerons sans cesse par de petites morts. Dans *Le Chemin le moins fréquenté* et dans d'autres ouvrages, j'ai raconté comment, à l'âge de trente-neuf ans, je suis passé par toutes ces étapes en une seule soirée.

Un jour, j'ai décidé de consacrer une partie de mon temps libre à construire une relation plus heureuse et plus forte avec ma fille de quatorze ans. Depuis des semaines, elle me tannait pour que je joue aux échecs avec elle, je lui ai donc proposé une partie. Elle a accepté, ravie, et une partie très palpitante s'est engagée. Mais c'était un jour de semaine, elle devait se lever à six heures le lendemain matin et vers neuf heures du soir elle m'a demandé si je pouvais accélérer un peu le mouvement pour qu'elle ne se couche pas trop tard. Je savais qu'elle était très stricte pour tout ce qui touchait à son sommeil et il me semblait qu'elle aurait dû s'assouplir un peu. Je lui ai lancé :

— Pour une fois, tu pourrais te coucher un peu plus tard... À quoi bon commencer une partie si on ne la finit pas ? On s'amuse bien, non ?

Nous avons continué à jouer environ un quart d'heure. Elle était visiblement déstabilisée. Finalement, elle m'a supplié :

— S'il te plaît, papa, joue plus vite !

— Non, bon sang ! les échecs sont un jeu sérieux. Pour bien jouer, il faut jouer lentement. Sinon, autant ne pas jouer du tout.

Après dix minutes supplémentaires de jeu, ma fille complètement démoralisée a fini par éclater en sanglots, criant qu'elle abandonnait et elle a couru dans sa chambre.

J'ai commencé par *nier* la réalité. Tout ça n'était pas bien grave. Un accès de susceptibilité typiquement adolescent... Peut-être avait-elle ses règles... Je n'avais rien fait de mal. Mais cette tentative de dénégation a échoué. La soirée avait mal tourné et l'incompréhension n'avait fait que s'aggraver, à l'inverse de ce que j'espérais. Et je me suis mis en *colère*, accusant ma fille de cet échec. Elle était si rigide ! Elle pouvait bien me sacrifier une heure de son précieux sommeil ! Tout était de sa faute. Mais ma colère a vite tourné court. Après tout, je suis aussi rigide qu'elle en ce qui concerne le sommeil. J'ai failli monter au premier et frapper à sa porte pour m'excuser : « Je suis désolé, chérie. Pardonne-moi ma rigidité. Dors bien. » Mais ç'aurait été un piètre *marchandage*. C'était bien moi le responsable de ce gâchis. J'avais décidé que cette soirée serait consacrée à ma fille et une heure et demie plus tard elle s'était enfuie en sanglotant, outrée par mon attitude. J'étais accablé (*dépression*) par mon manque de tact. Finalement, je suis venu à bout de cet accablement après avoir reconnu que j'avais gâché la soirée. J'avais donné libre cours à mon désir de gagner, qui l'avait emporté sur ma volonté de resserrer mes liens avec ma fille.

Quelle mouche m'avait donc piqué ? Je commençais à réaliser qu'il fallait modérer cette manie de la compétition chez moi. Elle avait certes été utile dans ma vie et, sans elle, ma situation ne serait évidemment pas ce qu'elle est. Oui, mais comment jouer aux échecs sans avoir envie de gagner ? Toute entreprise, quelle qu'elle soit, réclame un minimum d'enthousiasme – et de sérieux. Tout cela est vrai. Pourtant mon goût de la compétition et mon intransigeance induisaient une rigidité de comportement qui mettait en péril mes rapports avec mes enfants.

Depuis, j'ai renoncé à gagner dans les jeux de société et cette dépression n'est plus qu'un mauvais souvenir. J'ai utilisé mon désir de devenir un meilleur père pour réfréner ma soif de vaincre. Elle ne me manque pas du tout.

L'hypothèse de E. Kübler-Ross s'applique donc aussi à la vie quotidienne. Comme je l'ai expliqué, ces étapes psychologiques ne sont pas toujours successives. Chez moi par exemple, la dépression brûle souvent la politesse aux stades préliminaires du déni, de la colère et du marchandage. Voici une autre anecdote qui illustre cette tendance.

Il y a vingt ans, je pilotais, avec un confrère, une thérapie de groupe. Ce groupe comprenait une dizaine de patients et les séances étaient hebdomadaires. Un jour, à peine un quart d'heure après le début de la séance, je suis envahi par un sentiment de dépression si violent que je deviens incapable de me concentrer et de dire un seul mot. Au bout d'un certain temps, un patient me prend à partie :

— Docteur Peck, qu'est-ce qui ne va pas ? Vous restez muet... c'est comme si vous n'étiez pas là !

Je bredouille quelques excuses :

— C'est vrai... je ne me sens pas bien ce soir... Je ne sais absolument pas pourquoi. Je suis ailleurs. Désolé. Il va falloir que vous avanciez sans moi.

Je suis physiquement présent dans la pièce, mais émotionnellement, je ne suis plus là. Deux heures passent, le groupe continue son travail. Heureusement qu'il y a un second thérapeute pour écouter les patients ! À la fin, mon confrère me demande s'il peut faire quelque chose pour moi. « Non merci, je pense que je vais trouver la clé de l'énigme d'ici demain matin. Sinon, je vous passerai un coup de fil. » Ce n'est qu'en m'installant au volant de ma voiture que je redeviens capable de sortir de ma confusion. Je sais que mes dépressions découlent souvent d'une fureur impuissante. Je me demande ce qui s'est produit au cours de la séance pour susciter une telle agressivité en moi. La réponse vient aussitôt. C'est Bianca, elle m'a exaspéré.

Bianca est une femme de trente-cinq ans que je « suis » à mon cabinet et en thérapie de groupe. Je la vois depuis un an. Au début, elle m'a fait penser à une petite fille de trois ans : toujours entre le rire et les larmes, elle provoque continuellement son entourage et se répand en reproches contre son mari. Mais depuis quelques mois, elle a fait de grands progrès et ressemble un peu plus à une femme de trente-cinq ans. Jusqu'à ce soir. Au début de la séance, Bianca recommence à récriminer contre son mari et donne le sentiment d'une brutale régression. Je lui en veux beaucoup.

Je sais pourtant qu'aux premiers stades de la thérapie ces

régressions sont courantes chez de tels patients. J'ai tout de suite compris que la violence de ma colère contre Bianca était totalement déplacée. Il n'était pas question de l'exprimer, je l'ai donc refoulée. J'ai eu raison de me taire, mais le résultat a été cet accès de dépression irrésistible.

En arrivant à la maison, j'ai l'impression de tenir le bon bout. Mais il faut creuser encore. Pour une raison que je ne comprends pas, une petite contrariété s'est muée en fureur explosive. Pourquoi ? La réponse arrive rapidement. Il y a des moments dans la vie d'un psychothérapeute où tous ses patients semblent progresser rapidement et il a tendance à se prendre pour le docteur miracle. Et il y a des périodes, au contraire, où la stagnation de ses patients lui fait sérieusement douter de ses talents thérapeutiques. J'étais en train de traverser une de ces périodes. Aucun de mes patients ne semblait progresser, sauf Bianca. Le mois précédent, je m'étais souvent consolé en me disant : « Eh bien, au moins, Bianca progresse à toute vitesse ! » Et voilà qu'elle s'ingéniait à me démontrer le contraire...

J'ai envisagé de renoncer à ma carrière de psychothérapeute, si la situation ne s'améliorait pas. Je savais en tout cas qu'un jugement sérieux sur mes capacités professionnelles ne pouvait se fonder sur un seul patient. J'avais été exaspéré par la défaillance d'une patiente, mais pourquoi cette impression d'abandon ? Ce n'était pas juste à l'égard de Bianca. Ni au mien. J'étais tombé dans un piège dont je devais me méfier à l'avenir. Bon gré mal gré, il allait falloir que je refrène mon besoin de gratifications. Quand je suis monté me coucher, ce soir-là, la dépression s'était dissipée. J'avais accompli le travail d'introspection qu'elle exigeait.

Si ce travail est accompli honnêtement, la dépression n'a aucune raison de perdurer. J'ai commencé la séance suivante en présentant des excuses au groupe pour ma défaillance de la semaine passée. J'ai expliqué sa cause et ce que j'en avais retiré. Je me suis excusé auprès de Bianca pour avoir fait d'elle l'otage de mon amour-propre. Elle a reconnu sa régression. Ses rechutes se faisaient de plus en plus rares. De fait, cet incident a marqué le début d'un progrès psycho-spirituel majeur pour elle. Quant aux autres patients, ils étaient plutôt heureux que leur psychothérapeute se révèle aussi faillible qu'eux, assez perspicace pour comprendre la genèse de sa dépression et assez courageux pour en confesser tous les détails. Ils me proclamèrent « modèle à imiter » et, les semaines suivantes, m'utilisèrent comme tel.

J'ai employé à plusieurs reprises une formule peu courante : le travail de deuil. En bref, il s'agit du travail de souffrance existentielle requis pour guérir d'une dépression. Comme c'est un travail psycho-spirituel et que personne n'aime souffrir, la plupart des êtres essaient de s'y soustraire. C'est le plus sûr moyen de ne rien apprendre et de ne pas guérir. Mais s'ils sont capables de se confronter réellement à cette dépression et à ses causes, ils la traverseront et ressortiront du tunnel plus heureux et sages que jamais.

Le travail de deuil est si crucial pour l'amélioration de l'individu, et, comme nous le verrons bientôt, de la société en général, qu'il mérite une discussion approfondie. Pour mieux comprendre ce travail, on peut le diviser en quatre phases successives.

La première consiste à admettre la dépression, à ne pas se voiler la face. Pas si simple. Le déni ne concerne pas seulement les mourants ; on peut être gravement déprimé et refuser de le reconnaître. Une grande partie des patients qui viennent consulter un psychiatre le font pour d'autres motifs : anxiété, insomnies, douleurs diffuses, libido défaillante, problèmes conjugaux ou familiaux, etc. La première tâche du psychiatre est alors de les aider à prendre conscience de leur dépression.

On peut aussi ne pas reconnaître qu'on est en proie à une dépression parce que celle-ci résulte de facteurs multiples, qu'elle s'est installée graduellement et reste plus ou moins latente. À l'été 1979, un prêtre, lecteur enthousiaste du *Chemin le moins fréquenté* est venu me rendre une visite de plusieurs jours. À son départ, il m'a dit ceci :

— J'ai de l'affection pour vous, Scott, et j'ai apprécié cette rencontre, mais vous êtes différent de ce que j'attendais. Après la lecture de votre livre, je pensais découvrir un homme gai et enjoué. En fait vous m'avez paru grave, presque déprimé.

— Je ne suis pas déprimé ; en tout cas, je n'en suis pas conscient. Tout va bien pour moi, ai-je répondu.

En fait, l'assertion de cet homme me semblait si saugrenue, si décalée qu'elle m'a frappé. Ce n'est que deux ans plus tard, quand mon livre était en passe de devenir un best-seller, que j'ai compris sa justesse. En repensant à cette visite, je me suis souvenu que je livrais une bataille acharnée pour que l'éditeur fasse réimprimer le livre, que la perspective de ma première conférence me terrorisait, et que mon mariage n'avait jamais été aussi mal en point.

Ma dépression de l'époque s'est dissipée grâce au succès du livre et de mes conférences, sans que j'aie fourni de véritable travail pour la dépasser. Comment accomplir ce travail si l'on n'est pas conscient de sa dépression ? Six ans plus tard a commencé une période de deux années durant laquelle j'ai été légèrement mais continûment déprimé – et conscient de l'être. Cette longue dépression est arrivée, comme c'est souvent le cas, aux abords de la cinquantaine. Une « crise de la maturité ». Elle était en partie liée à mes problèmes conjugaux. Il m'a fallu fournir un énorme travail de deuil avant d'en sortir. On peut régler certaines dépressions en quelques heures, comme je l'ai montré, mais on ne résout pas vingt-cinq années de problèmes conjugaux en une soirée.

Après la reconnaissance de la dépression, la seconde phase du travail consiste à se demander : Pourquoi suis-je déprimé ? La question est évidente, la réponse malaisée. Les affections virales, par exemple, induisent souvent un état plus ou moins dépressif. La mononucléose est un exemple bien connu, mais une simple grippe peut vous plomber le moral. J'en ai fait l'expérience des dizaines de fois... Je passe des heures à me demander d'où vient le cafard qui m'envahit avant de me rendre compte que j'ai un peu de fièvre, des courbatures et que c'est le fin mot de l'histoire : je ne suis pas vraiment déprimé, juste « mal fichu ».

Évidemment, quand on est aux prises avec une véritable dépression, c'est une autre paire de manches. Jour après jour, on s'interroge vainement. Si la dépression reste inexplicable, il est temps d'aller voir un psychothérapeute. Ce dernier n'assumera pas le travail de deuil à la place du patient, mais il l'assistera dans sa prise de conscience. Si son patient est honnête, le questionnement plein de tact du thérapeute lui révélera rapidement qu'il a de multiples raisons d'être déprimé.

Cela dit, un questionnement lucide sur soi peut très bien remplacer le recours à un expert chevronné, dont il faut rétribuer les services. Rappelez-vous ce que j'ai dit, un peu plus haut, sur la cause la plus fréquente de la dépression : c'est presque toujours une colère refoulée qui la provoque. Demandez-vous simplement : « Qu'est-ce qui me rend furieux ? » Dès que je me suis posé la question pendant la thérapie de groupe, j'ai compris que j'étais furieux contre Bianca. C'était une colère sans issue, parce que j'ai tout de suite compris que la faiblesse qu'elle trahissait était plus de mon côté que du sien.

Un avertissement, cependant : les dépressions sont souvent surdéterminées, c'est-à-dire qu'elles résultent d'une accumulation de causes. C'est le cas de mes dépressions légères : je m'aperçois, souvent en début d'après-midi, que je suis déprimé. En y repensant, je découvre qu'une série de facteurs est responsable de cet état. Chaque motif de contrariété est assez insignifiant, mais le dernier de la série est la proverbiale « goutte d'eau » qui m'abat pour le reste de la journée.

Une fois les causes de la colère éclaircies, vous connaissez les raisons de votre état. Commence alors la troisième phase du travail de deuil. Elle consiste à se demander : « Comment faire pour surmonter cette colère ? » Il arrive que cette phase n'exige aucun travail. Chez moi, quand la dépression n'est que la cristallisation d'une série de frustrations anodines, il suffit d'une bonne nuit de sommeil pour me remonter le moral. « Demain est un autre jour », comme le disait Scarlett O'Hara[1].

S'il s'agit d'une dépression plus grave, dormir, pour autant qu'on le puisse encore, n'est d'aucun secours. Ici, le travail de deuil est plus difficile, plus laborieux. Car, pour répondre à la question : « Comment faire pour me débarrasser de cette colère ? » je dois scruter mon comportement, identifier le trait de caractère qui m'a mis en difficulté et finalement renoncer à une part de moi-même.

---

1. L'héroïne d'*Autant en emporte le vent*, le célèbre roman de Margaret Mitchell. *(N.d.T.)*

À la suite de la partie d'échecs ratée avec ma fille, par exemple, j'ai compris que je devais renoncer à ma compétitivité excessive. De même, mon accès de fureur injustifié contre Bianca m'a appris que ni les progrès ni les régressions de mes patients ne devaient influencer mon amour-propre professionnel.

Ce qui rend cette phase du travail si ardue, c'est que nous résistons d'instinct à toute modification de notre personnalité. Une fois identifiée cette part de soi à laquelle il faudrait renoncer, la première réaction consiste à se dire : « Je ne peux pas, c'est au-dessus de mes forces. » Après tout, il n'y a qu'une manière de jouer aux échecs : pour gagner ! Et comment ne pas fonder son amour-propre professionnel sur ses succès professionnels ? Dans le chapitre III, j'évoque le sentiment qui accompagne toute dépression : on est enfermé, pris au piège, comme un fauve en cage. Mais j'ajoute que ce sont les dépressifs qui forgent eux-mêmes les barreaux de leur prison. À condition de le vouloir suffisamment, on peut renoncer à cette part de nous qui nous emprisonne. Ici, tout est affaire de volonté. Beaucoup de thérapeutes ont fait l'expérience de patients qui renonçaient au travail de deuil et à leurs services, préférant la dépression à l'abandon de cette part d'eux-mêmes, si accablante et destructrice soit-elle.

Le renoncement dont je parle ne concerne pas l'âme, mais seulement l'ego : l'excès de compétitivité ou d'amour-propre par exemple. La liste des défauts typiques de l'ego est illimitée : arrogance, rêves irréalistes, humour sarcastique, etc.

Une fois achevée cette troisième phase du travail de deuil, la quatrième et dernière phase consiste à sauter le pas, à supprimer, à extirper ce trait de caractère qui nous vampirise. Facile à dire. L'épreuve qui nous attend est plus que rude. C'est une opération chirurgicale à laquelle nous nous soumettons souvent à contrecœur.

C'est pourquoi le mot clé est « acceptation », celui que E. Kübler-Ross utilise pour qualifier la phase qui suit la dépression. Pour atteindre cet état de paix spirituelle nous devons avoir accompli le travail de deuil. E. Kübler-Ross évoque l'acceptation de la mort, problème par excellence sans issue : la mort reste à ce jour invaincue. Mais en approfondissant le sujet de l'euthanasie, nous serons amenés à approfondir une autre sorte de défaite de l'ego, cruciale dans le rapport à la mort : le renoncement au contrôle.

Attention : la capitulation de l'ego est douloureuse. J'ai parlé du laborieux travail de deuil. C'est en effet un « travail » aussi exténuant que celui d'un accouchement. La douleur, d'abord progressive, peut devenir cuisante aux derniers stades. Mais c'est le prix à payer pour une renaissance. De même, le travail de deuil est une initiation spirituelle, et c'est le prix à payer pour une deuxième vie de l'âme – presque une résurrection.

Je n'insisterai jamais assez sur l'importance de ces phases de deuil préalables pour désapprendre et réapprendre. Elles sont nécessaires pour les individus, les couples, les entreprises, et même les nations. Repensons par exemple au comportement des États-Unis durant la guerre du Vietnam. Quand l'opinion publique et les politiques ont commencé à réaliser que notre stratégie vietnamienne était vouée à l'échec, quelle a été la première réaction de la nation ? La *dénégation*. Rien ne clochait vraiment. Nous avions tout au plus besoin du renfort d'unités d'élite et de quelques millions de dollars de plus.

Puis, en 1966 et 1967, alors que les preuves du fiasco américain s'accumulaient, quelle a été la réaction du gouvernement ? La *colère*. Le sinistre décompte des pertes humaines a commencé. Ça a été le début de la torture, du napalm, des massacres de civils. Il y a eu My Lai [1]. Les bombardements à outrance. Pourtant, en 1969-1970, quand l'évidence de la débâcle est devenue incontournable, nous avons essayé de *marchander* notre retrait, maniant la carotte et le bâton pour forcer le Nord-Vietnam à s'asseoir à la table des négociations. Stratégie qui, elle aussi, a échoué.

Cette guerre désespérait beaucoup d'Américains de l'époque, mais le gouvernement a quand même réussi à convaincre une grande majorité que nous avions réussi notre départ. En réalité, ce départ s'est vite transformé en débandade. Nous avons été vaincus comme nous méritions de l'être. L'armée américaine – forte de plus

1. Le 11 mars 1968, cent vingt *GI* de la 11e brigade d'infanterie légère massacrent 500 paysans dans le village de My Lai. *(N.d.T.)*

d'un demi million d'hommes – a purement et simplement déguerpi. Mais le véritable échec est ailleurs : en tant que nation, nous n'avons pas su faire le *travail de deuil* et affronter notre culpabilité collective, si bien que nous n'avons jamais tiré les leçons de cet échec. Ce n'est qu'il y a peu, vingt-cinq ans après les faits, que l'Amérique, désormais plus humble dans sa diplomatie, a montré qu'elle avait apparemment réussi à faire le deuil partiel de son arrogance et de sa volonté de domination planétaire.

Pour ce qui est des couples et des familles, je crois que la plupart des mariages qui connaissent une réussite durable traversent les étapes qu'énumère E. Kübler-Ross. C'est vrai en ce qui concerne mon épouse Lily et moi-même. Pendant les cinq premières années, nous avons consacré beaucoup d'énergie à *nier* la pénible réalité de la fin de l'état amoureux. Un jour, cette dénégation est devenue inutile et nous avons passé une bonne part de la décennie suivante à nous accuser l'un l'autre de ne pas être le compagnon idéal. Le temps des reproches et de la *colère* était venu. Nous ne cessions de détailler nos défauts mutuels et de jouer aux redresseurs de torts. Je m'efforçais de rallier Lily à ma façon de penser, elle, de me convertir à la sienne. Sans succès. Ensuite a commencé une période de négociation active. Il s'agissait de fixer les limites et les règles qui devaient nous permettre de vivre paisiblement ensemble. Période de *marchandage* (« Si tu fais ci, je fais ça »), qui ne nous a apporté aucune satisfaction. Après vingt ans de ce régime, nous étions tous deux passablement *déprimés* sur le chapitre du mariage. Lily et moi doutions de parvenir à surmonter ces difficultés et même d'en être capables. Pourtant nous nous sommes accrochés, sans très bien savoir pourquoi, à ce mariage dépressif. Et les années suivantes, l'ambiance a peu à peu changé. Les travers de Lily ont commencé à m'amuser. J'ai lentement mesuré que chacun de ses défauts était le revers d'une qualité que j'admirais beaucoup et sur laquelle je m'appuyais. De même, Lily a compris que certains des travers qu'elle maudissait chez moi était la contrepartie assez naturelle de dons qu'elle-même ne possédait pas. Et nous avons progressivement découvert que nous nous complétions plutôt bien. Nous avons pris l'habitude de nous consulter l'un l'autre. Les anciens motifs de conflits et de colère devenaient à présent prétextes à célébration : celle d'une interdépendance harmonieusement vécue. Après trente ans de vie commune, notre mariage est devenu pour l'essentiel heureux et aujourd'hui, sept ans plus tard, nous vivons ensemble une retraite idyllique.

Autrement dit, quand un couple survit à vingt-cinq ans de vie commune c'est que les conjoints ont appris à s'*accepter* l'un l'autre. On apprend, laborieusement certes, mais on apprend.

Au cours des quinze dernières années, Lily et moi, avec tous les membres de la Fondation pour l'encouragement communautaire, avons enseigné à plus d'un millier de groupes différents du monde entier, comptant de dix à quatre cents membres, à vivre ensemble. Nous avons effectué ce travail dans des ateliers expérimentaux de deux à quatre jours. Le but principal de ces ateliers est d'enseigner aux groupes à effectuer le travail de deuil. Le moment clé de ce travail, celui où le groupe doit s'engager complètement, nous l'appelons le « vide ». Durant cette phase, les membres du groupe se vident de tout ce qui les entrave et les empêche de former une véritable communauté. Nous entendions souvent les participants s'exclamer : « Mon Dieu, ça n'a rien à voir avec ce que j'attendais... C'est tuant ! »

Un apprentissage essentiel ressemble toujours à une petite mort. Pour accueillir un nouveau savoir, il faut d'abord désapprendre l'ancien auquel nous sommes habitués, renoncer à une part de soi devenue obsolète. Cette démarche consistant à faire le vide ressemble à une annihilation et même à une plongée dans le néant. L'expérience peut être terrifiante, comme le montre l'exemple de la « renaissance » de Martin.

Martin était un homme d'une soixantaine d'années, à la physionomie triste et dure qui, grâce à un travail acharné, était devenu riche et célèbre. Durant une session de trois jours sur l'apprentissage du vide à laquelle il participait avec sa femme, alors que le groupe essayait d'approcher le concept de vide sous un angle encore purement intellectuel, Martin s'est soudain mis à trembler comme une feuille. Pendant quelques instants, j'ai cru qu'il était victime d'une attaque. Mais, comme dans une transe, il a commencé à gémir :

— J'ai peur... Je ne sais pas ce qui m'arrive... Tous ces

discours sur le vide... Je ne sais pas ce que ça signifie. J'ai l'impression que je vais mourir. Je suis paniqué.

Plusieurs participants ont essayé de le réconforter, sans trop savoir s'il s'agissait d'une attaque ou d'une crise d'angoisse.

— C'est affolant, continuait Martin dans une plainte à peine audible. Je ne sais pas ce que c'est que de ne rien faire... le vide... C'est ça le vide ? Arrêter de s'activer ? Je n'y arriverai jamais !

— Tu as parfaitement le droit de ne rien faire, Martin, lui a soufflé sa femme.

Martin a cessé de trembler. Nous l'avons soutenu pendant quelques minutes. Puis il nous a annoncé que sa peur du vide, sa terreur de la mort s'étaient évanouies. Et une heure plus tard il a commencé à rayonner d'une sérénité très douce. Il avait fait l'expérience d'une fracture intime et il l'avait surmontée. Il le savait. Il savait aussi que grâce à cette fracture il avait, à sa façon, aidé tout le groupe à progresser.

Pour former une véritable communauté, les membres d'un groupe doivent faire le vide et se purifier des pensées parasites : préjugés, anticipations de l'expérience commune, besoin d'étiqueter et de convertir autrui. Ils doivent écouter avant d'argumenter, refuser les recettes toutes faites, combattre leur passivité, leur volonté de domination, dompter leur manie du contrôle... La liste est interminable ! Ces travers sont universels. Les obstacles à une intégration harmonieuse dans le groupe peuvent être plus personnels comme dans le cas de Martin, archétype du bourreau de travail.

Dans les premières phases de purification intérieure, la dépression touche individuellement tous les membres du groupe – lequel, à un observateur extérieur, semble collectivement déprimé. Les formateurs ne peuvent qu'encourager le groupe à persévérer et à approfondir son travail de deuil. Cette expérience est d'ailleurs encore plus pénible pour eux que pour les participants. Plus le groupe progresse dans son travail de deuil, plus il plonge dans le vide, et plus l'impuissance devant les angoisses vertigineuses que vivent ses membres peut s'avérer accablante pour les formateurs.

Mais il n'est pas de chute sans vertige – ni de mort et de renaissance sans terribles angoisses. L'enjeu est d'envergure : au bout de ce trou noir, la résurrection ressemble beaucoup à l'acceptation dont parle E. Kübler-Ross. C'est un phénomène encore plus impressionnant à l'échelle d'un groupe, quand la tristesse se mue soudain en joie.

Il existe, en théologie, un terme très utile pour comprendre ce travail de deuil, du renoncement ou de l'abandon : la *kenosis* (faire le vide en soi). C'est un terme d'une grande force.

Dans le bon vieux temps, pas si agréable que cela, moines, moniales et croyants pratiquaient volontiers la mortification. Ce mot provient du latin *mors*, la mort. La mortification, c'est la « discipline de la mort au quotidien ». Elle s'accompagnait souvent d'excès (port du cilice, flagellation, etc.), mais son but premier, la kenosis, reste essentiel au maintien de notre vitalité individuelle et collective.

Le but de la kenosis n'est pas le vide pour le vide. Elle vise à rendre l'esprit, ou l'âme, réceptives à ce qui est neuf, à préserver leur faculté de vibrer à l'unisson du monde. Dans l'imagerie chrétienne, on rencontre souvent le symbole du bateau vide. Ce bateau symbolise chaque être humain : un ego allégé de tout fardeau inutile, pour accueillir l'Esprit et s'en emplir le plus possible. Il ne s'agit donc pas de contenir l'âme mais de la dilater.

Les mourants, une fois accomplis le travail de deuil, parviennent à l'acceptation. Les groupes qui réussissent à surmonter les affres du vide sont capables d'une véritable communion. L'initiation est saisissante et le résultat magnifique. Mais il y a un prix à payer pour cette révélation : la souffrance existentielle et les renoncements qu'elle implique sont énormes.

La kenosis de la mort

Le déni de la mort qu'on rencontre chez la plupart des gens va de pair avec un refus de vieillir. Je connais beaucoup de « vieux jeunes », sexa, voire septuagénaires qui se considèrent encore comme des quadra. Quant à moi, j'ai trouvé le truc pour accepter de vieillir : écrire sur le vieillissement [1].

1. Les problèmes du vieillissement et de la mort abordés dans ce chapitre forment le sujet de mon ouvrage le plus autobiographique, *La Quête des pierres*, Robert Laffont, 1998.

J'aurais aimé hériter de l'endurance de mon père qui, à quatre-vingts ans passés, enchaînait sans mollir ses dix-huit trous au golf. À soixante ans, je dois m'arrêter après neuf trous, malgré antalgiques et caddy...

Je ne suis plus un homme mûr, mais un vieillard. Mes dents qui se déchaussent une à une, mon dos qui se désagrège, mes yeux atteints d'un glaucome irréversible me le crient chaque jour. Collyres, séances de kiné, et gymnastique quotidienne n'y pourront rien changer. J'y consacre pourtant plus d'une heure, matin et soir. J'ai besoin de dormir plus longtemps qu'autrefois car mon sommeil n'est plus aussi réparateur. Ma vigueur décroît d'année en année. Les voyages m'épuisent. La concentration exige toujours plus d'efforts. J'écris plus lentement. Aucun médecin ne m'a diagnostiqué de maladie mortelle et pourtant, c'est évident, je suis en train de mourir à petit feu.

Toutefois, malgré le déclin de mon corps, je fais encore quelques progrès : j'écoute, me semble-t-il, mieux qu'avant. Finalement, je gagne peut-être au change, qui sait ?

Sur mes vieux jours, je deviens plus attentif aux publicités télé qui ciblent le troisième âge. Leurs sous-entendus sexuels éhontés m'irritent en général beaucoup. L'une d'elles, qui vante les effets d'un antalgique destinés aux arthritiques, montre une prétendue sexagénaire (âgée au plus de quarante-cinq ans) qui traverse à grandes enjambées un court de tennis en balançant joyeusement sa raquette. Et, en conclusion, une voix enthousiaste proclame : « Vivez sans limites ! »

L'idée que tout reste possible à tout âge est absurde. L'enjeu majeur de la vieillesse consiste précisément à accepter de se limiter de plus en plus. Résignation à l'inexorable ? Certes, mais aussi démarche volontaire, active. Chaque nouvelle limitation représente une perte, une petite mort. Ces pertes, involontaires, nous *mortifient*. Personne n'accepte les handicaps croissants de gaieté de cœur, pas plus que de vieillir et de mourir. Pour y parvenir nous devons effectuer un travail de deuil. La qualité de ce travail dépend entièrement de nous : nous avons le choix. La culture contemporaine, qui enseigne à fuir la douleur et nie la vieillesse et la mort, esquive volontiers ce choix et exhorte les êtres finis que nous sommes à « vivre sans limites ».

Je n'ai pas connu d'expérience plus pénible, dans ma carrière de psychiatre, que le placement d'office en maison de retraite. Il m'est arrivé plusieurs fois d'avoir à ordonner un placement d'office pour des patients âgés, assez fortunés, devenus incapables d'administrer leurs affaires, parfois complexes. En leur rendant visite à domicile, je les trouvais entourés de liasses de relevés bancaires, de factures impayées, de livres de compte incohérents. Ils avaient travaillé d'arrache-pied pour essayer de débrouiller cette pagaille et ils nageaient pathétiquement. Ils avaient les moyens d'engager comptables et conseils, ce qui leur aurait permis de se consacrer à leurs petits-enfants, de goûter la douceur d'un coucher de soleil, d'une promenade dans leur jardin... Mais ils ne voulaient pas perdre le contrôle. Tant et si bien qu'il a fallu le leur arracher. Ils ont été admis en maison de retraite, non parce que leur état physique nécessitait une prise en charge, mais parce qu'ils refusaient d'accepter leur déclin intellectuel. C'était atrocement triste.

J'estime qu'en ce qui me concerne les bénéfices de l'âge compensent à peu près les pertes. Celles-ci sont si nombreuses qu'elles pourraient remplir des livres entiers, et si énormes qu'elles sont incompréhensibles pour les jeunes. Nous devons mobiliser tous nos dons pour lutter contre elles : l'un d'eux est l'humour macabre. En voici une illustration, dans un registre un peu leste : « À quarante ans, j'aurais donné n'importe quoi pour une belle femme, à cinquante-cinq ans pour un bon repas, et aujourd'hui, à soixante-dix ans, je donnerais n'importe quoi pour une bonne digestion. »

Certaines des pertes liées au vieillissement peuvent nous apporter un vrai soulagement. Prenons l'exemple de la « belle femme ». Vers cinquante-cinq ans, j'ai connu une chute soudaine et spectaculaire de ma libido. En d'autres termes, mes érections étaient devenues brèves et vacillantes. Ce déclin de la vigueur sexuelle aurait fait courir nombre de mâles paniqués et honteux chez leur généraliste. Pas moi. Comme je voyageais beaucoup à l'époque et qu'il m'arrivait régulièrement d'être séduit par de jolies femmes, cette diminution de la testostérone m'a débarrassé d'un lourd fardeau. Je ne l'ai pas accepté tout de suite, certes, mais au bout du compte, j'ai vécu cet événement plutôt comme un soulagement que comme un fiasco.

La puissance sexuelle est un bon exemple, parce que avec la vieillesse c'est toujours de renoncement à la puissance qu'il s'agit – pour les hommes comme pour les femmes. La puissance, ce n'est pas simplement celle que nous exerçons sur autrui, celle des politiciens ou des chefs d'entreprise notamment, même si la perte de ce pouvoir-là peut être dévastatrice pour un ministre ou un P.-D.G. Non, par puissance, j'entends simplement le pouvoir de faire ce que l'on veut : faire l'amour, jouer au tennis, faire une promenade à vélo, conduire sa voiture, aller dîner en ville, parfois simplement se lever de son lit pour aller aux toilettes. Le pouvoir, c'est donc la liberté de choisir une liberté qui suppose un minimum de *contrôle*.

Je me suis réveillé ce matin, par exemple, avec le pouvoir (la vigueur physique) de travailler à ce livre, de prendre des notes dans mon cahier jaune et de savourer la vue de la campagne environnante par la fenêtre de mon bureau, quand je n'arrive plus à fixer mon attention. J'ai donc encore la liberté de faire ce que je préfère : écrire. J'exerce encore le contrôle sur cet aspect de ma vie. Mais si mon glaucome s'aggrave soudain et que je deviens totalement aveugle ? Je ne pourrais plus écrire sur mon cahier jaune. J'aurais perdu le contrôle de cette activité heureuse – et de beaucoup d'autres.

La vie rogne notre sentiment de toute-puissance, presque dès le départ. Rappelez-vous le chapitre III, où j'évoque un moment difficile de l'enfance : entre deux et trois ans, nous prenons douloureusement conscience que nous ne sommes pas les maîtres du monde. Malgré cette terrible humiliation, nous nous accrochons de notre mieux à cette illusion de toute-puissance, ou ce qui en reste. Et nous repartons à la conquête du monde. C'est vers quarante ans que nous avons le sentiment de tenir notre existence sous contrôle. Mais, avec les années, le travail de sape s'accélère jusqu'à prendre des allures de délabrement parfois brutal.

La vieillesse ne ressemble pourtant pas toujours à un supplice. Il y a cinq ans, alors que je commençais à penser à la retraite et à la perte de pouvoir qu'elle allait représenter, j'ai reçu un encouragement inattendu sous la forme d'un dessin humoristique du *New Yorker*. Il représentait un homme à peu près du même âge que moi, qui disait à sa femme au petit déjeuner : « Je lâche prise et c'est un sentiment merveilleux. » Et tout compte fait, plus j'avance en âge, plus mon sentiment dominant est le soulagement.

Je suis d'ailleurs plutôt privilégié. Lily, ma femme, est encore en bonne santé. Nous sommes encore là, l'un pour l'autre. Nous partageons les douleurs et les vicissitudes de l'existence. Depuis trente-sept ans que nous vivons ensemble, notre mariage ne s'est jamais aussi bien porté. Nous sommes riches, nous sommes entourés de collaborateurs compétents, de bons amis et nous parcourons le monde à notre guise. Nous bénéficions d'une vieillesse si agréable que je me souviens m'être exclamé, il y a peu : « C'est vraiment notre âge d'or ! »

J'ai donc eu de la chance, et je crois qu'il est important que le lecteur comprenne que cette bonne fortune colore sans doute mes jugements sur ce sujet. Pourtant, le délabrement continue. Il y a de plus en plus de jours où je voudrais écrire ou faire un parcours de golf, et où je dois me rendre chez le médecin. Et, à chaque voyage annuel en Europe, la provision de médicaments augmente. Nous multiplions ces voyages, précisément parce que nous savons que notre « âge d'or » ne durera plus très longtemps.

Quelle forme prendra le déclin de nos compétences et de notre liberté ? Nous savons seulement qu'il est inexorable et qu'il prendra peut-être une tournure brutale. Deviendrons-nous des légumes, comme Victoria devenue incapable de s'habiller seule après sa commotion cérébrale ? Deviendrons-nous incontinents ? Personne ne peut le prédire. Ce que je sais, en revanche, c'est que le jour où le délabrement s'achèvera, où tout choix nous sera retiré, ce jour-là n'est plus très loin.

Je me suis limité, jusqu'à maintenant, aux maladies et handicaps corporels. Mais le plus pénible est ailleurs. L'épreuve la plus dure à mesure que la vie avance a été de perdre mes illusions. Il m'a fallu en passer par un sévère travail du deuil, renoncer à mes héros, à mes rêves et mes idéaux les plus chers.

Ces illusions forment le viatique existentiel de tout être humain. Je me souviens d'un professeur, qui expliquait au jeune interne en psychiatrie de trente ans que j'étais : « Personne ne peut être mentalement sain ou émotionnellement mûr tant qu'il n'aura pas abandonné le fantasme de guérir ses parents. » Je me revois acquiesçant machinalement à l'époque, sûr d'avoir compris la portée de cette phrase, que je vérifiais dans ma pratique quotidienne. Mais il m'a fallu plus d'une dizaine d'années avant d'opérer ce deuil et de renoncer à guérir mes propres parents. Partiellement, en fait ; le renoncement n'étant devenu total qu'avec leur disparition.

Comme je l'ai dit, je vérifiais la portée de cet axiome psychiatrique dans ma pratique quotidienne de jeune psychiatre, mais j'ai aussi appris très tôt la vérité profonde de la célèbre plaisanterie de l'ampoule : Combien de psychiatres faut-il pour changer une ampoule ? Réponse : un seul, mais seulement si l'ampoule accepte de changer.

Plus sérieusement j'ai appris, peu à peu, la complexité du rapport médecin-patient. J'ai compris que même Jésus n'aurait pu guérir un homme qui ne le voulait pas. Mais je croyais encore pouvoir tirer d'affaire les plus motivés. Il suffisait de les aimer assez. Je sous-estimais les facteurs bio-physiologiques de leur pathologie, leur ambivalence, et je surestimais leur capacité et mes propres talents. J'ai vite été rappelé à plus de modestie. Non seulement aucun psychiatre n'enregistre cent pour cent de réussite, mais, en fait, aucun psychiatre ne guérit aucun patient. J'ai eu la chance de trouver avec certains la bonne longueur d'onde, ce qui leur a permis de se servir de leur moi comme catalyseur pour se guérir eux-mêmes... et de m'aider à me débarrasser définitivement de mon fantasme de toute-puissance.

La liste de toutes les illusions auxquelles j'ai dû renoncer est longue. Je voudrais en évoquer une des plus courantes, qui touche de près notre sujet : l'illusion de la guérison. Maggie Ross la démystifie avec force dans son livre *Pillars of Flame* [1], qui traite de la kenosis. La guérison ne signifie jamais que l'on redevient celui qu'on était avant de tomber malade. Le processus dont il

1. Harper and Row, San Francisco, 1988.

s'agit est tout autre. En voici un exemple éloquent : j'ai failli mourir d'une pneumonie très grave à l'âge de quarante-sept ans. Après dix-sept jours sous perfusion de trois différents antibiotiques, on m'a laissé finir ma convalescence chez moi. Six semaines plus tard, j'ai repris mes tournées de conférences. Mais je n'étais plus le même homme, ni physiquement ni mentalement. Je me suis rendu compte que j'avais failli mourir parce que je m'imposais une charge de travail surhumaine, avec chaque jour une conférence dans une nouvelle ville, les voyages en avion matin et soir, les décalages horaires, etc. Pour guérir, il m'a fallu accepter d'alléger sérieusement mon emploi du temps. Mais la pneumonie avait abîmé mes bronches : j'ai eu vers cette époque mes premières crises d'asthme et aujourd'hui, quand nous partons en Europe, dans la montagne de médicaments que nous emportons, les anti-asthmatiques figurent en bonne place. Je soigne encore une maladie dont je suis soi-disant guéri depuis plus de quinze ans !

Comme je le disais plus haut, vers l'âge de cinquante ans, j'ai traversé une crise de la maturité et j'ai effectué un « travail de deuil ». Un des livres qui m'ont soutenu durant cette période difficile fut un petit livre sur la crise de la cinquantaine dans lequel j'ai trouvé cette remarque stimulante :

« La crise de la maturité, c'est s'accrocher à l'illusion que dans deux semaines tout sera rentré dans l'ordre ». On y est : l'illusion de la guérison, le déni de la vieillesse.

Toutes ces illusions, toutes nos illusions peut-être, sont des illusions de puissance. De contrôle et de puissance. C'est-à-dire des illusions de l'ego : l'âme n'a que faire de puissance, au sens terrestre du terme. L'incontinence est souvent perçue comme la pire humiliation que doive endurer un malade. C'est la perte de contrôle finale, synonyme de déchéance et d'indignité. Mais qui est humilié, sinon l'ego ? L'âme ne se soucie guère de telles vétilles ni d'un sens de la dignité si superficiel. Immortelle et immatérielle, elle n'a que faire du corps, de ses vicissitudes et même de sa disparition.

Il est dans la nature de l'ego de s'accrocher au pouvoir, de poursuivre inlassablement l'illusion de la sécurité, de nier ses défaillances, de refuser les restrictions de l'âge. Mais alors, comment un être humain peut-il se purger de cette volonté de pouvoir ? Et pourquoi ? Comment et pourquoi en venons-nous à renoncer volontairement à la puissance ? Pourquoi choisissons-nous de nous débarrasser d'illusions chéries, de vaincre la dénégation pour accepter notre condition ?

Parce que l'ego peut faire preuve d'intelligence. On finit par se lasser de se cogner la tête contre un mur. Il arrive que nous soyons assez intelligent pour reconnaître que nos illusions nous tuent et qu'il faut y renoncer pour guérir. Nous pouvons prendre conscience que notre ego nous handicape et finalement réaliser, comme Jésus ou Bouddha, qu'il est notre pire ennemi.

C'est à ce stade, si nous y parvenons, que commence le voyage de la kenosis, « le moi qui se vide », de la purification, de la bagarre de l'ego contre lui-même. Certains ne s'y engagent qu'avec des réserves et progressent par à-coups. Rien de plus normal. C'est déjà presque un miracle que d'emprunter cette voie. Quelques-uns s'y aventurent avec enthousiasme et le sens de leur existence en est transfiguré.

Cette voie de la kenosis est aux antipodes du slogan « Vivre sans limites », axiome de la culture contemporaine. Prenons l'exemple du renoncement aux illusions. Un contemporain dirait spontanément : « Pauvre Pierre, il a perdu ses illusions ! » Alors que nous ferions mieux de penser : « Veinard, il a perdu ses illusions ! » Mais nous préférons le plaindre : « Maintenant, il voit les choses telles qu'elles sont, le pauvre ! »

Comme s'il valait mieux nier qu'on est en train de mourir d'une maladie mortelle et ajourner le moment des adieux. Comme s'il était préférable de penser qu'on peut encore gérer ses finances, alors qu'on est devenu incapable de faire une addition. Comme si une crise cardiaque, alors qu'on essaie de prouver une vigueur amoureuse évanouie, valait mieux que le renoncement, etc.

Mais à en juger d'après les ouvrages parus ces dernières années, une mutation culturelle a commencé. Depuis la publication du livre d'Elizabeth Kübler-Ross, *Vivre avec la mort et les mourants*, on a vu paraître de nombreux livres sur le même sujet : apprendre à mourir. Et ils ne cessent de s'améliorer.

Dans notre société, les maladies les plus redoutées sont sans doute le sida et le cancer parce que ceux qui en sont atteints assistent, impuissants, à la détérioration inexorable de leur corps. La plupart (pour peu qu'ils acceptent l'idée de mourir) préfèrent une mort soudaine, si soudaine qu'ils ne réalisent pas qu'ils meurent.

À l'inverse, j'ai entendu le Dr Kübler-Ross déclarer un jour qu'elle espérait vraiment mourir d'un cancer afin d'avoir le temps de réaliser ce qui lui arrivait et d'apprendre à mourir. Il me semble que l'apprentissage dont elle parlait est celui de la kenosis.

Mais ne nous y trompons pas : la kenosis n'est pas une voie naturelle ni aisée. Je suis presque sûr qu'en ce qui me concerne, sans mon système de croyances spirituelles, je serais incapable d'accepter la kenosis, d'admettre sans dénégation le dessaisissement de l'ego qu'exige la fin annoncée de la vie. La kenosis suppose de croire en Dieu. Un Dieu qui exige de moi le dépouillement de tous les simulacres de l'ego, avec qui j'entretiens une relation personnelle dans la prière. Auquel il peut aussi m'arriver de reprocher sa violence et sa possessivité. Croire en Lui, c'est croire en l'immortalité de l'âme. Une âme créée par Dieu, et qui en dernier ressort lui appartient. Une âme en laquelle réside mon seul vrai pouvoir, source unique de tout accomplissement et de toute guérison. Croire en elle, c'est savoir que tout acte méchant et stupide est le fait de l'ego et de ses mécanismes d'autopréservation. C'est savoir que son ego n'est qu'une enveloppe provisoire et nécessaire, pour celui qui a choisi de coopérer avec Dieu de son mieux – et qu'il est pardonné dès sa venue sur terre.

8

Euthanasie : un cas typique

De tous les textes sur l'euthanasie que j'ai eu l'occasion de lire, le plus passionnant, le plus éclairant dans sa concision est un long article d'Andrew Solomon paru dans le New Yorker en date du 22 mai 1995 (p. 54 à 69), intitulé « Une mort choisie ». L'auteur y relate le suicide de sa mère, décédée en 1991, des suites d'un cancer des ovaires. M. Solomon, son père et son frère, étaient présents le jour où Mme Solomon a bu la dose létale d'Immenoctal. Il s'agit donc d'un suicide assisté sans intervention directe des témoins. M. Solomon est un partisan convaincu de l'euthanasie et il laisse entendre que, dans certains cas, il considère le suicide « activement assisté » comme justifié.

M. Solomon a beaucoup à dire, non seulement sur ses sentiments personnels concernant le suicide de sa mère, mais aussi sur l'euthanasie et ses partisans. Cet article est à tous égards remarquable. Par ce dont il parle et, plus encore peut-être, par ce qu'il tait. Je vais maintenant évoquer ce cas particulier en détail en m'interrogeant sur les arguments qu'avance son auteur mais aussi sur les questions qu'il laisse de côté.

À en juger d'après un portrait de 1984 reproduit dans l'article, Mme Solomon était une femme splendide, d'une rare beauté. Adepte de l'euthanasie, elle avait fait part à sa famille de son désir de décider elle-même du moment de sa mort des années avant que se déclare un cancer du sein. L'article ne mentionne pas d'éventuelles discussions à ce sujet avec son mari et ses fils, avant ou après qu'on lui ait diagnostiqué un cancer[1].

A. Solomon présente sa mère comme « le centre de la famille », une famille aimante et très unie. Le mot « rationnel » revient souvent dans l'article et Mme Solomon était en effet une femme particulièrement rationnelle, très organisée, comme son mari et, sans doute, ses enfants. On a donc affaire à une famille de la bonne bourgeoisie cultivée où rationalité et organisation sont des maîtres mots – caractéristiques fréquentes des cas d'euthanasie.

Dès qu'elle a appris qu'elle était atteinte d'un cancer des ovaires, Mme Solomon a évoqué son désir de se faire euthanasier quand elle en serait au stade terminal. Elle a expliqué très clairement qu'elle n'avait pas l'intention de mettre fin à ses jours avant d'avoir épuisé toutes les ressources de la médecine et qu'elle voulait mourir entourée de ses fils et de son mari. Cette volonté de se suicider en présence de sa famille distingue radicalement l'euthanasie des autres formes de suicide.

Mme Solomon est restée fidèle à sa résolution. Deux ans à peine séparent le diagnostic du suicide. Elle a subi quatre chimiothérapies aux effets secondaires pénibles – chute de cheveux et allergies, entre autres. M. Solomon décrit ces traitements comme « humiliants, épouvantables ». Dans son article[2], il ne mentionne pas de douleurs particulièrement intenses. Sa mère a subi une opération, après sa première chimiothérapie, afin de vérifier les effets du traitement. Selon son fils, Mme Solomon, émaciée, n'était plus que l'ombre de la femme magnifique qu'elle avait été. Mais une ombre « illuminée, d'une beauté éthérée » ; et son « rayonnement » nous dit-il, à la fois « physique et... plus profond », transfigurait « son délabrement ». Cette description suggère que sa mère avait atteint le stade de l'acceptation.

C'est durant cette période que Mme Solomon a obtenu trois

1. A. Solomon est aussi l'auteur d'un roman sur la mort de sa mère, *A Stone Boat* (*Un bateau de pierre*), Plume Penguin, 1996.

2. Dans une lettre qu'il m'a adressée, M. Solomon explique que sa mère a enduré des souffrances physiques terribles, que les médecins n'ont pas su soulager adéquatement. Au moment de son suicide, elle ne souffrait plus. Il suppose pourtant que la peur d'une grande souffrance physique a sans doute été le motif principal de sa décision.

prescriptions d'Immenoctal de trois médecins différents, dont un psychiatre, au prétexte qu'elle souffrait d'insomnie. Compte tenu des somnifères beaucoup moins dangereux dont on dispose aujourd'hui, il est peu probable que ces médecins n'aient pas pressenti le rôle qu'on leur faisait jouer. Le psychiatre que Mme Solomon a été consulter s'est d'ailleurs montré très franc à cet égard. Elle a attendu plusieurs mois avant d'avaler ces comprimés, mais le sentiment de contrôle que leur détention lui procurait l'a apparemment beaucoup soulagée.

Autres caractéristiques typiques : Solomon n'insinue pas qu'il y ait beaucoup de médecins disposés à prescrire de l'Immenoctal, mais qu'un patient intelligent et déterminé trouve en général sans difficulté un médecin qui l'accepte. D'autre part, les patients qui ont opté pour l'euthanasie trouvent presque toujours un grand soutien psychologique dans le sentiment de contrôle et dans la liberté de choix que leur confère la possession d'une quantité mortelle de comprimés – même s'ils décèdent finalement de mort naturelle, sans avoir eu à les utiliser.

Mme Solomon espérait pouvoir reporter son suicide après l'anniversaire de son second fils, mais trois semaines auparavant, son gastro-entérologue lui avait suggéré de se faire opérer d'une importante tumeur intestinale afin d'éviter l'occlusion. Cette opération était purement palliative : elle devait prolonger sa vie de quelques semaines, guère plus. Si elle la repoussait, Mme Solomon risquait de ne pas pouvoir digérer ses comprimés. Elle a aussitôt appelé ses fils et leur a expliqué pourquoi le moment était venu.

Son mari et ses enfants l'ont minutieusement assistée dans l'exécution de son plan. Ils lui ont rappelé qu'elle devait avaler un anti-émétique afin de ne pas vomir, prendre un repas léger, qu'il lui ont servi, plaisantant même à ce sujet ; et ils lui ont finalement apporté le verre d'eau qui lui a servi à avaler les quarante comprimés d'Immenoctal. La fin est survenue rapidement. Durant sa dernière demi-heure de vie, elle a échangé avec ses proches les adieux les plus tendres avant de sombrer dans le coma. Cinq heures plus tard, sans avoir vomi, sans attaque ni aucune autre complication, son cœur et sa respiration se sont arrêtés. Une heure après, un médecin signait le certificat de décès certifiant que Mme Solomon était décédée d'un cancer des ovaires. C'était à tous points de vue « une mort choisie ».

Dans son article, M. Solomon s'étend longuement sur l'euthanasie en général et les organisations qui militent en sa faveur. Il n'y a pas lieu de reprendre son argumentation, à l'exception d'un passage où il souligne la préoccupation « obsessionnelle » des militants pro-euthanasie à distinguer entre le suicide « rationnel » et les autres formes de suicide. Pour être rationnel, un suicide doit être exempt de toute causalité pathologique, dépression ou troubles mentaux quels qu'ils soient. Prenant le contre-pied de ceux qui estiment que tout suicide est le fait d'un esprit dérangé, M. Solomon pense que certains suicides sont rationnels.

Et je suis d'accord avec lui. Le cas de sa mère illustre d'ailleurs parfaitement sa thèse. Elle jouissait apparemment d'un parfait équilibre mental et ne montrait pas le moindre symptôme de dépression vers la fin de sa vie. Elle avait accepté sa mort et, compte tenu des circonstances, la planification de son suicide a obéi à des motifs tout à fait rationnels.

L'auteur de l'article nous invite pourtant à la prudence. Il fait remarquer qu'il existe différents types de dépression, que toutes ne sont pas curables, et suggère qu'il est parfois difficile de distinguer entre une dépression et une réaction raisonnable à une pareille épreuve. Victoria, qui s'est délibérément laissée mourir de faim (voir chap. 4), était déprimée. Elle aussi était âgée, handicapée et son mariage ne l'avait pas rendue heureuse. Une psychothérapie lui aurait sans doute été bénéfique, mais elle a repoussé cette idée. Et, bien que déprimée, elle jouissait de toute sa raison.

M. Solomon souligne également que des partisans de l'euthanasie moins modérés que lui, comme le Docteur Kevorkian « estiment apparemment que "rationnel" égale "simple" ». Il conteste avec éloquence ce point de vue simpliste. Une décision rationnelle, écrit-il très justement, « est un processus lent, alambiqué, dont les voies sont... absolument individuelles. »

Mais ce qui donne à cet article sa valeur unique, c'est l'aveu qu'y fait l'auteur de son ambivalence. « Le fait est, écrit-il à juste titre, qu'un suicide reste un suicide : surdéterminé, triste, forcément délétère pour les proches. » L'auteur poursuit en expliquant que la mort de sa mère lui a laissé un sentiment de fuite en avant. Que son père, son frère et lui n'en avaient jamais reparlé, même indirectement. Et que leur comportement s'apparentait à une forme particulière de dénégation. Pourtant, à la fin de cet article, il confie son choix de s'euthanasier, au cas où il serait atteint d'une maladie au stade terminal ou menacé par la sénilité. « Ayant vu à l'œuvre la logique simple de l'euthanasie et le soulagement que procure le contrôle, je m'étonne que tant d'êtres choisissent de mourir autrement », écrit-il.

Je trouve remarquable que M. Solomon, après avoir si clairement noté les aspects négatifs de l'euthanasie, indique de façon si nette le scénario de sa propre mort. Mais cela ne me surprend pas.

L'un des plus grands défis psychospirituels de l'existence humaine est celui de l'ambivalence.

Le mot « valence » est couramment utilisé en chimie pour désigner la charge électrique d'une particule atomique ou subatomique. Un proton, par exemple, a une charge ou valence positive, et un électron une valence négative. Comme dans le cas d'aimants, des valences opposées s'attirent et ce phénomène joue un rôle crucial dans la liaison des atomes entre eux. Le préfixe « ambi » vient du latin *ambo*, qui signifie « deux ». On le retrouve dans « ambidextre », qui désigne une personne également habile de ses deux mains. Mais en psychologie, le concept d'ambivalence renvoie à des sentiments à la fois positifs et négatifs à propos d'un sujet donné : il dénote donc un conflit intérieur.

Il est normal d'éprouver des sentiments ambivalents dans toutes sortes de situations de la vie quotidienne, souvent insignifiantes. Par exemple, durant notre première année de mariage, l'achat d'un lave-vaisselle a constitué un âpre sujet de dispute entre Lily et moi. Tous nos collègues médecins en possédaient un, et il nous aurait sans doute été fort utile. Mais nous n'avions pas un sou à l'époque, une grande partie de nos revenus étant consacrée à payer ma psychanalyse et la crèche privée de nos deux enfants. Problème mineur, certes, mais révélateur de la précarité de notre situation financière et qui nous a tourmentés un certain temps.

Dans un registre plus grave, on est souvent très ambivalent

dans les sentiments qu'on éprouve pour ses proches. J'ai relaté les tensions qui nous ont opposé, Lily et moi pendant une vingtaine d'années. Les enfants éprouvent souvent des sentiments contradictoires, colère et reconnaissance mêlées, envers leurs parents. De la colère, parce qu'ils ne sont pas exactement conformes à leur souhaits, et de la reconnaissance pour tout l'amour qu'ils en reçoivent.

Je n'imagine pas situation génératrice de plus d'ambivalence que celle dans laquelle sa mère a placé Andrew Solomon. Lequel d'entre nous ne se sentirait pas déchiré si un membre de sa famille lui demandait d'assister à son suicide ?

Si l'ambivalence est normale, la façon dont nous la gérons peut être saine ou malsaine. Pour l'essentiel, l'ambivalence peut être considérée comme partie intégrante de la souffrance existentielle. Notre tendance naturelle devant l'ambivalence (que nous vivons comme un déchirement douloureux) consiste à fuir à toutes jambes. En privilégiant parfois une des composantes au dépens de l'autre, que nous réprimons. Résultat : une certitude manichéenne, simpliste, souvent destructrice qui n'a rien d'une « saine résolution ». Quand j'entends par exemple un adolescent me dire : « Je hais mon père, ce n'est qu'un minable », ou encore : « J'adore mon père, il représente tout pour moi, je ferais n'importe quoi pour lui », je soupçonne une ambivalence mal résolue. Et la conclusion catégorique de M. Solomon en faveur de l'euthanasie m'inspire un soupçon analogue.

On pourrait multiplier à l'infini les exemples de gens qui fuient pathologiquement leur ambivalence en optant pour l'une de ses composantes. Je veux seulement dire que la réponse la plus saine consiste en général à l'accepter – à vivre avec la souffrance existentielle qu'entraînent incertitude et sentiments conflictuels. Loin de moi l'idée que l'ambivalence ne peut ou ne doit jamais se résoudre. Ce que j'affirme, en revanche, c'est que la solution d'une profonde ambivalence suppose une longue et patiente confrontation, un travail psychospirituel considérable – et souvent aussi un travail de deuil.

Tout compte fait, j'ai le sentiment qu'Andrew Solomon s'en est assez bien tiré. Pourtant, une décision aussi grave, prise sur fond de sentiments ambivalents, est forcément génératrice de questions tant insolubles que douloureuses : on se demande, année après année si on a pris la bonne décision. Il y a une formule de M. Solomon que je trouve d'ailleurs atrocement juste dans son article : « L'euthanasie engendre l'euthanasie. » Assister, même passivement, une personne qui se suicide est un choix si terrible qu'il me semble inévitable qu'un être humain ne sente pas « surengagé » par un tel acte.

Si j'ai écrit ce livre, c'est notamment pour freiner la fuite en avant dans l'euthanasie dont je suis le témoin affligé. Car s'il est vrai que la bonté engendre la bonté, il n'est pas moins sûr que le péché engendre le péché.

Entendons-nous : je ne qualifie nullement l'acte de M. Solomon de péché. Si j'avais été à sa place, surtout compte tenu de la personnalité de sa mère, peut-être aurais-je été tenté de faire le même choix. Il n'en reste pas moins, comme je vais tenter de le montrer, que la situation était, au mieux, on ne peut plus ambiguë. En outre profondément ému à la lecture de son article, je me suis pris d'affection pour M. Solomon. Je suis donc d'autant plus triste que, confronté à son propre décès, il se sente prisonnier d'une vision aussi étroite.

L'aspect le plus remarquable du brillant article de M. Solomon ne réside pas dans les arguments qu'il développe mais dans ceux qu'il a omis. Il n'y est jamais question de Dieu ni de l'apprentissage de la mort.

L'absence de Dieu est criante, au moins pour un croyant. M. Solomon mentionne en passant l'existence d'un courant protestant progressiste qui soutiendrait l'euthanasie à laquelle s'oppose résolument l'Église catholique. Il explique que dans une « époque laïque », la notion de « valeur sacrée de la vie » peut être utilisée aussi bien pour défendre l'euthanasie que pour la combattre. Mais nulle part dans les quinze mille mots de son article ne figure le mot « Dieu ». Nous n'avons pas la moindre idée des convictions religieuses de l'auteur, de sa mère, ni du reste de sa famille. De cette omission, on peut sans doute déduire qu'il s'agit d'une famille athée, et que, pour ses membres, la notion de Dieu n'a rien à faire dans le débat sur l'euthanasie.

En évoquant ce débat, M. Solomon écrit : « Parler de l'euthanasie provoque parfois des réactions irrationnelles de ses partisans et de ses détracteurs, et ces réactions se concentrent sur une question à forte charge émotive : Qui a le “dernier mot” ? Le pouvoir de vie et de mort ? Le patient ? Les médecins ? L'État et la loi ? Toutes ces instances ? » M. Solomon n'envisage même pas que Dieu ait lui aussi son mot à dire. Il ne figure pas dans sa liste de décisionnaires. Peut-être le recours à Dieu dans une situation comme celle de sa mère s'apparente-t-il pour l'auteur à une « réaction irrationnelle » ?

Dans la conclusion de son article, l'auteur réaffirme, de façon assez biaisée, son rejet de Dieu :

« Pourquoi mourons-nous ? À cette question, source de toute religion, nous n'aurons jamais de réponse ; c'est pourquoi nous laissons aux philosophes le soin de la résoudre. Mais avec la question capitale : “Quand mourrai-je ?” l'homme découvre enfin l'étendue grisante du pouvoir qui lui est dévolu. »

Je me sens à la fois en accord et en désaccord avec cette formulation et ce qu'elle implique. D'accord avec l'idée que la religion naît de la question : « Pourquoi mourons-nous ? » Mais répondre que nous ne le saurons jamais revient à récuser purement et simplement toute religion. Nous ne comprendrons peut-être jamais tout à fait pourquoi nous mourons, n'empêche que la quête religieuse – au même titre que la science du vivant – peut nous apporter quelques révélations majeures non seulement sur la mort, mais sur la vie. Je ne comprends pas pourquoi, ayant qualifié ce problème de religieux, M. Solomon ne se réfère pas à des théologiens, des prêtres ou des rabbins, autant qu'à des philosophes, en général athées.

Je concède volontiers que l'auteur met le doigt sur la question essentielle dans la dernière phrase de son article : celle du pouvoir, de l'immense pouvoir de l'homme. Choisir l'heure de sa mort, opter pour l'euthanasie, est bien une question de pouvoir. Mais je me sens beaucoup moins à l'aise que l'auteur pour la trancher.

Le bilan des hommes qui exercent le pouvoir, dans quelque domaine que ce soit, n'est guère flatteur. Je ne plaide pas, comme je le montrerai clairement, en faveur d'une abdication totale du pouvoir des mourants, mais en faveur d'un partage de leur pouvoir, non seulement avec les médecins et la famille, mais aussi avec Dieu. Dans le chapitre 6, où je suggère que dans la mesure où nous ne sommes pas nos propre créateurs, nous n'avons peut-être pas le droit moral de nous supprimer, j'écris que le destin le plus humain serait de devenir co-créateurs avec Dieu de notre vie et de notre mort. Le laisser fixer l'heure de notre mort ne signifie pas s'en remettre totalement à Dieu, mais reconnaître qu'il a son mot à dire.

Ce problème de pouvoir nous ramène à l'autre importante question, totalement absente de l'article de M. Solomon : l'apprentissage de la mort. Je ne sais pas si sa mère a appris quoi que ce soit, si elle a progressé spirituellement pendant les vingt et un mois de son agonie. Il n'en dit pas un mot.

Qu'aurait-elle pu apprendre en une circonstance aussi tragique ? me demandera-t-on.

Peut-être ai-je mal lu le portrait que M. Solomon a dressé de sa mère. On croit comprendre que cette femme intelligente et organisée était athée. Quand elle a appris qu'elle était atteinte d'un cancer, elle a aussitôt annoncé qu'elle choisissait l'euthanasie. Son fils dit à ce sujet qu'elle semblait « scandalisée par l'indignité de l'épreuve qui l'attendait et l'angoisse profonde de perdre le contrôle de sa propre vie, [...] comme si elle réclamait vengeance pour l'offense que la nature lui infligeait ». On devait suivre ses consignes à la lettre. Elle a dessiné jusqu'à sa propre pierre tombale. D'ailleurs, juste avant d'avaler son cocktail létal, elle a observé devant ses proches : « J'ai presque toujours obtenu ce que je voulais. »

Je garde de Mme Solomon l'image d'une femme de pouvoir, habituée à diriger son monde – et à plus forte raison elle-même. Je me suis demandé si son fils s'était senti manipulé par elle... Il esquisse une réponse, quand il écrit : « On a tendance à tout accorder à ceux qui souffrent beaucoup. Il n'y avait pas d'autre réponse à la colère et au désespoir de ma mère après son opération que d'accepter toutes ses exigences. »

La soif de pouvoir est un phénomène courant, dans les relations de travail et dans la vie familiale. Elle est présente autour de nous, je la reconnais chez moi. Elle suppose une forte volonté, ce qui est plutôt une qualité en soi. Elle s'accompagne d'une volonté de contrôle, qui n'est pas mauvaise. Les hommes et femmes de pouvoir ont tendance à « surcontrôler ». Je projette peut-être mon propre caractère sur la mère de M. Solomon, mais je soupçonne celle-ci d'avoir exercé, de manière franche ou détournée, un contrôle abusif. Je le suis moi-même. Et la plus grande lutte que je mène, sur mes vieux jours, consiste à réfréner cette tendance chez moi. Plus je vieillis, plus la lutte est âpre. Il est évident que si je contracte une maladie mortelle, avec la panique et l'égocentrisme qu'une telle maladie entraîne inévitablement, la lutte deviendra acharnée.

Quels types de progrès spirituels Mme Solomon aurait-elle pu accomplir les derniers mois, les derniers jours de sa vie ? Elle aurait pu apprendre à renoncer à une part de son pouvoir, de sa volonté de contrôle. Pas tout le contrôle, ce serait stupide, voire défaitiste. Mais un peu. On dit que « Dieu est dans les détails ». Il est donc nécessaire d'examiner brièvement les détails de la fin de sa vie afin de comprendre si une autre voie était possible. Moi-même, m'y serais-je pris autrement, avec ma soif de contrôle – que contredit ma quête spirituelle ? Je ne sais pas.

On ne peut jamais se mettre complètement à la place d'autrui. Je n'exclus pas, si je dois un jour être confronté aux même épreuves, d'adopter le comportement de Mme Solomon. Ni d'accepter les soins palliatifs qu'elle a refusés pour m'offrir quelques semaines de sursis supplémentaires, même si je ne suis plus que l'ombre de celui qui écrit ce livre.

En y réfléchissant, je serais toutefois plus tenté, dans une situation similaire, par un moyen terme : je reconnaîtrai que les carottes sont cuites et je refuserai l'opération, comme Mme Solomon. Puis, je demanderai à ma famille de me ramener chez moi et de me faire soigner à domicile. Aussi longtemps que les infirmières pourront m'assurer une agonie sans douleur, je crois que je l'accepterai. Allongé sur mon lit, je me demanderai : « Mon Dieu, que me réserves-tu encore ? Sera-ce l'occlusion intestinale et mourrai-je lentement d'inanition ? Sera-ce quelque chose de plus inattendu ? On me maintient sous perfusions de solution saline et de morphine tant que je reste conscient... Je suis entre leurs mains. Combien de temps me reste-t-il, mon Dieu ? À toi de décider. Aide-moi à remettre mon sort entre tes mains ! Apprends-moi tout ce que je dois apprendre avant de mourir. Que dois-je encore apprendre ? Apprends-moi, apprends-moi. »

J'aimerais pouvoir faire mes adieux à mes proches, comme Mme Solomon, et leur donner tout le temps de me faire les leurs, le temps de se dire tout ce qu'on n'a pas su se dire, de se réconcilier, de se pardonner. Mais je ne leur ferai pas porter le fardeau d'avoir à m'assister dans la fixation de l'heure de ma mort. Cela, je le laisserai à la maladie et à Dieu, non sans prier : « Mon Dieu, le véritable pouvoir est tien. Enseigne-moi le renoncement au contrôle, à te rendre tout ce qui te revient, à lâcher prise. Merci pour le magnifique voyage que j'ai fait. Je ne sais quand il va prendre fin, mais merci. Que me reste-t-il encore à apprendre ? Montre-le-moi. »

Cela, c'est ce que j'imagine. Mais la terreur sera là et la réalité ne ressemblera peut-être pas à cette rêverie.

L'euthanasie comme dénégation

Il n'existe pas deux personnes totalement identiques, mais le suicide de la mère d'Andrew Solomon ressemble beaucoup à la plupart des cas d'euthanasie que je connais. Les similitudes sont même si frappantes que l'on peut tracer le profil type du candidat à l'euthanasie. Je parle d'un candidat, alors qu'en réalité, pour des raisons qui me restent obscures, dans la majorité des cas ce sont des femmes qui ont recours à l'euthanasie. Mon candidat à l'euthanasie s'appelle X. N'oublions pas qu'il s'agit d'une généralisation.

X est atteint d'une maladie mortelle. Il a sollicité et accepté les lourds désagréments des chimio et radiothérapies aussi longtemps qu'il avait une chance de guérir. Désormais, toute chance de guérison est exclue, l'échéance s'approche et il a opté en faveur de l'euthanasie, un choix qu'il estimait rationnel et parfaitement moral dès avant le diagnostic fatal.

X a une très forte personnalité. Il a traversé sa vie durant toutes sortes d'épreuves, triomphé de multiples obstacles et accumulé les succès. Malgré sa modestie, il accepte qu'on dise de lui qu'il a mérité cette réussite : il s'est fait tout seul. Il ne rejette pas complètement l'idée que Dieu existe, mais la préoccupation religieuse est toujours restée très secondaire dans sa vie.

Les derniers temps de sa maladie, X a traversé les phases émotionnelles typiques que j'ai décrites plus haut : dénégation, colère, marchandage, dépression et acceptation. Il est évidemment triste d'être parvenu au terme d'une vie si bien remplie, mais il n'est plus déprimé. Par moments, il rayonne même d'une lueur nouvelle. Il a clairement accepté de mourir.

La perspective de mourir l'effraie peut-être, mais il n'exprime pas son angoisse. Ce qu'il évoque, en revanche, c'est la rationalité de sa décision de se faire euthanasier. Tout de suite ! Il ne veut plus d'étrangers, ni infirmières ni médecins, à son chevet. Il a eu plus que sa part de tourments. Son heure est venue, il est prêt à partir et il a le droit de refuser tous les traitements qu'on voudrait encore lui infliger et de refuser d'assister à sa déchéance. Il reprend les choses en main. Il ne voit pas pourquoi il devrait subir un tel gâchis plus longtemps.

Les comprimés sont à portée de sa main. Il ne peut envisager de partir sans que sa famille soit prévenue et il cautionne la « bonne mort » de l'euthanasie, par opposition au suicide irrationnel. Mais en ce qui le concerne, il n'y a pas matière à discussion. Il ne lui vient apparemment pas à l'esprit que ses proches puissent ressentir une quelconque ambivalence à propos de sa décision. Il suppose, à juste titre, qu'ils respecteront cette ultime décision, qui ne concerne que lui. Il leur prodigue alors des adieux pleins de tendresse. Selon ses consignes, ils le regardent avaler une quantité impressionnante de comprimés, acceptent de lui enfiler un sac en plastique sur la tête, au cas où ceux-ci n'agiraient pas.

Ayant fait le choix d'avancer le moment de sa mort, X semble exempt de tout esprit de dénégation. Mais si c'est le cas, pourquoi a-t-il refusé une hospitalisation à domicile ? On l'a assuré qu'elle lui épargnerait toute douleur physique.

La réponse la plus radicale est, à mon sens, que personne n'a pu lui garantir que sa mort serait *émotionnellement* indolore.

Sans l'euthanasie, il aurait été obligé de regarder son corps se dégrader plus encore. Peut-être aurait-il dû endurer incontinence et confusion mentale ? Sans doute se serait-il senti de plus en plus impuissant, forcé de s'en remettre aux autres. Enfin il aurait dû abdiquer tout pouvoir, tout contrôle. Une agonie peut être assez sordide. Avec, toujours, cette incertitude sur le moment exact de la mort. Sans parler de la souffrance morale. Grâce à l'euthanasie, toute souffrance morale lui sera épargnée.

Cette souffrance, je la qualifie d'existentielle, puisqu'elle est inhérente au processus naturel de la mort qui conclut une longue maladie. Une telle mort fait partie de la vie. C'est un facteur de désorganisation, de dessaisissement inexorable devant lequel nous sommes impuissants.

Je me demande dans quelle mesure ceux qui optent pour l'euthanasie et insistent pour mourir « proprement », à l'heure qu'ils ont choisie en restant aux commandes de leur vie jusqu'au bout, ne font pas acte de déni en refusant à la mort qu'elle vienne à son heure. N'essaient-ils pas de vaincre la mort en la convoquant et en lui imposant leurs conditions, en refusant de se soumettre aux siennes – ou à celles de Dieu ? J'ai violemment critiqué les médecins qui choisissent l'acharnement thérapeutique et rationnent les antalgiques à des patients agonisants, dans le futile désir de vaincre la mort. Mais la réponse inverse, celle de l'euthanasie, où le mourant choisit d'anticiper le processus naturel, est-elle plus satisfaisante ?

Pourquoi n'aurait-on pas le droit de s'épargner quelques semaines de souffrance existentielle en orchestrant son décès ? De partir sans déchoir ? N'est-ce pas, en outre, une décision complètement rationnelle, compte tenu du coût exorbitant des soins palliatifs ?

Si on soulève l'argument du coût, alors disons-le tout net : l'euthanasie est plus coûteuse qu'il n'y paraît. Laissons de côté le sens de la vie qui invite à toujours apprendre. Si X (ou la mère d'Andrew Solomon) avait préféré le confort d'une hospitalisation à domicile à l'euthanasie, il aurait peut-être joui de deux à six semaines de sursis supplémentaire. Peut-être n'aurait-il rien appris durant ces quelques semaines. Peut-être aurait-il trouvé un moyen terme entre contrôle total et passivité complète, appris également à accepter l'assistance et les soins d'étrangers, à redevenir dépendant. Peut-être aurait-il entrevu le pouvoir paradoxal de l'impuissance et du vide intérieur et compris la superficialité de la dignité du corps et de l'ego, en comparaison de la dignité de l'âme. Peut-être aurait-il appris à se confier, et à force de souffrance existentielle, à prier, ne serait-ce qu'un peu, à dialoguer avec Dieu.

Peut-être l'acquisition de telles connaissances lui aurait-elle coûté quelques milliers de dollars... en pure perte, s'il n'avait rien appris. C'est un pari. Un pari sans intérêt d'un point de vue athée et rationnel. Mais du point de vue de l'âme, le choix d'une telle mort aurait pu être le choix le plus rentable de toute sa vie.

9

Le suicide assisté

L'enjeu du débat sur l'euthanasie dépasse de beaucoup le simple problème juridique. Il concerne la société tout entière. Les valeurs, les normes et les mœurs de celle-ci, ses évolutions aussi, se traduisent cependant par l'élaboration de lois. De plus, le processus complexe et minutieux qui aboutit au vote de celles-ci sert parfaitement ce type de débat de société.

Les données de base de ce problème ont été posées voilà plus de deux mille ans par le médecin grec Hippocrate. Depuis lors, les apprentis médecins prononcent rituellement le fameux serment d'Hippocrate qui leur impose deux obligations principales : prolonger la vie et soulager la souffrance. Deux obligations qui se contredisent parfois, comme nous l'avons montré dans les chapitres I et II. Cependant, une approche pondérée permet en général de les concilier. Là-dessus, la communauté médicale et l'immense majorité de nos concitoyens sont parvenus à un quasi-consensus. À la question : « Quand le devoir de soulager la souffrance l'emporte-t-il sur celui de prolonger la vie ? » l'arsenal technologique de la médecine moderne n'a pas contribué à simplifier la réponse. Ces dernières années, un nombre croissant de patients ont fait savoir qu'ils préféraient une agonie courte et indolore et qu'ils revendiquaient le droit de choisir. Beaucoup de médecins approuvent ce choix. Toutes les familles américaines connaissent le nom du Dr Kevorkian, dont les interventions ont été largement médiatisées. D'autres médecins ont choisi d'assister des patients qui souhaitaient une euthanasie tout en refusant ce type de publicité, plus adaptée au lancement d'une carrière politique qu'à une charité médicale bien entendue. Cela dit, je suppose que la plupart des médecins sont, comme moi, confrontés à de pénibles dilemmes. Et il faut distinguer entre le soulagement de la souffrance d'un patient en fin de vie, d'une part et, d'autre part, l'assistance apportée à un patient qui souhaite une mort indolore au moment qu'il a choisi.

En 1994, un juge fédéral a déclaré dans les attendus d'un jugement que la prohibition du suicide médicalement assisté était « partiellement inconstitutionnelle ». Ce jugement a été d'abord infirmé par une cour d'appel fédérale en 1995 qui s'est déjugée elle-même un an plus tard (le 6 mars 1996), statuant que des patients sains d'esprit atteints d'une maladie mortelle en stade terminal avaient le droit constitutionnel de déterminer l'heure et les modalités de leur mort. C'est maintenant à la Cour suprême des États-Unis qu'il revient d'arbitrer.

Mais le verdict de celle-ci ne mettra pas fin au problème. La justice est toujours en retard sur les débats de société et ses décisions sont souvent trop limitées pour pouvoir les éclairer. De plus, la jurisprudence évolue sans cesse. Si les lois jouent à l'évidence un rôle majeur dans la définition de la société, celle-ci joue un rôle encore plus décisif dans l'élaboration des lois. L'euthanasie sera en tout état de cause un des débats majeurs du XXIe siècle.

Deux livres récents expriment un point de vue modéré en faveur du suicide médicalement assisté, en le soumettant à une série de conditions restrictives.

Le Dr Timothy E. Quill, ancien directeur de maison de retraite, a relaté dans un article le suicide d'un patient leucémique, qu'il a assisté. Cet article, paru dans une prestigieuse revue médicale, le *New England Journal of Medicine*, a déclenché une violente polémique qui a stupéfait son auteur. Traîné en justice, ce médecin, massivement soutenu par ses pairs, a finalement bénéficié d'un non-lieu. Il a décrit cette expérience dans *Mort et dignité : faire des choix et prendre ses responsabilités*[1]. L'influence de ce

1. *Death and Dignity : Making choices and Taking Charge*, New York, Norton, 1993.

livre est perceptible dans le jugement de la cour fédérale d'appel de l'État de Washington évoqué plus haut.

Le Dr Lonny Shavelson, journaliste et médecin, a lui aussi, personnellement assisté dans son suicide un patient en stade terminal. Son ouvrage *Une mort choisie : les mourants face au suicide assisté*[1], relate cette expérience. Il évoque aussi la mort de proches et expose les résultats d'une enquête qu'il a menée. Son livre est selon moi le plus profond des deux, en raison de l'ambiguïté des cas qu'il décrit avec une grande rigueur. D'accord avec Quill, il affirme que les patients en stade terminal ont non seulement le droit de refuser les traitements qu'on leur propose et de mourir sans souffrir, mais aussi celui de décider de l'heure et des modalités de leur mort.

Dans leur façon d'envisager ces questions, les deux démarches sont très similaires, et très proches des positions d'Andrew Solomon. Leur exposé du problème ignore la question de Dieu comme celle de l'apprentissage de la mort. À l'instar de Solomon, Quill et Shavelson ne font pas état de leurs conceptions religieuses. J'ai le sentiment que tous deux sont des humanistes athées pour lesquels Dieu et l'apprentissage spirituel sont de faux problèmes.

À moins que nos auteurs les considèrent comme trop brûlants ? Mais précisément parce qu'ils sont brûlants, il n'est pas question de ne pas s'y frotter. Notamment, à cause du Premier Amendement de la Constitution américaine qui garantit la liberté de religion. Depuis une cinquantaine d'années, cette garantie a été étendue par les tribunaux aux non-croyants : la liberté de croire est aussi liberté de ne pas croire. Il est anticonstitutionnel de persécuter l'athéisme. Je suis un partisan inconditionnel du Premier Amendement, mais j'émets de sérieuses réserves sur la latitude d'interprétation dont il a fait l'objet par les différents tribunaux. Cette évolution a notamment conduit à la laïcisation complète de l'enseignement public, si bien qu'aujourd'hui on est devenu incapable d'inculquer les valeurs fondamentales de notre

---

1. *A Chosen Death : The Dying Confront Assisted Suicide*, New York, Simon and Schuster, 1995

culture aux enfants. On n'a pas su définir un moyen terme. Nous sommes passés du dogmatisme et de la bigoterie la plus étriquée à un athéisme endémique tout aussi borné. Quel rapport avec l'euthanasie ? L'euthanasie est la conséquence de l'athéisme, et l'enseignement est le principal responsable de l'emprise croissante de ce dernier.

J'ai expliqué que l'athéisme se situait, dans le développement psycho-spirituel, entre la religiosité primitive et le véritable épanouissement spirituel. On n'avance pas vers la maturité spirituelle à marche forcée. L'ouverture d'un esprit athée à un progrès spirituel est graduelle et suppose une adhésion sans réserves. Le prosélytisme parfois offensif des dévots de tout acabit est vécu par les athées comme une intrusion insupportable. Faut-il pour autant, en évitant tout sermon, renoncer à fournir aux athées des informations susceptibles de leur donner à réfléchir ? Je ne crois pas.

Médecins humanistes, Shavelson et Quill sont de fervents partisans de l'information. Informer complètement les patients sur leur état de santé et les différents traitements possibles, permet à ces derniers – avec leur médecin, voire contre les recommandations de celui-ci – de faire un « choix éclairé ». S'agissant de l'euthanasie, Shavelson et Quill s'en tiennent aux indications médicales : effets secondaires des traitements et chances de guérison ou de rémission.

Le médecin n'accepte pas automatiquement la demande d'euthanasie de son patient. Il peut par exemple répondre : « Je crois que vous êtes trop déprimé en ce moment pour prendre une décision. Nous reconsidérerons la question quand vous irez mieux », ou : « Je ne suis pas du tout sûr que vous en soyez au stade terminal. Nous allons faire d'autres examens dans quelques semaines et nous déciderons à ce moment-là. »

Ni Shavelson ni Quill n'envisagent la possibilité d'offrir au patient un conseil psychologique et spirituel qui pourrait influencer sa décision. Leurs bonnes raisons, pour ou contre l'euthanasie, restent d'ordre purement technique et médical. En un sens, c'est compréhensible, puisque peu de médecins ont reçu de véritable formation psychologique et que la théologie est exclue du cursus médical. Mais j'estime pour ma part qu'ils ne fournissent pas une information complète à leurs patients[1].

Qui est formé à ce type d'assistance spirituelle ? Les aumôniers des hôpitaux, assez nombreux pour répondre à la demande. Malheureusement, à cause de leur propre déni ou de leur évolution spirituelle, ils ne sont pas toujours compétents ou qualifiés pour ce travail. Une sélection rigoureuse s'impose. Il ne faut pas accabler les patients d'informations religieuses et la première qualité requise d'un candidat à l'assistance spirituelle auprès de mourants est une rare combinaison d'empathie et de distance, de force intérieure et de tact.

Comment pourrais-je, personnellement, fournir des informations psycho-spirituelles adéquates à un patient qui demanderait une euthanasie ? Comme chaque patient est unique, je me garderais bien de proposer une panacée, mais j'aborderais le problème avec ce patient en suivant, *grosso modo*, le questionnaire suivant :

1. Je l'interrogerais sur sa maladie – son histoire, son évolution et son pronostic ; je lui demanderais d'évoquer les sentiments et les pensées, même inavouables, que lui inspire son état, l'agonie et la mort.
2. Pourquoi demande-t-il une euthanasie ?
3. Je l'interrogerais sur le contexte familial, la qualité de la prise en charge par les proches. Y a-t-il des conflits douloureux, des réconciliations possibles ? Souhaite-t-il faire ses adieux ?
4. Qu'en est-il de ses convictions religieuses ? A-t-il eu des expériences mystiques ? Entretient-il une relation personnelle avec Dieu ? Croit-il en un au-delà ? Comment l'envisage-t-il ? En quoi l'euthanasie s'accorde-t-elle ou s'oppose-t-elle à ses convictions ?
5. S'il se dit athée, je l'admettrais, mais je lui demanderais ce qu'il pense de l'âme et de l'influence des convictions religieuses sur le rapport à l'euthanasie.
6. Est-il susceptible d'éprouver des regrets ? Ne croit-il pas

1. Quill écrit tout de même qu'une « assistance spirituelle adaptée à la culture et aux croyances des patients devrait leur être proposée ». Mais le conseil spirituel qu'il évoque s'adresse aux patients qui sont *déjà* croyants et éprouvent des réticences face à l'euthanasie.

qu'il progresserait spirituellement en acceptant une mort naturelle ? A-t-il épuisé toute possibilité d'apprentissage ?

7. Sait-il en quoi consistent les soins palliatifs, en a-t-il l'expérience ?

8. Y a-t-il des questions qu'il souhaite me poser ? Veut-il réfléchir à ce dont nous venons de parler ? Que pense-t-il de notre entretien ?

9. Souhaite-t-il me revoir ?

Quill et Shavelson poseraient sans doute eux-mêmes certaines de ces questions, mais les plus religieuses les mettraient probablement mal à l'aise. Ont-ils jamais songé à les poser ? Peut-être estiment-ils que de telles questions représentent une violation de l'intimité ou de la liberté de pensée de leur patient ? Peut-être même certains tribunaux leur donneraient-ils raison... L'athéisme étant une sorte de religion officielle, l'athée ne devrait-il pas pouvoir prendre une décision concernant sa vie sans la moindre interférence idéologique, fût-elle pleine de tact ?

Revenons-en à la notion de « choix éclairé ».

Peut-on dire qu'un patient qui choisit l'euthanasie a été éclairé si personne ne lui demande les raisons psycho-spirituelles qui ont déterminé ce choix ? Doit-on présumer qu'il y a déjà réfléchi de lui-même ? Cette présomption me paraît indéfendable. De plus, je ne crois pas qu'on puisse désigner une décision d'euthanasie comme « suffisamment éclairée », si elle ne s'interroge pas sur ces questions.

Shavelson et Quill sont des partisans avertis des unités de soins palliatifs. Ce qui ne les empêche pas de justifier leur engagement pro-euthanasie en arguant que le soulagement de la souffrance dans ces unités est insuffisant dans 25 % des cas. Ils n'avancent d'ailleurs aucun argument à l'appui de cette assertion. Pour comprendre cette lacune, il est nécessaire de définir ces unités et leurs problèmes. Le « Mouvement des soins palliatifs » est né dans le sillage du « Mouvement des hospices » anglais.

En 1967, le docteur Cicely Saunders fonde l'hospice Saint-Christopher, à Londres. Son exemple est suivi aux États-Unis par

Florena Wald, directrice de l'école d'infirmières de l'université Yale. Le rapide essor du mouvement dans les pays anglo-saxons s'explique par la pertinence de sa réponse au problème de la surenchère technologique dans la prise en charge des patients mourants, celle-ci ayant pour effet de sacrifier la qualité de vie à la longévité. Ce mouvement relativement récent n'a pourtant pas encore pénétré complètement les structures hospitalières existantes. L'accès aux soins palliatifs et la qualité des unités est variable selon les régions[1]. Le public est encore très mal informé sur l'existence de ces services. Beaucoup de médecins demeurent réfractaires à l'esprit de ces unités.

Cette résistance est étrange, presque incompréhensible. Comment l'expliquer ? Le mouvement des soins palliatifs est récent et le milieu médical reste assez conservateur. D'autre part, à ce jour, les étudiants en médecine sont peu ou mal formés à l'accompagnement des mourants, ainsi qu'aux traitements antalgiques les plus avancés. Les médecins éprouvent une intense satisfaction à vaincre la mort, mais l'idée d'assister des mourants les plonge souvent dans un grand malaise. Ils éprouvent des réticences à administrer des antalgiques qui peuvent hâter la mort de leurs patients (principe du « double effet »). Les unités de soins palliatifs préconisent quant à elles une démarche de « sédation contrôlée », dans des cas extrêmes, au nom du bien-être du mourant. Beaucoup de médecins y voient une remise en cause de la déontologie médicale. Quand je discute avec eux de ce sujet, ils sont étonnés d'entendre que l'Église catholique, à l'avant-garde du combat contre l'euthanasie, approuve la démarche de sédation contrôlée, même si elle a parfois pour effet d'abréger la vie du patient.

Le Dr Robert Misbin écrit à ce sujet :

« Prenons le cas d'un patient atteint d'un cancer du poumon en voie de généralisation. Il refuse l'extraordinaire soutien que représente un respirateur artificiel. Quelles mesures doit alors prendre son médecin pour combattre la douleur et l'anxiété du

1. Le gouvernement français a lancé, en 1999, un plan triennal destiné à doubler le nombre des unités de soins palliatifs et promulgué, le 9 juin 1999, une loi « visant à garantir le droit à l'accès aux soins palliatifs ». *(N.d.T.)*

patient en cas d'insuffisance respiratoire aiguë – sans doute imminente ? L'Église catholique autorise le médecin à prescrire de la morphine à son patient, même si un tel traitement doit hâter la mort de celui-ci. Cette démarche cautionne le principe du double effet selon lequel il est licite de prescrire un traitement qui soulage la douleur, même s'il abrège virtuellement la vie. Cet effet nocif ne doit cependant pas être utilisé comme moyen en vue d'un bien. Le patient cancéreux peut donc se voir administrer de la morphine en doses croissantes pour soulager sa douleur et son angoisse, même si ce traitement doit écourter son existence. Une dose létale ne peut être autorisée, du moins en début de traitement, parce que dans ce cas, on vise à provoquer la mort, non à soulager la douleur. L'Église catholique autorise donc les médecins à mettre en œuvre tous les moyens utiles pour soulager la douleur des patients mourants, mais elle réprouve l'administration du « cocktail létal[1]. »

Cette notion de double effet est si importante que je souhaite l'illustrer par un exemple concret. Ce cas m'a été rapporté tout récemment, et il est très similaire à celui décrit par le Dr Misbin.

Marie, âgée de quarante-cinq ans, apprend, il y a deux ans, qu'elle est atteinte d'un cancer des os métastasé. Elle subit plusieurs chimiothérapies dans un centre anticancéreux assez éloigné de chez elle. Ce centre ne dispose pas d'une unité de soins palliatifs. La chimiothérapie freine la croissance de la tumeur et, malgré les effets secondaires, Marie n'éprouve pas, au début, de violentes douleurs. Mais un an et demi plus tard, son cancérologue l'avertit que le cancer se généralise et qu'il ne lui reste que quelques mois à vivre. Elle annonce ce pronostic à ses amis. L'un d'eux est intervenant bénévole dans une unité de soins palliatifs. Devant son insistance, Marie, qui refuse d'affronter la réalité de sa situation, accepte pourtant les visites à domicile de bénévoles du mouvement.

Deux mois après cette adhésion réticente, Marie commence à ressentir des douleurs modérées, qui sont bien soulagées pendant

1. Jonathan D. Moreno, *Arguing Euthanasia : The Controversy over Mercy Killing, Assisted Suicide and the « Right to Die »* (*Pour ou contre l'euthanasie : la controverse sur le meurtre compassionnel, le suicide assisté et le « droit de mourir »*), New York, Simon and Schuster, 1995, p. 129.

les trois semaines suivantes par des doses réduites d'opiacés administrés par voie orale. Elle se réfugie toujours dans le déni. Soudain, une nuit, ses douleurs se font beaucoup plus violentes. Paniquée, elle appelle le cancérologue qu'elle avait cessé de consulter. Il la fait transporter en ambulance à l'hôpital et commence à lui administrer des doses de morphine en intraveineuse à la demande, mais sans lui poser de pompe à morphine (PCA). Il fait pratiquer des examens et l'informe qu'elle a maintenant des métastases aux poumons. Il lui conseille aussi une nouvelle chimiothérapie, parce qu'elle permettrait de réduire les doses de morphine ; il ne lui laisse espérer aucune rémission.

Marie, confrontée à la réalité d'une souffrance physique extrême, cesse de nier. Elle décline les invitations à aborder les aspects psychospirituels de sa mort avec son ami ou ses autres visiteurs, mais elle en discute volontiers les aspects techniques. Elle ne mentionne jamais l'euthanasie, mais rejette l'éventualité d'une chimiothérapie supplémentaire censée soulager temporairement et partiellement ses douleurs. Elle est démoralisée par le calvaire qu'elle endure en attendant des piqûres de morphine, jamais administrées à temps. Son ami lui apprend qu'une unité de soins palliatifs vient d'ouvrir dans l'hôpital de sa ville et lui suggère son transfert. Elle accepte.

Dès son arrivée dans le service, grâce à la pompe à morphine, elle ne souffre presque plus. Elle semble heureuse des visites de sa famille, de son ami et des bénévoles ainsi que du directeur de la nouvelle unité. Mais sa capacité respiratoire décline rapidement à cause de la tumeur pulmonaire croissante. Elle a l'impression d'asphyxier, de couler lentement, et la panique la gagne. Le médecin décide de lui parler à cœur ouvert :

— Marie, c'est là une des plus terrifiantes façons de mourir. Je peux augmenter les sédatifs pour vous délivrer de votre panique, mais ces produits raccourciront sans doute votre vie de quelques jours. À vous de choisir.

— Donnez-moi les sédatifs, répond Marie, je suis prête à mourir.

Vingt-quatre heures plus tard, Marie meurt paisiblement dans son sommeil, sans souffrance et sans angoisse apparente.

En quoi cette décision diffère-t-elle de l'euthanasie ou du suicide assisté ? Son médecin a administré à Marie des doses fatales d'antalgiques pour abréger sa vie à sa demande et lui épargner l'horreur d'un étouffement progressif – un type de souffrance aussi émotionnel que physique.

Il y a deux différences. Elles concernent le moment choisi et la nature de la souffrance.

Pour Quill et Shavelson, ces différences sont visiblement si ténues qu'elles ne méritent pas qu'on s'y attarde. Pour moi, au contraire, elles touchent au cœur du problème. Je ne suis pas le seul de cet avis. L'ouvrage d'Ira Byock, *Dying Well* (*Bien mourir*), ne concerne pas l'euthanasie mais traite en détail du mouvement des soins palliatifs, dans lequel il milite depuis de nombreuses années. Il fait sommairement allusion à l'euthanasie en ces termes : « Ceux qui ne connaissent pas le but des soins palliatifs verront sans doute peu de différences entre la sédation destinée à contrôler des malaises physiques continuels, et l'euthanasie. Ce qui semble, du point de vue philosophique, une frontière imperceptible est en réalité un fossé. » Les tribunaux devraient reconnaître l'existence d'un tel fossé et distinguer entre deux formes d'euthanasie, impliquant le moment mais aussi la nature et l'intensité de la souffrance.

Autres lacunes capitales dans les ouvrages de Shavelson et Quill : ni l'un ni l'autre ne font la moindre distinction entre douleur physique et souffrance morale. Ils ne distinguent pas non plus entre une souffrance morale stérile et la souffrance existentielle porteuse d'épanouissement spirituel.

À la lecture de Shavelson et Quill, je retiens l'idée que pour une petite minorité de patients les soins palliatifs sont « inadéquats ». Non qu'ils soulagent mal la douleur physique. Ou la souffrance morale qu'entraîne l'agonie – comme la terreur de Marie qui commençait à asphyxier. Nos deux auteurs n'en parlent pas. Ils estiment apparemment que les soins palliatifs, quand ils sont bien administrés, sont parfaitement appropriés. Qu'est-ce qu'ils jugent donc « inadéquat » ?

Les cas d'euthanasie véritable dont ils parlent représentent une toute petite minorité de patients en stade terminal qui, vers la fin, décident de contrôler totalement leur mort. Des êtres qui préfèrent se tuer eux-mêmes plutôt que d'être tués par leur maladie. L'une des patientes de Shavelson, Mary Hall, a d'ailleurs repoussé son euthanasie pendant des semaines pour se réconcilier avec l'un de ses fils. Après quoi, elle a ingurgité une dose fatale d'Immenoctal, alors qu'on lui avait assuré qu'elle mourrait sans souffrir un jour ou deux plus tard. Archétype du malade, en général athée, décidé à planifier sa mort, et qui préfère le suicide à la mort naturelle, si indolore soit la perspective de celle-ci. Et nos deux auteurs estiment que du moment qu'en contrariant la volonté des patients on leur cause des « souffrances intolérables », il est du devoir des médecins de faciliter leur suicide et d'obtempérer à leur désir de contrôle.

Je ne suis pas de leur avis. Au risque de paraître inhumain, je considère leurs patients inconditionnels de l'euthanasie comme des accros du contrôle. Ni Quill ni Shavelson n'ont apparemment pensé à leur suggérer une consultation psychiatrique qui aurait pu les aider à s'interroger sur ce point. Cautionner leur désir « parfaitement rationnel » de contrôle sous prétexte d'épargner aux patients une souffrance « intolérable » me semble déontologiquement discutable.

Comme Andrew Solomon l'a souligné dans son livre sur sa mère, même s'il est très difficile de dire non à ceux qui souffrent d'une maladie incurable, on ne peut toujours l'éviter. Moi-même, grand accro du contrôle, je m'efforce chaque jour de me souvenir de deux vérités profondes : « La vie n'est pas un problème à résoudre, mais un mystère à vivre », et : « La vie est ce qui arrive sans tenir compte de nos projets ». Elles me rappellent, entre autres, que le dessaisissement, l'irrationalité et l'insécurité inhérents à la mort appartiennent d'abord à la vie. La souffrance de la confrontation avec ces réalités est au cœur de ce que j'ai appelé souffrance existentielle. Il me semble que le problème des patients de Quill et Shavelson n'était pas tant lié à la mort qu'à la vie. Ils auraient peut-être plus appris si on les avait aidés à affronter ce problème plutôt qu'à l'exclure en se tuant. Et même s'ils n'avaient rien appris, j'estime très contestable de baptiser « souffrance intolérable » la frustration de ce désir d'euthanasie.

Si je me prononce contre le suicide médicalement assisté pour de tels patients, je ne suis pas pour autant opposé à l'euthanasie en toutes circonstances.

Les patients de Quill et Shavelson étaient des gens au caractère bien trempé, parfaitement lucides qui auraient pu être parfaitement soignés dans une unité de soins palliatifs, s'ils l'avaient demandé. Il faut aussi évoquer les patients dont la lucidité est altérée. Andrew Solomon soulève brièvement ce problème. Il écrit à propos de l'euthanasie : « Ce problème concerne pour l'essentiel des bourgeois aisés, des riches, qui disposent d'un efficace réseau de relations et auxquels leurs médecins n'ont rien à refuser. Eux, trouvent toujours les moyens d'organiser leur euthanasie à domicile et dans de bonnes conditions, alors que les citoyens ordinaires doivent subir la loi commune de services hospitaliers surchargés. »

Pour ces citoyens ordinaires, je crois que l'urgence n'est pas d'obtenir une prescription de somnifères leur garantissant une surdose mortelle au moment choisi par eux, mais d'avoir accès, quelle que soit leur condition sociale, à des soins palliatifs de bonne qualité. Si ces unités n'existaient pas, je serais un ardent partisan du droit à l'euthanasie, pour les autres comme pour moi-même. Mais compte tenu de la qualité de vie que ces services procurent actuellement, la réponse au problème du suicide assisté me paraît résider dans le développement de ces unités. Le droit pour les patients mourants à des soins de bonne qualité devrait être inscrit dans la Constitution. Ce n'est qu'après que le législateur devra s'interroger sur la question du droit des patients en stade terminal à une euthanasie médicalement assistée.

Mais l'évolution de la société n'obéit pas à la seule logique ; et dans l'état actuel des choses, je me refuse à réprouver totalement le suicide médicalement assisté. La lecture des ouvrages de Quill et Shavelson me donne à penser que j'aurais personnellement refusé de les assister dans les euthanasies qu'ils ont pratiquées, mais je n'ai jamais rencontré leurs patients. Il ne me viendrait pas à l'esprit de refuser l'euthanasie à un être humain sans l'avoir auparavant écouté. Ce type de décision ne peut se prendre qu'au cas par cas. Loin de la systématique d'un droit proclamé à l'euthanasie, je milite pour un droit à l'écoute. Qui doit écouter ces patients ? Épineuse question, sur laquelle je reviendrai bientôt.

La règle veut que les unités de soins palliatifs n'accueillent que des patients auxquels il reste quelques semaines, au plus quelques mois à vivre. *Quid* des patients atteints de maladies incurables qui ne sont pas encore en stade terminal ? J'évoque leur cas non parce que les soins qu'on leur dispense sont inadaptés, mais pour rappeler que l'euthanasie ne concerne pas seulement les patients en soins palliatifs. Il faut aussi évoquer les grands infirmes, ces malades parfois grabataires tentés par une quasi-euthanasie (que j'oppose à l'euthanasie véritable) – à savoir un suicide qui leur épargne la souffrance existentielle d'un handicap grave et incurable – et qui n'ont pas la perspective d'être délivrés par une mort prochaine.

Le Dr Shavelson pose la question en rapportant l'histoire de Kelly, un tétraplégique que sa mère finit par aider à mourir après qu'il eut lui-même tenté de se suicider, à deux reprises, en refusant toute nourriture. Mais Shavelson n'apporte pas à ce cas l'attention qu'il mérite. Nous avons édicté collectivement une règle absolue (consciente ou inconsciente) en réaction à l'horrible « Programme Euthanasie » de l'Allemagne nazie : « Tu ne donneras pas la mort à un être qui n'est pas déjà mourant. » Il est très heureux que nous soyons révoltés par l'efficience cauchemardesque du régime nazi. Je me demande pourtant si nous ne renversons pas l'ordre des priorités en privilégiant la souffrance existentielle de ceux auxquels il reste une semaine ou un mois à vivre, au détriment de ceux qui endurent une souffrance analogue mais ont des années et des années à vivre. Il ne me semble pas juste d'accorder aux patients en stade terminal le « droit » au suicide médicalement assisté, si nous n'offrons pas le même droit à ceux qui affrontent des souffrances équivalentes, sinon pires.

Je ne suis pas en train d'exiger qu'on octroie aux personnes atteintes de maladies chroniques incurables le droit au suicide médicalement assisté. Dans le chapitre VII, je parle d'un moine atteint de sclérose amyotrophique latérale avancée, mais pas encore terminale. C'était un saint homme, peut-être en raison des souffrances qu'il avait endurées. Je lui suis reconnaissant de ne pas avoir opté pour l'euthanasie. De mon expérience des maisons de repos, j'ai gardé le souvenir de quelques patients très gravement handicapés qui montraient aux soignants plus de sollicitude qu'ils n'en recevaient eux-mêmes. Ces patients jouent un rôle essentiel dans la vie d'une institution, dont les personnes en parfaite santé seraient incapables. Leur présence réconfortante, leur rayonnement spirituel est inappréciable pour la communauté.

Je ne prétends pas non plus que ces grands infirmes qui réclament l'euthanasie ne souffrent pas de pathologies psychiques, notamment dans leur frustration de contrôle – qui sont, elles, potentiellement guérissables. Le caractère égocentrique et dominateur de Kelly, le patient tétraplégique de Shavelson, m'a frappé. L'égocentrisme, tout à fait compréhensible chez quelqu'un de si démuni, n'est pas inévitable ; et je ne suis pas sûr que Kelly ait reçu l'assistance psychologique ou spirituelle dont il aurait eu besoin durant toutes ces années où il était hanté par le suicide.

Ces patients appellent, de notre part, une véritable réaction de solidarité. On ne peut se contenter de les aider à se « biffer » eux-mêmes. Je songe à Kelly, si paralysé qu'il ne pouvait s'administrer lui-même la surdose de comprimés qu'il espérait tant. À Victoria, ayant perdu toute autonomie après sa rupture d'anévrisme et à laquelle son mari alcoolique et froid n'apportait aucun réconfort. Elle n'acceptait pas de dépendre d'infirmières qui se relayaient en permanence à son chevet. Victoria a préféré se laisser mourir de faim, plutôt que d'accepter cette situation. Je songe aux Van Dusen. C'est leur cas qui m'a fait réfléchir pour la première fois à l'euthanasie. Mais je pense aussi à leurs souffrances, au Dr Van Dusen devenu incapable de parler en public et à son épouse plus âgée, clouée sur un lit par l'arthrite. Je songe enfin à tous les autres invalides graves, ceux qui à cause d'une sclérose en plaque, d'une congestion cérébrale, d'une sénilité précoce, etc., vivent dans une indicible détresse, d'autant plus grande que s'y ajoute souvent le dénuement et la solitude.

Loin de moi l'idée que ces gens feraient mieux d'en finir avec la vie. J'affirme simplement que si l'on accorde aux patients mourants le droit au suicide médicalement assisté, les grands infirmes méritent aussi qu'on les écoute quand ils le réclament. Car pour eux, le calvaire ne se compte pas en semaines, mais en années.

Si j'étais un juge siégeant dans un tribunal, et que je doive aujourd'hui trancher sur la dépénalisation du suicide médicalement assisté, que déciderais-je ?

Je me prononcerais contre. Et je refuserais de changer la loi sans me faire d'illusions : sachant qu'elle ne fera pas cesser une pratique inavouable, aussi vieille que le monde, éternelle source d'angoisses et conclusion tragique de la vie humaine.

Voici les trois raisons qui étayeraient ma décision :

1. La légalisation du suicide médicalement assisté aurait des conséquences très néfastes pour la collectivité. Je ne songe pas seulement à l'effet de surenchère décrit par Andrew Solomon quand il énonce que « l'euthanasie engendre l'euthanasie ». Je ne crois pas qu'une fois les « vannes ouvertes » on assisterait à un raz-de-marée. Mon souci principal est celui du message adressé à la société. Une euthanasie légale serait un nouveau déni de Dieu et de l'âme, une manière de répéter que chacun de nous est propriétaire de son existence et qu'il en fait ce qu'il veut. Message décourageant s'il en est... Il ne nous inciterait pas à affronter la souffrance existentielle, pour la vaincre. Il ne durcirait pas nos enfants devant les épreuves normales de la vie. La libéralisation de l'euthanasie engagerait au contraire les êtres humains à esquiver celles-ci. Elle pousserait la société sur sa plus mauvaise pente. Je frémis rien que d'y penser.

2. Une décision intermédiaire qui légaliserait le suicide assisté « sous conditions » nous jetterait dans des complications inextricables. Je ne crois pas que ce type d'aménagement de la loi soit souhaitable, ni même possible.

3. Je ne pense pas que la société soit prête à prendre le taureau par les cornes. Il reste trop de problèmes plus importants, plus urgents à résoudre : le droit au soulagement de la douleur physique, le droit à une prise en charge en unité de soins palliatifs, le droit à la quasi-euthanasie pour les grands malades incurables, le droit à un enseignement public qui fasse sa part à l'instruction religieuse, qui s'interroge sur l'âme et le sens de la vie humaine... Quand nous

serons parvenus à résoudre ces problèmes, nous pourrons démêler le problème de l'euthanasie pour les patients condamnés.

Mais supposons que la société choisisse de ne pas suivre mon conseil. Que le législateur décide de légaliser l'euthanasie, en assortissant cette dépénalisation de conditions restrictives. Et supposons que je sois un juriste chargé de faire appliquer une telle loi. Quel type d'argumentation ferais-je valoir pour guider les députés dans la rédaction de leur projet de loi ?

Je me refuse à répondre pour plusieurs raisons essentielles.

La plus décisive peut-être est que je ne veux pas contribuer à déresponsabiliser mes compatriotes. J'ai commencé ce chapitre en déclarant que le débat sur l'euthanasie concernait la société tout entière. En écrivant ce livre, mon but n'est pas de soulager mes semblables de ce fardeau mais de clarifier le problème. De les encourager à participer au débat, en sujets politiques éclairés. Sur des sujets aussi importants, une participation massive des citoyens est la condition d'une législation intelligente. Je crois d'ailleurs que les tribunaux me donneraient raison et que leurs arrêts contraindraient aussi bien l'opinion publique que les responsables politiques de tous bords à entrer dans le débat.

D'ailleurs les critères que je pourrais suggérer, inévitablement imparfaits, seraient aussitôt critiqués. Ceux du Dr Quill ont déjà fait l'objet de critiques de la part de son allié, le Dr Shavelson.

Je crois que si nous devions légaliser l'euthanasie sous conditions, les critères du Dr Quill nous fourniraient une bonne base. Je suis aussi très sensible au fait qu'il rejette ouvertement l'« euthanasie à la demande », et que la démarche qu'il préconise n'ait rien de « facile ou d'anonyme ». Résultat d'une mûre réflexion, son projet est pourtant « loin de la perfection », de l'aveu de l'auteur lui-même. Voici les sept conditions restrictives pour un suicide médicalement assisté, édictées par le Dr Quill :

1. Le patient doit avoir demandé à mourir pour faire cesser ses souffrances, et ce de sa propre initiative, librement, à plusieurs reprises, de la manière la plus claire.

2. Sa lucidité doit être intacte.

3. Il doit être atteint d'une maladie incurable qui entraîne des douleurs intolérables et continuelles.

4. Le médecin traitant doit s'assurer que les douleurs de son patient ne résultent pas d'une carence dans les soins qui lui sont prodigués.

5. Le suicide médicalement assisté ne peut être envisagé qu'au terme d'un échange approfondi entre le patient et son médecin.

6. La consultation d'un autre médecin expérimenté est nécessaire.

7. Des documents incontestables doivent étayer les conditions énoncées ci-dessus.

Le Dr Quill justifie minutieusement chacun de ces critères, mais à mon sens, il ne répond pas aux questions clés. Les points 1, 3 et 4, par exemple, concernent la douleur. Pourtant, comme je l'ai déjà souligné, il ne propose, dans son ouvrage, aucune définition de la douleur. Il ne fait aucune distinction entre douleur physique et souffrance morale. Il ne distingue pas non plus entre souffrance stérile et souffrance existentielle, cette dernière étant virtuellement riche d'épanouissement psychospirituel.

Pour mieux montrer la complexité du problème, je vais examiner le sixième critère du Dr Quill : « La consultation d'un autre médecin expérimenté est nécessaire pour évaluer la résolution du patient et la rationalité de sa demande, la précision du diagnostic et du pronostic, et pour réexaminer l'ensemble des alternatives médicales existantes. Le médecin appelé en consultation devra relire le dossier médical du patient, l'ausculter et l'interroger personnellement [1]. »

Excellente proposition, mais est-elle suffisante ?

Elle suppose que le médecin traitant prête une oreille complaisante au désir d'euthanasie de son patient. Comment va-t-il choisir son confrère ? Il ne contactera sûrement pas un médecin totalement opposé à l'euthanasie et sans doute pas non plus quelqu'un d'aussi réticent que moi. Il ira naturellement vers un confrère qu'il sait dans les mêmes dispositions que lui. Dans ces conditions,

1. Quill, *Death and Dignity*, New York, Norton, 1993 p. 161-164.

cette nouvelle consultation risque fort de n'être qu'une simple formalité. On le voit, le principe de la double consultation n'aura donc rien de « démocratique ». Avec une telle législation on verrait sans doute bientôt apparaître une sous-culture médicale : un petit groupe de partisans de l'euthanasie non représentatif de la profession. Je doute que mes confrères souhaitent que la pratique de l'euthanasie devienne une nouvelle spécialité réservée à une chapelle.

Il existe d'autres options, mais toutes soulèvent de délicates questions. Par exemple, la plupart des hôpitaux disposent maintenant de comités d'éthique et il semblerait tout à fait indiqué de leur soumettre les demandes d'euthanasie. Mais ces comités se composent en général de médecins qui ne sont pas formés à ce type de travail. Faut-il leur adjoindre les services d'un psychiatre ? De ministres du culte ? D'infirmières ? De tels comités ne doivent-ils pas refléter les tendances de l'opinion publique ? Comment procéder à cet égard ? L'introduction de la politique à l'hôpital ne changerait-elle pas sa culture ? Quelle que soit la composition de ces comités, ils seront confrontés à de difficiles problèmes.

À propos des « problèmes », je me souviens d'un P.-D.G. en retraite que je côtoyais dans les réunions du conseil d'administration d'une fondation. Sur un problème donné, le conseil venait d'assouplir spectaculairement sa position. Cette volte-face avait aussitôt suscité de vives controverses au sein de la fondation. Cet homme plein de sagesse, s'interrogeant sur la meilleure attitude à adopter, s'était exclamé :

— Il ne s'agit pas d'un problème, mais d'un dilemme !

— Que voulez-vous dire ? lui avaient demandé les autres membres du conseil.

— À un problème, on trouve toujours une solution, même imparfaite. Un dilemme est insoluble.

Le suicide assisté doit rester illégal : telle me paraît la meilleure solution – évidemment imparfaite – au problème de l'euthanasie. L'autre extrême, à savoir une dépénalisation débouchant sur l'euthanasie à la demande, constituerait aussi une solution, mais beaucoup plus risquée. Je suis en général assez partisan de la recherche d'un bon compromis. Mais sur cette question, à l'heure actuelle, mon expérience me souffle qu'une solution de compromis transformerait le problème de l'euthanasie en dilemme. Avis au lecteur.

L'un des arguments les plus convaincants de Quill – et je pense que Shavelson et Solomon seraient d'accord – c'est son affirmation du caractère strictement *personnel* de l'assistance au suicide d'un patient. Cette décision suppose évidemment une intimité et une empathie profondes avec celui-ci : toute personne qui ne partagerait pas les tourments émotionnels qui amènent une si grave décision est donc disqualifiée d'office. Je pense que l'insistance de Quill reflète son humanisme et sa défiance devant l'anonymat glacé inhérent à toute bureaucratie. Mais je crois aussi qu'il sous-estime ses méfaits potentiels.

Aujourd'hui, l'euthanasie est illégale, ce qui signifie qu'on peut demander des comptes aux médecins qui assistent un patient dans son suicide. Mais à ce jour les sanctions judiciaires sont restées assez douces. Je n'aurais certes pas voulu me trouver à la place du Dr Quill le jour de sa convocation devant le tribunal, mais celui-ci a décidé de ne pas engager de poursuites. La tendance actuelle est plutôt à l'indulgence.

Imaginons que le législateur légalise l'euthanasie « à la demande ». Cela signerait la fin de la condition préalable d'un entretien approfondi entre le médecin et son patient. Les médecins seraient tenus d'euthanasier ceux qui en font la demande, à la seule condition que ce soient des patients en stade terminal.

Mais ce n'est pas tout. Depuis une vingtaine d'années la médecine est de moins en moins l'affaire des médecins et de plus en plus celle de gestionnaires : directeurs d'hôpitaux, technocrates du gouvernement ou de la Sécurité sociale. Pour ces « managers », l'euthanasie sera si rentable qu'ils ne pourront que l'encourager. On n'ose guère imaginer les arguments des obsédés de l'équilibre des comptes... Le meilleur des mondes [1] n'est pas loin.

Les détracteurs de l'euthanasie estiment que la dépénalisation

1. Titre du célèbre roman d'Aldous Huxley, 1932, (*N.d.T.*)

pousserait la société sur une « pente glissante » et qu'on assisterait à une dépréciation brutale de la vie humaine. Les partisans de l'euthanasie repoussent cette perspective en citant l'exemple des Pays-Bas à l'appui de leur argumentation. Ils expliquent que la légalisation de l'euthanasie ne s'y est pas traduite par une régression collective. Rien n'est moins sûr.

D'ailleurs l'euthanasie n'a jamais été légalisée aux Pays-Bas. Elle demeure prohibée mais tolérée, depuis une dizaines d'années, sous certaines conditions par les autorités. À condition de rendre compte au médecin-légiste, les praticiens qui procèdent à des euthanasies ne sont pas poursuivis. À ce jour, rares sont les médecins qui observent cette règle. Malgré des enquêtes assez expéditives, on a constaté des abus flagrants qui tendent à confirmer le scénario de la « pente glissante » brandi par les détracteurs de l'euthanasie. Margaret Pabst Battin, professeur de philosophie à l'université d'Utah, auteur d'une étude fouillée sur le sujet, récuse tout jugement manichéen. Elle souligne les spécificités de la législation et du système médical hollandais. Elle montre, en particulier, que le système de Sécurité sociale propre aux Pays-Bas interdit aux médecins de tirer le moindre profit du suicide assisté. Elle en conclut qu'à l'heure actuelle ni les partisans ni les détracteurs de l'euthanasie ne peuvent tirer argument de la situation hollandaise pour étayer leurs thèses. La controverse sur l'euthanasie se poursuit aux Pays-Bas comme ailleurs. Quoi qu'il en soit, je continue à prendre très au sérieux l'hypothèse de la « pente glissante », jusqu'à preuve du contraire.

Le débat sur l'euthanasie a surgi dans une société hypermécanisée où la technologie médicale jouait un rôle croissant et manifestement abusif, comme en témoignent les cas de nombreux patients incurables maintenus en vie au prix d'un acharnement thérapeutique absurde. Les mourants ont bien raison de refuser de se mettre à la merci de ces appareils. Mais aujourd'hui, dans un contexte où la surenchère technique est beaucoup mieux maîtrisée, la légalisation du suicide assisté me semble une fuite en avant d'autant plus injustifiée. Et les partisans de l'euthanasie à la demande n'ont pas encore saisi que le jour où ils arriveront à leurs fins, ce jour coïncidera peut-être avec la naissance d'une société encore plus mécaniste, encore plus dénuée d'âme que celle d'aujourd'hui. Dans cette société parfaitement rationnelle, la mort aura cessé d'être un moment potentiellement sublime, on « endormira » les êtres humains sur simple demande, sans tenir compte du mystère irrationnel de l'âme et de Dieu, créateur des âmes comme de toute véritable grandeur.

10

L'espoir du débat sur l'euthanasie

J'ai exprimé l'espoir que s'engage un débat ardent, passionné, sur l'euthanasie. Mais je redoute que l'inverse ne se produise. Dans une indifférence à peu près générale, les tribunaux, prenant les devants, risquent de légaliser insidieusement le suicide assisté et de décourager l'opinion publique de se colleter avec le sujet.

Il peut sembler étrange d'inciter la collectivité à s'engager dans un débat qui risque fort de tourner à l'affrontement entre clans opposés. C'est pourtant la condition *sine qua non* d'une solution à deux graves problèmes sous-jacents, qui démontrent la passivité actuelle devant l'euthanasie. Le premier est le caractère « aléatoire » du système médical américain, s'agissant du soulagement de la douleur et de l'assistance aux mourants. L'autre est notre athéisme endémique. En incitant la société à soigner ces deux maux, le débat sur l'euthanasie peut nous rendre des raisons d'espérer.

Qualifier le système médical américain d'« aléatoire » est presque un euphémisme. Ce système est, à certains égards, le meilleur du monde. Mais il souffre aussi d'inexcusables carences. Prenons l'exemple du système privé d'assurances médicales. Certains Américains peuvent choisir médecins et hôpitaux de leur choix. D'autres se voient imposer médecins et hôpitaux par leur compagnie d'assurances. Et il y a les laissés-pour-compte du système, ceux qui n'ont droit à rien.

De plus, le problème de l'euthanasie est grevé par des insuffisances d'un autre ordre : le soulagement de la douleur et les soins aux mourants sont en général absents des études de médecine, si bien que la compétence des médecins dans ce domaine est, elle aussi, aléatoire. Le patient moyen ne sait pas s'il bénéficiera d'un soulagement efficace ou médiocre de ses souffrances. S'il est mourant, rien ne l'assure qu'il pourra se voir appliquer un protocole de soins palliatifs. Peut-être son médecin traitant n'évoquera-t-il même pas avec lui sa mort prochaine. Compte tenu de toutes ces incertitudes, il n'est pas étonnant que tant de personnes choisissent la perspective moins angoissante d'une mort médicalement assistée.

Ce désir trahit néanmoins l'absurdité de notre système médical. Ce droit ressemble à l'antidote d'un poison. Ne vaudrait-il pas mieux se débarrasser du poison que d'avoir à administrer en permanence cet antidote, compte tenu surtout de sa toxicité et du fait qu'il ne neutralise que partiellement le poison ?

Dans un entretien personnel, Andrew Solomon m'a déclaré qu'il pensait que sa mère n'aurait pas choisi l'euthanasie si elle avait été certaine de mourir sans souffrir, et de pouvoir compter sur une sédation contrôlée, dût-elle écourter sa vie (double effet). Mais à l'époque, à tort ou à raison, elle a eu l'impression que l'hôpital ne pouvait lui garantir ce confort minimal. L'Immenoctal représentait donc l'antidote à cette crainte de tomber entre les mains de médecins incapables de la soulager vraiment. Pour que l'antidote soit le suicide, il faut que le poison soit gravissime. Il est temps d'en finir avec lui.

Si le débat sur l'euthanasie mobilise l'opinion, je suis convaincu que médecins et infirmières réagiront en supprimant le poison. L'introduction dans le cursus médical de cours obligatoires sur le soulagement de la douleur, l'assistance aux mourants, les soins palliatifs et le double effet finira par s'imposer. Les mourants n'en seront pas les seuls bénéficiaires. Tous les patients qui souffrent en profiteront, ainsi que les médecins et les infirmières eux-mêmes : mon expérience m'a montré le caractère profitable de ce type de formation pour tout le personnel médical.

Pourvu que le débat sur l'euthanasie ne soit pas escamoté trop vite, je suis sûr que la profession médicale sera capable d'opérer cette mutation interne sans aucune interférence gouvernementale. Les médecins détestent l'excès de régulation. Cela ne veut pas dire que le gouvernement ne doit pas les inciter, en douceur, à changer. Et il existe un très efficace moyen juridique d'encourager cette mutation : au lieu de légaliser le suicide médicalement assisté, il faudrait légaliser le double effet.

Il n'existe pas, à ma connaissance, de jurisprudence concernant l'application de thérapeutiques à double effet. Et pour cause : personne n'a jamais engagé de poursuites parce que son parent était mort sans souffrir. De plus, le gouvernement s'est bien gardé d'intervenir dans ce qui relève du strict jugement médical. J'ai pourtant l'impression que beaucoup de médecins s'abstiennent de prescrire à un mourant des antalgiques virtuellement mortels en quantité suffisante, et cela pour deux raisons : le serment d'Hippocrate, qui leur impose de prolonger la vie au maximum, et leur crainte d'être poursuivis pour faute professionnelle. Je rêve que la Cour suprême en arrive à statuer que le suicide médicalement assisté n'est pas un droit constitutionnel, pour différentes raisons – à commencer par la légitimation des thérapeutiques à double effet, qui garantissent une mort naturelle indolore à tout citoyen.

La reconnaissance officielle de la légitimité du double effet constituerait un pas de géant vers la résolution du problème de l'euthanasie, en encourageant massivement médecins et infirmières à se libérer d'une peur sans fondement, à parler ouvertement du double effet, à apprendre à mieux assister les mourants... Si le débat sur l'euthanasie amenait un tel changement, la médecine et les citoyens de ce pays lui en sauraient gré pour les siècles à venir.

Mais ce n'est pas le seul bénéfice dont le débat sur l'euthanasie est porteur, loin de là. Plus il s'approfondira, plus on peut en attendre des progrès socioculturels décisifs. Je suis prêt à parier que les historiens de l'avenir considéreront ce débat comme un virage majeur dans l'histoire américaine, au même titre que la Déclaration de l'Indépendance. Ils considéreront notre époque comme le moment charnière où une société moribonde aura été revivifiée comme par enchantement. Il peut sembler paradoxal qu'un grave débat sur la mort et les mourants soit régénérant, mais la vie est faite de paradoxes et l'expérience montre que, pourvu que nous affrontions résolument le mystère de la mort, celui-ci est en général réconfortant. Tel est en tout cas le message central du livre de Joseph Sharp : *Vivre sa mort : la voie du sacré dans la vie quotidienne*[1].

Je viens d'affirmer que notre société était peut-être moribonde. Multiples sont les symptômes des maux mortels dont elle est atteinte, mais le pire est l'athéisme qui sévit dans toutes les couches de la société et qui se traduit par le déni de l'âme. Le plus grand espoir de guérir ce mal réside dans le débat sur l'euthanasie. Si nos concitoyens réfléchissent en profondeur aux divers aspects de ce problème, beaucoup d'entre eux rencontreront leur âme, souvent pour la première fois.

Que le lecteur me comprenne bien : ce qui m'inquiète, ce n'est pas tant le petit nombre d'athées inconditionnels ou la foule des agnostiques pondérés. L'athéisme qui me préoccupe le plus est celui de ceux, encore nombreux, qui se déclarent croyants. Comment se fait-il qu'une nation majoritairement composée de chrétiens croyants et pratiquants soit complètement laïcisée ? Le Premier Amendement instaurant la séparation de l'Église et de l'État ne constitue pas une réponse suffisante, comme je l'ai montré dans le chapitre précédent. Le problème, c'est que la religion est exsangue. La plupart de mes compatriotes ne prennent ni la religion, ni Dieu, ni leur âme très au sérieux.

On ne compte plus les livres qui s'interrogent sur ce phénomène. Le meilleur que j'ai lu récemment est *La Banalisation de Dieu ou la dangereuse illusion d'une divinité « gérable »*[2], de Donald W. McCullough. Si comme McCullough le suggère, nous avons l'arrogance de croire que nous pouvons « gérer » Dieu, il n'est guère étonnant que la société soit athée et que personne ne trouve à redire au fait que nous voulions fixer le moment et les modalités de notre mort. Manifestement la possibilité d'un Dieu *réel* nous terrifie. Et, bien sûr, le moment de la mort. Car ce moment est celui de la rencontre de l'âme avec le Dieu réel. La passivité générale

1. *Living Our Dying : a Way to the Sacred in Everyday Life.*
2. *The Trivialization of God* (...) Colorado Springs, New Press, 1995.

devant la question de l'euthanasie est-elle symptomatique d'un souhait inconscient d'« euthanasier » Dieu de notre vie ?

Comme ce problème est autant spirituel que médical, il serait tout à fait justifié qu'on en débatte vigoureusement dans les églises, les synagogues, les mosquées et les temples. Je suis modérément optimiste sur les chances d'une telle discussion, étant donné la tendance commune à ces religions d'éviter coûte que coûte les débats publics. Tout comme ses membres tendent à se confectionner une divinité gérable, de même ils aspirent à une vie religieuse sans heurts, loin de tout conflit. Pourtant, je garde espoir. Tant d'ecclésiastiques parlent depuis des années de régénérer l'Église et les congrégations... Le débat sur l'euthanasie offre le moyen idéal de cette régénérescence. Mais je crains que le clergé ne prenne pas le risque de poser franchement la question, et je prie pour ceux qui le prendront, car ils rencontreront sans aucun doute de vives résistances. Mais s'ils réussissent, la revitalisation sera au rendez-vous, et l'Église, à la mesure de sa confrontation avec le mystère de la mort, et donc du Dieu réel, se relèvera.

En montrant que le problème de l'athéisme de notre société dépasse la question de la séparation de l'Église et de l'État, je ne voulait pas laisser entendre que ladite séparation n'avait pas eu d'effets néfastes. Je songe particulièrement à la laïcisation de l'enseignement public, qui a rendu presque impossible l'enseignement des valeurs fondatrices de notre civilisation à l'école. La séparation de l'Église et de l'État a conduit à mettre hors la loi non seulement la prière à l'école mais aussi la simple mention de Dieu. Je ne sais comment enseigner ces valeurs à nos enfants sans exposer les différentes conceptions de l'âme. Et je ne sais pas non plus comment parler de l'âme sans exposer les différentes conceptions de Dieu.

Le bannissement de l'instruction religieuse ne se réduit pas à une simple « lacune spirituelle ». Marshall McLuhan est devenu célèbre en affirmant : « Le médium est le message [1]. » Quel message

1. Marshall McLuhan, Kathryn Hutchon and Eric McLuhan, *Media Messages and Language : The World as your classroom* (*Messages médiatiques et langage : le monde de votre classe*), New York, Simon and Schuster, 1980.

transmettons-nous à nos enfants à travers le médium d'un système éducatif expurgé et uniformément athée ? Il me semble que nous leur enseignons insidieusement que les valeurs sont secondaires, que la question du sens de la vie ne compte pas, que Dieu n'est pas un sujet de discussion digne de ce nom, et que, du point de vue de l'État, les jeunes gens n'ont pas d'âme. D'ailleurs, l'âme n'est pas une affaire sérieuse. En d'autres termes, ce que l'école moderne apprend à nos enfants, c'est le nihilisme, philosophie diabolique pour laquelle rien n'a de valeur et tout est permis.

La réponse à cette redoutable situation, je l'ai évoquée dans le chapitre précédent, en soutenant la nécessité d'un conseil psychospirituel pour les postulants au suicide médicalement assisté. C'est celle du « consentement » ou du « choix éclairé ». L'athée a le droit de ne pas croire en Dieu ni en l'âme, mais peut-il refuser de réfléchir à ces notions ? Dans son cursus scolaire, on lui aura inculqué des notions de darwinisme, de physique atomique, on lui aura expliqué que le big bang était le point de départ de l'Univers ; autant de théories bien fragiles. Pourquoi n'aurait-il pas droit à une « formation spirituelle » ?

Le seul problème, à mon sens, est de savoir comment il sera formé. Si l'instruction religieuse doit prendre la forme d'un bourrage de crâne intégriste, alors le recours au Premier Amendement s'impose, évidemment. Si on lui présente l'âme comme un concept largement accepté et débattu, comme digne de discussion et de réflexion, je ne vois pas pourquoi il devrait courir se réfugier dans le giron de la loi. Libre à lui d'accepter ou de rejeter le concept, en d'autres termes, de faire un « choix éclairé ».

Mais, plus précisément, comment faudrait-il enseigner l'âme et Dieu ? Les méthodes valables ne manquent pas et je mets au défi les éducateurs, professeurs de lycée ou d'université, d'adopter les plus créatives. Quoi qu'il en soit, il me paraît urgent d'introduire un cours obligatoire sur la mort dans toutes les universités du pays. Ainsi pourrons-nous espérer toucher le plus large auditoire possible à un âge de réceptivité optimale.

Il y a vingt ans, dans la petite ville de Nouvelle-Angleterre où j'habitais alors, après la mort de deux étudiants (l'un d'une leucémie et l'autre dans un accident de voiture), les élèves ont fait circuler une pétition réclamant un cours sur la mort. Un pasteur protestant a proposé de superviser ce cours avec plusieurs assistants – le tout gratuitement. Dans cette petite ville, cependant, le conseil d'administration du collège était tenu d'approuver tout nouvel enseignement, facultatif ou non, payant ou gratuit. Le conseil d'administration s'est réuni et a rejeté ce projet par huit voix contre une, pour la raison qu'il était « morbide ». Ce vote a déclenché une assez vive controverse et le journal local a publié des lettres de lecteurs indignés par cette décision. Le rédacteur en chef lui-même a rédigé un éditorial favorable au projet. Bref, les remous qui ont agité cette petite communauté ont fini par décider le conseil à se réunir une nouvelle fois pour reconsidérer sa décision. Rebelote : nouveau rejet du cours par huit voix contre une, pour les mêmes motifs.

Notre société n'est-elle pas prête à parler de la mort, notamment à sa jeunesse ? Il est vrai que cette histoire date de vingt ans. À l'époque, on ne parlait pas de « débrancher » les patients, la pompe à morphine n'existait pas et il n'était pas question de débattre d'euthanasie. Ne serait-ce pas formidable que le débat actuel amène une mutation décisive de notre système éducatif ?

Si j'avais à enseigner la mort à des élèves, voici comment je débuterais : « Votre propre mort vous semble bien lointaine pour l'instant. Mais si nous abordons le sujet de la mort ensemble, c'est parce qu'une caractéristique des hommes, en tout cas de ceux qui réfléchissent, est de commencer à penser à leur mortalité dès l'adolescence. Que signifie ce mot, “mortalité” ? Qu'implique l'affirmation que nous autres, êtres humains, sommes mortels ? »

Je leur parlerais ensuite du déni de la mort et des étapes qu'énumère E. Kübler-Ross, sans omettre les exceptions. Je poursuivrais sur la psychologie de l'apprentissage et ses différents stades. Je leur poserais la question suivante : « L'un de vous a-t-il déjà parcouru ces étapes à un moment de sa vie où il apprenait quelque chose d'important sur lui-même ou sur le monde ? Je souhaite que vous réfléchissiez à cette question et je vous demande de relater dans un bref récit une expérience de ce genre. » Comme manuel de cours, j'utiliserais sans doute l'ouvrage de J. Sharp, mentionné ci-dessus. Ce livre concis et bien écrit développe la thèse suivante : nous sommes tous mortels, et nous en apprendrons plus en affrontant cette réalité qu'en essayant de l'esquiver.

Après quoi, je leur demanderais s'ils croient en une vie après la mort et je les aiderais à préciser leur vision de l'au-delà. S'agissant de l'enfer et du purgatoire, je les informerais des conceptions modernes comme celle de C.S. Lewis, à l'opposé des visions moyenâgeuses terrifiantes. Lewis décrit l'enfer comme un lieu auquel les hommes eux-mêmes se condamnent et non comme un châtiment divin. Je leur parlerais aussi de ma propre vision du purgatoire comme opportunité de guérison et d'apprentissage. J'étudierais les croyances d'autres religions, sans oublier le karma et la réincarnation.

Je les interrogerais sur la différence entre âme et ego et sur la spiritualité profonde de tout apprentissage, de toute maturation. Nous examinerions les doctrines du sens de l'existence que proposent les philosophes athées et religieux, sans omettre le nihilisme et l'existentialisme. Puis nous étudierions les différentes éthiques en insistant sur la théorie de « l'observateur idéal[1] ». Ce n'est pas seulement l'éthique la plus récente mais aussi, de toutes celles que je connais, la seule qui incite, avec tact, à prier. J'exposerais à mes étudiants les distinctions entre mal naturel et méchanceté humaine, ainsi qu'entre le mal et la mort et les raisons pour lesquelles un Dieu supposé aimant peut tolérer la souffrance.

Et nous conclurions le débat sur l'euthanasie après avoir examiné tous ses aspects, à commencer par les différents types de souffrance. Je ne chercherais pas à pousser les étudiants à adopter une position plutôt qu'une autre. En revanche, je les inciterais à s'engager dans ce débat de tout leur cœur. Je ne doute pas que la discussion soit animée. Et s'il va de soi que des étudiants de seize ans sont amenés à évoluer, je suis convaincu qu'en discutant d'aussi graves sujets à cet âge on plante de bonnes graines pour l'avenir.

Le débat sur l'euthanasie est complexe, multiforme. Il mérite qu'on fasse appel aux réflexions de nos meilleurs juristes, philo-

1. Afin de s'affranchir des multiples contingences qui l'empêchent de discerner clairement ses devoirs moraux, le sujet doit se projeter dans la position de l'« observateur idéal », désintéressé, dépassionné, rigoureusement impartial. *(N.d.T.)*

sophes, médecins et infirmières avant que les tribunaux tranchent la question en imposant à la société une jurisprudence prématurée. Il faut que des chercheurs étudient toutes les données disponibles, qu'il s'agisse de la situation aux Pays-Bas ou du profil psychologique des postulants américains à l'euthanasie.

Mais on voit déjà poindre la question essentielle de ce débat : la conception de l'âme. Ce livre s'intitule *Le Chemin de l'âme* parce que je considère le mouvement pro-euthanasie comme un phénomène principalement athée et inquiétant pour l'avenir. À l'inverse, ce débat me paraît riche de grands espoirs pourvu qu'il permette de corriger les déséquilibres sociaux que j'ai signalés, en portant une attention renouvelée à l'âme.

L'âme, voilà un sujet plus riche encore que celui de l'euthanasie. La vraie grande question n'est pas tant de savoir ce que la société va faire du problème de l'euthanasie, mais de savoir si nous souhaitons une société qui stimule l'âme et le développement spirituel. Presque toute la complexité du débat sur l'euthanasie sera résolue si nous parvenons à le restituer dans le contexte de cette question : « Voulons-nous une société qui stimule l'âme et le développement spirituel ? »

Table